ŒUVRES POÉTIQUES

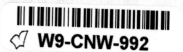

Du même auteur
dans la même collection

CHATTERTON. QUITTE POUR LA PEUR.
STELLO.

ŒUVRES POÉTIQUES

POÈMES ANTIQUES ET MODERNES

LES DESTINÉES

MANUSCRITS D'AUTREFOIS

ET

FANTAISIES OUBLIÉES

Chronologie, introduction, notices et archives de l'œuvre

par

Jacques-Philippe Saint-Gérand

GF Flammarion

ISBN : 978-2-0807-0306-4

REPÈRES BIOGRAPHIQUES

Conformément aux préoccupations constamment manifestées par l'écrivain, nous avons étendu cette chronologie dans la direction du passé, à la recherche de la noblesse des ancêtres, et dans celle de l'avenir, à l'écoute des échos de l'œuvre renvoyés par la postérité.

1570 : François de Vigny, cinquième aïeul du poète, reçoit des lettres-patentes de Charles IX « reconnaissant sa noblesse et les louables et très recommandables services faits à luy, roi, et à ses prédécesseurs roys, en plusieurs importantes et honorables charges où il avait été employé pour leur service et le bien du royaume, même pendant les troubles, et, à ces causes, le tient quitte, luy et ses successeurs, de payer à sa Majesté ou à ses successeurs roys aucune finance ni indemnités ».

C'est seulement sous Louis XIV, avec Jean de Vigny, trisaïeul de l'écrivain, que cette noblesse de robe deviendra noblesse d'épée.

Les Baraudin, auxquels Vigny tenait par sa mère, d'origine piémontaise, avaient été anoblis par Charles III, duc de Savoie, en 1512, et confirmés dans leur noblesse par François Ier en 1542. Gouverneurs de père en fils du château de Loches, ce sont eux qui donnèrent naissance aux « galants guerriers sur mer » qu'illustre *L'Esprit Pur*, même si leurs grades (chef d'escadre, amiral!...) tiennent de la saga familiale.

20 août 1790 : Mariage célébré en la collégiale Saint-Ours de Loches par l'oncle de l'épouse, de Léon-

Pierre de Vigny, alors âgé de cinquante-cinq ans, et de Marie-Amélie de Baraudin, de vingt-deux ans sa cadette. Léon de Vigny, chevalier et capitaine, blessé grièvement lors de la guerre de Sept Ans (en 1758) et demeuré depuis lors infirme, a pris sa retraite en 1779. Ruinées par la Révolution, les deux familles ne conservent plus de leur richesse passée que le château du Tronchet, près d'Etampes, et le domaine du Maine-Giraud en Charente.

Octobre 1793-janvier 1795 : M. et Mme de Vigny sont détenus à leur domicile de Loches, à la suite de l'émigration en Angleterre d'un frère de la jeune femme, Louis de Baraudin, tandis que le père de Mme de Vigny, ancien commandant de vaisseau, est emprisonné pour « défaut de civisme » dans les tours du château fortifié.

4 août 1795 : Blessé lors de l'attaque d'Auray par les émigrés, Louis de Baraudin, capturé, est exécuté à Quiberon en dépit des assurances du général Hoche.

27 mars 1797 : Naissance à Loches, rue Beaubourg, d'Alfred-Victor de Vigny; trois enfants, morts en bas-âge, l'ont précédé au foyer familial. Libéré depuis vingt mois, son grand-père maternel meurt à la fin de l'été (22 septembre).

Février 1799-mars 1804 : Les parents de Vigny s'installent à Paris, au palais de l'Elysée-Bourbon, alors réquisitionné et divisé en boutiques et appartements. Jusqu'à l'âge de dix ans, Alfred de Vigny est entièrement éduqué et instruit par sa mère : gymnastique, peinture, musique (chant, piano, flûte), mathématiques; la poésie est considérée comme un divertissement secondaire, presque un « péché », comme l'écrivain le constatera en 1832.

1807-1811 : Vigny est demi-pensionnaire à l'institution de M. Hix. Le musicien Hérold et le graveur Devéria (Achille) y sont ses condisciples.

1811-1813 : Vigny devient externe au lycée Bonaparte (aujourd'hui Condorcet). Le jeune garçon, encore frêle, est en butte aux moqueries de ses camarades qui s'agacent de son titre nobiliaire hautement revendiqué, et de sa supériorité intellectuelle. Vigny achève finalement ses études, chez lui, sous le préceptorat de l'abbé Gaillard qui développe en lui la connaissance des langues anciennes et modernes (anglais, italien, allemand, espagnol), tandis que le disciple songe sérieusement à entrer à l'Ecole Polytechnique. Mais les événements dérangent ce projet.

6 juillet 1814 : Pendant cette première restauration de Louis XVIII, Vigny entre au Ier Régiment des Gendarmes du Roi. Selon la règle de ce corps, et quoiqu'il ait déjà le brevet de lieutenant, Vigny doit servir comme simple soldat.

20 mars 1815 : Bien qu'il se soit blessé au genou gauche au cours d'une manœuvre, Vigny suit, à douze heures d'intervalle, Louis XVIII dans sa fuite vers Gand. Mais, huit jours plus tard, il est licencié avec sa compagnie à Saint-Pol-sur-Ternoise, et passe les Cent-Jours « exilé à trente lieues de Paris » (Amiens ?).

Début juillet 1815 : Vigny rejoint sa compagnie reconstituée; « il n'a jamais servi aucun autre maître » que le roi légitime reconnaît Mme de Vigny.

1er janvier 1816 : Dissolution des « Compagnies Rouges ». Vigny est mis « à la disposition du Ministre de la Guerre ».

25 janvier 1816 : Mort de Léon de Vigny, père de l'écrivain; il est enterré au cimetière de Montmartre. L'adolescent s'évanouit à cette nouvelle.

21 février 1816 : Vigny est nommé lieutenant à la légion départementale de Seine-et-Oise.

15 mars 1816-1er juin 1823 : Vigny fait l'expérience de la vie de garnison : Paris, Vincennes, Nemours, Amiens, Saint-Denis, Versailles, Courbevoie, Rouen, Orléans, Strasbourg.

Automne 1820 : Avec l'aide d'Emile et d'Antoni Deschamps, Vigny pénètre dans le cercle du *Conservateur littéraire*.

Décembre 1820 : Vigny confie à la revue légitimiste des frères Hugo un article consacré à la publication des *Œuvres complètes* de Byron (traduction Pichot), et un poème *Le Bal*. Vigny est devenu écrivain; les notes annuelles du militaire s'en ressentent.

Mars 1822 : Vigny fait paraître, sans nom d'auteur, un recueil de *Poèmes : Héléna*, *La Dryade*, *Symétha*, *Le Somnambule*, *La Fille de Jephté*, *Le Bain*, fragment d'un poème de Suzanne, *La Femme adultère*, *La Prison*, *Le Bal*, *Le Malheur*, ode.

10 juillet 1822 : Vigny est nommé lieutenant titulaire, à l'ancienneté; ce qu'il ne pardonnera jamais à la royauté rétablie. Les événements d'Espagne lui inspirent *Le Trapiste (sic)*, qui connaît trois éditions en six mois.

19 mars 1823 : Vigny ayant eu connaissance de ce que le 55e Régiment de ligne devait partir fin mai pour Bordeaux afin de participer aux expéditions françaises en Espagne, se fait nommer capitaine de ce régiment à Strasbourg.

Mi-juin 1823 : Vigny s'écarte de sa troupe en marche sur Bordeaux, pour visiter pour la première fois le domaine charentais du Maine-Giraud, où la chanoinesse de Malte, Sophie de Baraudin, vit quasiment en recluse depuis la Révolution.

Septembre 1823 : Vigny est introduit par Edouard Delprat et Edmond Géraud dans les salons littéraires de Bordeaux. Il y rencontre Lorrando, Gergerès, le célèbre ténor Garat et Marceline Desbordes-Valmore, à défaut de participer aux expéditions militaires en Espagne. Il compose et rédige *Eloa*.

Octobre 1823 : *La Muse française*, qui a pris la succession du *Conservateur littéraire*, publie *Dolorida*, tandis que les *Tablettes romantiques* font paraître *La Neige*.

3 février-6 mai 1824 : Vigny, en congé prolongé sans solde jusqu'en juin, est à Paris où il collabore épisodiquement à *La Muse française* (article *Sur la mort de Byron*). *Eloa*, mystère publié en avril, partage la critique.

Juin 1824 : Vigny rejoint son régiment à Bayonne; cantonnements successifs à Oloron et Pau où il rencontre Miss Lydia Bunbury.

Novembre-décembre 1824 : Bref séjour à Orthez.

3-8 février 1825 : Après une longue résistance, sir Hugh Mill Bunbury accepte le mariage de sa fille avec le militaire-poète. A Pau se déroulent les cérémonies civile et religieuse (rite protestant).

15 mars 1825 : Mariage catholique à Paris (église de la Madeleine). Vigny, en congé, fait prolonger ce congé de proche en proche jusqu'à ce qu'il introduise une demande de mise à la réforme. Le couple habite rue Richepanse, puis rue Miromesnil.

Mai 1825 : Les *Annales romantiques* publient *Le Cor.*

Janvier 1826 : Publication des *Poèmes antiques et modernes : Le Déluge, Moïse, Dolorida, Le Trapiste (sic), La Neige, Le Cor.*

Avril 1826 : Publication de *Cinq-Mars.* Enorme succès qui fait connaître l'écrivain et lui vaut d'être présenté à Walter Scott, de passage à Paris, par un oncle de sa femme.

13 mars 1827 : Vigny dépose une demande d'admission au traitement de réforme pour « hémoptysie ».

28 avril 1827 : La demande de Vigny est agréée. Rayé des contrôles d'activité en mai, Vigny percevra pendant les six ans à venir un traitement de réforme qui prend effet à partir de septembre.

Juillet-août 1827 : De passage à Dieppe avec Lydia, Vigny fait la connaissance de M. et Mme Holmes; le major irlandais, qui vient également de quitter l'armée (britannique) pour venir s'établir à Paris, est comme Vigny un admirateur de Shakespeare. Le poète rencontre les peintres Gérard et Gros à l'occasion de ce séjour.

7 novembre 1827 : Mort de la chanoinesse Sophie de Baraudin. Le poète règle pour sa mère la succession de sa tante, qui consiste essentiellement dans la propriété du Maine-Giraud, acquise seulement en 1768, mais que vieillit et anoblit l'imagination de l'écrivain. Séjour de plusieurs semaines.

Fin 1827-début 1828 : Vigny adapte en vers, avec l'aide d'Emile Deschamps et des traductions de Letourneur, *Roméo et Juliette* de Shakespeare. La pièce est reçue à la Comédie-Française le 15 avril 1828.

Janvier 1828 : Les *Annales romantiques* publient *Le Bain d'une dame romaine.* Vigny rencontre Sainte-Beuve.

Septembre-décembre 1828 : Vigny, seul, adapte en vers *Othello* (reçu au Théâtre-Français le 21 juillet 1829) et *Le Marchand de Venise* (qui ne sera joué qu'en 1905) de Shakespeare.

Avril 1829 : *La Frégate La Sérieuse* « échoue dans le salon » de Mme d'Agoult (Daniel Stern en littérature).

Mai-août 1829 : Seconde et troisième éditions des *Poèmes*. Regroupement des deux premiers recueils dont Vigny retranche *Héléna* et *Le Malheur ;* il ajoute *Eloa, Le Bain d'une dame romaine,* déjà parus en revue ou en plaquette, *Madame de Soubise* et *La Frégate La Sérieuse,* inédits sous forme imprimée. Vigny s'intéresse vivement aux Saints-Simoniens et à leur doctrine.

24 octobre 1829 : Première représentation du *More de Venise* (Othello) à la Comédie-Française.

1er novembre 1829 : *Lettre à Lord****, en préface à l'édition imprimée d'*Othello*. Hugo ayant voulu faire jouer en priorité son drame *Hernani*, les relations des deux écrivains vont se dégradant peu à peu.

Juillet 1830 : Vigny, hésitant sur l'avenir politique (fidélité à la royauté légitime combattue par la conscience de l'inutilité de sa cause) se rallie finalement, par dépit et rancœur accumulés, au nouveau régime.

Août 1830 : Chef de bataillon dans la Garde nationale, Vigny participe à la répression des troubles populaires.

Octobre 1830 : Vigny lit le texte de *La Maréchale d'Ancre* chez Marie Dorval, à qui il destine le premier rôle.

11 février 1831 : Le bataillon de Vigny est de garde au Palais-Royal; ainsi qu'il est de règle, et en tant que chef de bataillon, Vigny dîne avec la famille royale.

Avril 1831 : L'éditeur Gosselin fait paraître en plaquette *Paris*, élévation; tandis que Vigny inaugure une longue collaboration avec *La Revue des Deux Mondes*, en publiant quatre chapitres de *L'Almeh*, œuvre inachevée entreprise depuis 1828.

25 juin 1831 : Création à l'Odéon de *La Maréchale d'Ancre ;* Mlle George a été sournoisement préférée à Marie Dorval dans le rôle principal.

15 août 1831 : Vigny adresse le manuscrit de sa pièce à Marie Dorval; début de leur liaison.

15 octobre-1er décembre 1831 : *La Revue des Deux Mondes* publie les deux premiers récits de *Stello*.

A cette époque, Vigny s'installe 6, rue des Ecuries d'Artois où il vivra jusqu'à sa mort.

Décembre 1831 : *L'Emeraude* publie *Les Amans de Montmorency* (*sic*).

Mars 1832 : Vigny et Lydia sont atteints par l'épidémie de choléra qui ravage Paris. L'écrivain détruit plusieurs œuvres de jeunesse, dont « trois tragédies manquées » : *Roland*, *Julien l'Apostat*, *Antoine et Cléopâtre*.

1er avril 1832 : *La Revue des Deux Mondes* fait paraître le troisième épisode de *Stello*.

18 juin 1832 : Vigny donne sa démission de la Garde nationale. Fin juin, Gosselin publie *Stello* en volume. L'écrivain songe à une *Seconde consultation du Docteur Noir*, et commence la rédaction de ses *Mémoires*.

1er mars 1833 : *La Revue des Deux Mondes* publie le récit intitulé *Laurette*.

6 mars 1833 : La mère du poète est victime d'une hémorragie cérébrale qui la laisse très diminuée.

30 avril 1833 : Vigny est nommé chevalier de la Légion d'honneur pour son activité dans la Garde nationale; cette récompense tardive ne diminue en rien, bien au contraire, son scepticisme critique à l'égard du régime. L'écrivain est très assidu aux réunions littéraires et mondaines qu'organisent, chaque mercredi, M. et Mme Holmes.

30 mai 1833 : Unique représentation à l'Opéra de *Quitte pour la peur*, avec Marie Dorval dans le rôle de la Duchesse.

1er avril 1834 : *La Revue des Deux Mondes* publie *La Veillée de Vincennes*, second récit de *Souvenirs de servitude militaire*.

Mai 1834 : Berlioz présente Vigny à Chopin, Liszt et Spohr.

30 juin 1834 : Vigny rédige la préface de *Chatterton ;* la pièce sera reçue à la Comédie-Française le 5 août de la même année.

Août 1834 : Sur la demande de Berlioz, Vigny participe à la révision du livret de *Benvenuto Cellini*.

12 février 1835 : Création de *Chatterton* sur la scène du Théâtre-Français. Immense succès. Mais Vigny commence à savoir se défier des éloges jaloux qu'on lui adresse (Sainte-Beuve, Hugo).

1er octobre 1835 : *La Revue des Deux Mondes* publie *La Canne de jonc, Souvenirs de grandeur militaire.* Le volume reconstitué et intitulé *Servitude et grandeur militaires* paraît en volume chez Bonnaire, à la fin du même mois; il connaît un accueil mitigé.

9 juillet-15 septembre 1836 : Vigny séjourne à Londres pour y régler des affaires de famille; il y rencontre Camilla Maunoir, vaguement parente des Bunbury, qui traduira en anglais plusieurs de ses poèmes, et pour qui l'écrivain aura quelques tendresses.

1837 : Toujours préoccupé par son projet de *Deuxième consultation du Docteur Noir*, Vigny rédige deux longs fragments en prose qui constituent le texte inachevé de *Daphné*. Nouvelle édition des *Poèmes antiques et modernes*, tome Ier des Œuvres complètes à paraître jusqu'en 1839; au contenu des éditions de 1829, Vigny ajoute *Les Amants de Montmorency* et *Paris*.

21 décembre 1837 : La mère du poète meurt, victime d'une nouvelle attaque, à l'âge de quatre-vingts ans.

3 avril 1838 : Commençant à surmonter la dépression causée par la mort de sa mère, Vigny s'éprend de deux jeunes Américaines, arrivées depuis un an, avec leur mère, de la côte Est des Etats-Unis, les sœurs Dupré; Julia, notamment, reçoit toutes ses faveurs. Alors que le poète se déprend progressivement de Marie Dorval, qui s'en console avec Jules Sandeau, c'est Julia qui devient dans les notes intimes « Eva d'Est ».

17 août 1838 : A l'issue de scènes pénibles pour l'un et l'autre, Vigny rompt définitivement avec Marie Dorval, quelque destructrice que soit sa souffrance intérieure. Il semblerait que le traumatisme en résultant ait déclenché en lui cette « gastralgie », probablement cancéreuse sur le tard, et qui l'emportera.

20 septembre 1838 : Vigny part pour le Maine-Giraud qu'il vient d'hériter de sa mère. La propriété est dans un état déplorable. Sous les toits d'une tourelle dont il fera ultérieurement boiser l'intérieur, à l'instar d'une cabine de navire, Vigny compose dans la nuit du 30 au 31 octobre l'essentiel de *La Mort du loup*.

2 novembre 1838 : Vigny apprend la mort de son

beau-père; nécessité pour lui de se rendre une nouvelle fois en Angleterre pour assurer la succession revenant à sa femme.

17 novembre 1838 : Passage de Vigny à Tours. Toujours sous l'émotion de sa rupture avec Marie Dorval, Vigny esquisse *La Colère de Samson*; il découvre au Musée une copie de *L'Agonie au jardin* de Mantegna.

Décembre 1838 : Arrivé à Londres, Vigny est introduit par son ami Alfred d'Orsay dans les cercles de la société de la capitale, notamment chez Lady Blessington à qui il fait confidence de son projet d'une œuvre s'intitulant *La Duchesse de Portsmouth.* Le 21, Vigny rencontre le pianiste virtuose Moschelès.

16 février 1839 : Toujours à Londres, Vigny dîne avec Persigny et Louis-Napoléon Bonaparte.

7 avril 1839 : Invité par Lady Blessington dans sa résidence de Shavington, Vigny découvre le tableau de Mantegna *Samson et Dalilah;* il achève *La Colère de Samson;* il découvre également l'original de *L'Agonie au jardin*, l'idée du *Mont des Oliviers* prend définitivement forme en lui.

Fin avril 1839 : Vigny revient à Paris; insuccès momentané de ses tentatives pour éviter que Lydia soit totalement deshéritée au profit des enfants du second lit de son père.

7 septembre 1839 : Le poète adresse une première lettre au prince Maximilien de Bavière, qui souhaite obtenir de lui une sorte de préceptorat moral.

12 novembre 1839 : Vigny termine la rédaction du *Mont des Oliviers.*

9 mars 1840 : Reprise de *Chatterton*, avec Marie Dorval, à la Comédie-Française.

18 juin 1840 : Reprise dans les mêmes conditions de *La Maréchale d'Ancre.*

27 septembre 1840 : Les sœurs Dupré rentrent aux Amériques.

20 octobre 1840 : Rupture définitive des relations de Vigny et de Sainte-Beuve, à la suite de l'article *Dix ans après en Littérature.*

9 novembre 1840 : Première version du poème *La Flûte.*

15 janvier 1841 : *La Revue des Deux Mondes* publie la *Lettre aux Députés sur la propriété littéraire* qui, prenant prétexte du cas de Mlle Sedaine, demande le maintien illimité des droits d'auteur au bénéfice des héritiers, tout en proposant l'abolition de la propriété littéraire dès la mort de l'auteur.

17 février-4 mai 1842 : Echecs de Vigny à l'Académie française.

Novembre 1842 : Vigny achève la version définitive de *La Flûte.*

15 janvier 1843 : *La Revue des Deux Mondes* publie *La Sauvage.*

1er février 1843 : *La Revue des Deux Mondes* publie *La Mort du loup,* inédit jusqu'alors.

15 mars 1843 : *La Revue des Deux Mondes* publie *La Flûte.*

1er juin 1843 : *La Revue des Deux Mondes* publie *Le Mont des Oliviers.*

8 février-14 mars 1844 : En dépit de la publication de ces poèmes destinés à appuyer sa campagne académique, Vigny essuie deux nouveaux échecs à l'Académie française.

15 juillet 1844 : *La Revue des Deux Mondes* publie *La Maison du berger.* Un compromis est accepté réciproquement par les deux parties dans l'affaire de la succession Bunbury.

8 mai 1845 : Vigny est élu, à sa sixième candidature, au fauteuil académique d'Etienne.

22 juin 1845 : Esquisse en prose du poème *Wanda.*

Août 1845 : Vigny informe Bulos *(sic)* de son intention de ne pas « achever la *Deuxième Consultation* parce que ce serait le plaidoyer d'idées dangereuses ».

29 janvier 1846 : Réception de Vigny à l'Académie française. Molé qui lui reproche de n'avoir pas fait l'éloge de la branche des Orléans, contrairement à ses propres affirmations de l'avant-veille, truffe son discours de perfidies que Vigny prend pour des insultes publiques, s'imaginant qu'une véritable cabale a été montée contre lui.

14 juin 1846 : Vigny, qui ne l'aime guère en dépit de ses amabilités appuyées, est reçu en audience privée à

Neuilly, par Louis-Philippe. Peu après, il rencontre Louise Colet auprès de Pradier.

Novembre 1846 : Projet en prose de *La Bouteille à la mer*.

19 avril, 12 juillet 1847 : Vigny rédige deux esquisses du poème *Les Destinées*.

24 septembre 1847 : Vigny achève *La Bouteille à la mer*.

5 novembre 1847 : Vigny finit de rédiger *Wanda*, histoire russe.

Février 1848 : Vigny, qui rêve d'une constitution républicaine à la manière américaine, se rallie rapidement à la Révolution.

Avril 1848 : Candidat solitaire à la députation, en Charente, Vigny, qui refuse de se présenter sur place aux électeurs, ne rassemble sur son nom que quelques voix.

Août 1848 : Vigny rejoint Lydia au Maine-Giraud qu'il commence à remettre en valeur par l'exploitation systématique des vignes. Les lettres à son régisseur, Philippe Soulet, sont révélatrices à cet égard; l'écrivain signe désormais : Vigny, vigneron. Les ventes d'un cognac et d'un pineau appréciés pour leur pureté (Vigny traite avec la maison de M. Hennecy [*sic*]) lui permettent d'améliorer le domaine sur lequel il va vivre, presque sans interruptions, pendant cinq ans.

Avril 1849 : Deuxième échec de Vigny à la députation.

20 mai 1849 : Mort prématurée de Marie Dorval.

8 juillet 1849 : Reprise de *Quitte pour la peur* au théâtre du Gymnase avec Rose Chéri dans le rôle principal.

27 août 1849 : Vigny achève le poème *Les Destinées*.

Octobre 1849 : Elu directeur de l'Académie pour les sessions des trois derniers mois de l'année, Vigny revient sans hâte à Paris.

1850 : Vigny s'intéresse aux travaux sur le sanskrit de Desgranges, et aux recherches dialectologiques de Breulier. Le début de cette année est marqué pour lui et pour sa femme par de fréquents malaises.

8-17 juin 1850 : Vigny revient au Maine-Giraud par petites étapes qui lui font visiter la Touraine et le Poitou.

Juillet 1851 : Vigny entre en pourparlers avec l'éditeur Charpentier, en vue d'une réédition de ses Œuvres.

1852 : Brizeux aide Vigny à corriger les textes de la sixième édition de ses *Poésies complètes* (Charpentier). En octobre, Vigny rencontre à Angoulême le Prince-Président qui revient de Bordeaux. Il se rallie facilement à l'Empire en décembre, tandis que la santé de Lydia continue à se dégrader progressivement.

Juin 1853 : Lydia commence à perdre la vue. Vigny reçoit pendant l'été, Louise Ancelot devenue Mme Lachaud, qu'il traite en véritable fille adoptive.

25 novembre 1853 : Vigny est de retour à Paris.

1er janvier 1854 : Vigny est reçu officiellement aux Tuileries avec les grands corps de l'Etat.

1er février 1854 : *La Revue des Deux Mondes* publie *La Bouteille à la mer*.

7 février 1854 : Vigny dîne en privé chez l'empereur Napoléon III.

18 mars 1854 : Début de la liaison de Vigny avec Louise Colet, anciennement maîtresse de Victor Cousin, récemment déprise de Flaubert, et que le poète connaît depuis huit ans, pour l'avoir remarquée auprès du sculpteur Pradier, lui-même ancien amant de Juliette Drouet.

19 décembre 1854 : Invité par Berlioz, Vigny assiste à la seconde exécution de l'oratorio *L'Enfance du Christ*.

1855-1857 : Vigny se fait directeur de conscience (assez ambigu) d'Elisa, la fille psychopathe de son ami le général Le Breton.

Février 1855 : Sur les conseils de Camilla Maunoir, Vigny rencontre à Paris le pasteur genevois Bungener.

29 juin 1855 : Mort de Delphine Gay, devenue Mme de Girardin, pour laquelle Vigny avait jadis soupiré contre l'assentiment de sa mère.

Septembre 1855 : Bref séjour au Maine-Giraud.

Mars 1856 : L'écrivain est projeté au sol par un cheval nerveux; une nouvelle blessure au genou gauche l'oblige à garder longuement la chambre. Dégradation de ses relations avec Louise Colet.

Juin 1856 : Promu Officier de la Légion d'honneur,

Vigny se refuse cependant à composer un poème sur la naissance du Prince Impérial.

1857 : Déclin continu de Lydia.

18 septembre 1857 : Vigny croit avoir découvert un complot contre la sécurité de l'Etat; fidèle à sa conception propre de l'honneur, il estime de son devoir d'en avertir le garde des Sceaux.

21 octobre 1857 : Vigny envisage d'ajouter deux « Billets » à son poème *Wanda.*

7 décembre 1857 : Reprise au Théâtre-Français de *Chatterton*, corrigé par la censure impériale. Rupture définitive avec Louise Colet.

14 janvier 1858 : *Quitte pour la peur* est représenté en privé pour Napoléon III.

20 avril 1858 : Sainte-Beuve désire se réconcilier avec Vigny.

18 mai 1858 : Mort de Tryphina-Augusta Holmès, venue habiter dans la maison même des Vigny.

Décembre 1858 : Liaison de Vigny avec Alexandrine-Augusta Froustey Bouvard, fille naturelle du baron Auguste Poupart de Wilde, châtelain du Luxembourg belge. Augusta Bouvard était née en 1836, et avait reçu une solide instruction. Lorsqu'elle est devenue préceptrice, le poète l'installe dans un appartement à proximité immédiate de la rue des Ecuries-d'Artois; et quand il ne peut pas se déplacer, il échange avec elle une correspondance fidèle.

1859, 1861, 1862 : Vigny reçoit le témoignage de plusieurs amitiés littéraires : Mistral, Baudelaire, Barbey d'Aurevilly, Leconte de Lisle.

Septembre 1859 : Vigny, de plus en plus vivement attiré par les religions orientales, étudie le *Baghavata Pourana.*

1860 : Vigny songe de nouveau à une *Seconde Consultation du Docteur Noir.*

Septembre 1860 : Vigny lit l'ouvrage du Père Gratry : *Les Sources, conseils pour la conduite de l'Esprit.*

23 avril 1861 : Vigny refuse de soutenir George Sand lors de la distribution annuelle des prix de l'Académie française.

Août 1861 : Vigny affaibli « depuis plus de dix-huit mois » par un régime alimentaire essentiellement liquide, souffre de plus en plus douloureusement de la gastralgie cancéreuse qui le mine.

16 septembre 1861 : Vigny rédige le codicille testamentaire concernant la publication des *Poèmes philosophiques*.

1862 : Vigny éprouve les plus grandes difficultés à assister aux séances de l'Académie française. Il ne peut participer, le 6 février à l'élection d'Octave Feuillet, successeur de Scribe.

24 février 1862 : Vigny termine *Les Oracles;* il en achève le *Post-Scriptum*, le 28 mars.

2 avril 1862 : Vigny rédige la strophe *Le Silence*, qu'il ajoute au *Mont des Oliviers*. Relecture et correction des *Mémoires*.

22 décembre 1862 : De retour d'une promenade au bois de Boulogne, Lydia meurt d'une hémorragie cérébrale dans les bras de son mari. Tenaillé par l'affliction et par ses propres douleurs physiques, Vigny laisse un de ses proches parents, M. de Pierres, organiser les obsèques.

10 mars 1863 : Le poète achève le texte de *L'Esprit pur*. Il envisage au printemps de retourner s'établir au Maine-Giraud dès le mois de septembre, si sa santé le lui autorise.

6 juin 1863 : Vigny rédige son testament; les biens matériels sont destinés à Louise Ancelot, épouse Lachaud; Louis Ratisbonne est chargé d'administrer la propriété littéraire.

17 septembre 1863 : Alfred de Vigny meurt en confiant à l'abbé Vidal, curé de Bercy, « Je suis né catholique, je meurs catholique. ». In extremis, il ajoute à son testament un codicille supplémentaire qui fait de sa mort celle d'un sage de *Daphné :* « Laissez à l'Eglise le choix de ses paroles et de ses chants sacrés. L'ignorance universelle des hommes n'a le droit de parler que de ses doutes et de ses sciences incomplètes. La tombe ne veut entendre que la prière. Il n'y a que le silence ou l'adoration qui puissent atteindre aussi haut que la dignité de la mort et que la majesté de l'éternité. »

15 janvier 1864 : *La Revue des Deux Mondes* publie *La Colère de Samson;* Ratisbonne fait paraître l'édition des *Destinées*, poèmes philosophiques, selon une organisation du recueil voulue par Vigny lui-même.

1867 : Après avoir procédé à des suppressions, à des interversions, Ratisbonne publie la première édition très incomplète du *Journal d'un poète.* Il en avait extrait quelques pages, l'année précédente, pour les faire paraître dans *La Revue moderne.*

1891 : A l'occasion d'une thèse de doctorat, Louis Dorison met au jour de nombreux fragments inédits du *Journal.*

1894 : Dans *Les Lundis d'un chercheur*, Alfred Spoelberch de Lovenjoul publie un certain nombre de pages perdues, dont certaines iront grossir le nombre des *Fantaisies oubliées*, voulues par Vigny, tandis que certaines autres se révéleront ultérieurement apocryphes.

1905 : Première représentation de *Shylock* à la Comédie-Française. Emma Sakellaridès publie le premier recueil regroupant la correspondance éparse du Poète.

Juin-juillet 1912 : Fernand Gregh publie les extraits achevés de *Daphné* dans *La Revue de Paris.*

1913 : Léon Séché complète l'édition de la correspondance de Vigny.

1914-1935 : Edition des *Œuvres complètes* de Vigny avec les brouillons et les inédits (reproduction en fac-similé), par Ferdinand Baldensperger qui profite largement, à cette occasion, de l'édition d'*Héléna*, donnée en 1907 par Edmond Estève, et des diverses recherches qui se sont développées dans les dernières années du XIXe siècle.

1914 : Edition critique du point de vue des sources, des *Poèmes antiques et modernes*, par E. Estève.

1924 : Edition critique du recueil *Les Destinées*, selon la même orientation, toujours par E. Estève.

1927 : En étudiant la pensée politique et sociale d'Alfred de Vigny, P. Flottes découvre à son tour quelques textes inédits dont il enrichit sa thèse. De nombreux ouvrages universitaires s'intéressent, jusqu'aux approches de la seconde guerre mondiale, à la pensée de l'écrivain; peu envisagent encore la spécificité de son écriture.

1946 : Le général de Gaulle présente *Servitude et grandeur militaires* dans *Les Belles Lectures*, hebdomadaire de littérature classique et contemporaine à la large diffusion.

1948 : F. Baldensperger édite l'ensemble de l'œuvre de Vigny dans la collection de la Pléiade, tout en procédant à des regroupements arbitraires, notamment en ce qui concerne le *Journal* surchargé de redites, et en commettant quelques oublis malencontreux ainsi que des erreurs de transcription.

Octobre 1952 : Après avoir remis à jour l'édition Estève des *Destinées* (1946), V. L. Saulnier publie la correspondance inédite de Vigny et Augusta Bouvard : *Lettres d'un dernier amour.*

1955 : H. Guillemin édite des compléments à l'œuvre de l'écrivain (esquisses, brouillons, journal) in *M. de Vigny, homme d'ordre et poète.*

1961 : Dans un Appendice à sa thèse *L'Imagination d'Alfred de Vigny*, F. Germain publie quelques lettres à Emile Deschamps, à Soulié, et au baron de Crouseilhes.

1963 : Pour le centenaire de sa mort, exposition Alfred de Vigny, réalisée à la Bibliothèque Nationale.

1965 : F. Germain édite *Servitude et grandeur militaires* (Classiques Garnier).

1970 : F. Germain édite *Stello* et *Daphné* (Classiques Garnier).

26 avril 1970 : Création mondiale à Paris de *Chatterton*, opéra du compositeur irlandais G. Victory, sur le texte de Vigny.

1971-1975 : De nombreuses thèses et travaux universitaires sont présentés au Japon, au Brésil, au Canada et en France, qui marquent un renouveau d'intérêt pour un œuvre littéraire que l'on commence à découvrir dans son intégralité et sa variété.

1973-1977 : André Jarry continue d'améliorer la connaissance de cet œuvre en publiant les textes de diverses poésies oubliées.

Novembre 1976 : A l'instigation de la société des Amis de Vigny une journée d'étude est entièrement consacrée aux divers aspects de sa création dans l'enceinte de la Faculté des Lettres de Bordeaux.

INTRODUCTION

Le florilège de jugements critiques, que l'on trouvera à la fin de ce volume marque assez les différentes manières dont a été perçu l'œuvre poétique de Vigny. Il n'est plus utile, aujourd'hui, d'apporter son concours à ces entreprises laudatives ou contemptrices. Mieux vaut tenter de définir en quoi cet œuvre constitue une caractérisation unique de la notion de *Poésie* au sein du groupe des poètes du premier « romantisme ».

Vigny s'est constamment défié de l'inquisition biographique, comme il le note dans son journal de 1863, autant par souci du secret de sa vie intime que par conviction de l'inutilité de cette procédure lorsqu'il s'agit de *sonder* les arcanes d'une création littéraire (1)*. Répondre à notre propos initial impose donc de placer l'écriture au centre des investigations. En effet, si l'homme quotidien en Vigny réfléchit souvent et longuement à l'art d'écrire, — à cet égard, Charles Bruneau a montré qu'il était potentiellement le grand théoricien des « romantiques » — un monde sépare la réflexion de la pratique, de sorte que les textes, seuls, dans leur état d'équilibre sémiologique achevé, constituent un témoignage irrécusable. Par eux, le lecteur noue une relation individuelle unique avec l'écrivain, avant de connaître, si l'histoire le tente, l'homme lui-même; par eux, se manifeste cette écriture, objet essentiel de l'étude, qui

**N.B.* Les documents sur lesquels s'appuient ces développements sont rassemblés dans la section *Archives de l'œuvre*. Ils peuvent être consultés indépendamment de cette préface, comme un tout, ou conjointement à elle, comme références textuelles. Les chiffres arabes renvoient à des citations de Vigny (*Archives*, section II); les romains à des ouvrages théoriques contemporains, dictionnaires, rhétoriques, pamphlets critiques, servant de repères évaluatifs (*Archives*, section I).

transfigure l'être de tous les jours et le fixe dans une attitude choisie. Mais, pour déchiffrer la polyphonie significative de ces textes, encore faut-il savoir les interroger et se forger des instruments d'analyse. Dans cette perspective, les nombreuses notules théoriques de Vigny contribueront à faire découvrir, progressivement, les principes d'une composition originale. Et, comme il ne s'agit pas, ici, de dicter une lecture, d'imposer une grille, mais d'inciter à des interprétations renouvelées, le lecteur gardera son libre jugement du degré de réalisation des intentions, et de la validité des réflexions du poète, reconstituant ainsi, dans la matière même de la littérature, une image plausible de l'écrivain.

Toutefois, si l'on ne veut pas commettre l'erreur de juger comme une monade un œuvre qui a forcément entretenu des relations avec les autres productions artistiques de son temps, il convient d'assortir cette analyse interne de l'écriture d'un effort obligé de réactualisation chronologique qui dépasse de beaucoup son prétexte. Il ne suffit plus, en effet, d'appréhender ponctuellement les caractéristiques linguistiques, idéologiques, esthétiques, qui distinguent un texte par rapport à nos critères actuels d'évaluation; il faut reconstruire le système des différences par lesquelles ce texte est lié aux structures littéraires de son époque, intérieur ou extérieur à ces dernières, selon qu'il est traditionnel ou novateur.

Outre le recours aux divers témoignages du *Journal*, des *Mémoires* et de la *Correspondance*, cela impose de définir une norme des tendances dominantes en littérature entre 1820 et 1840, et, par conséquent, de consulter les ouvrages techniques qui soutiennent cet édifice esthétique contemporain du poète. Les références bibliographiques qui vont suivre ne visent donc qu'à esquisser la représentation du contexte socio-culturel dans lequel ont été projetés ou composés les *Poèmes* de Vigny. Elles ne sont ni pédantisme, ni vaine érudition, mais nécessité méthodologique.

Déterminer la spécificité de cet œuvre poétique revient, dans ces conditions, à interroger quatre notions essentielles. Et voici dès lors les questions que l'écrivain s'est lui-même posées tout au long de son existence : Qu'est-ce que le *Beau ?* (Quelle en est la conception prépondérante en ce premier tiers du XIXe siècle ?) Qu'est-ce qu'être *Poète?* Comment *écrire?* Qu'est-ce, enfin, que la *Poésie?*

En 1813, Simonde de Sismondi rappelle qu'à côté d'un Beau universel existent de nombreuses particularisations nationales de cette notion (*De la Littérature du Midi de l'Europe*, I, p. 9). Différents critiques en analysent, à cette date, le contenu pour un esprit français. Parmi les plus autorisés d'entre eux, Noël et De La Place publient en 1816 une septième édition de leur ouvrage quasi officiel : *Leçons françaises de Littérature et de Morale*, dont le titre annonce déjà la double orientation éthique et esthétique. La consultation de ce manuel didactique est facilitée, en 1819, par la publication du *Code des Rhétoriciens*, compendium de tous les préceptes classiques, que réalise J. Simonnin. La poussière qui recouvre, dès cette époque, ces formulaires vite délaissés au sortir de l'école, ne doit pas dissimuler le fait capital que, remettre en circulation dans le premier quart du XIXe siècle les règles d'une idéologie défunte au temps de son apogée à la fin du siècle précédent, et donc désuète, vise à perpétuer une tradition dans laquelle ont baigné, bon gré, mal gré, tous les jeunes « romantiques ». Reproduire les analyses du Père André (1741) ou de Buffon ne jette pas de lumière neuve sur des théories bien connues, mais précise le contexte socio-culturel auquel Vigny a dû réagir quand, à l'automne 1820, il entre dans le cercle du *Conservateur Littéraire*, et rédige *Le Bal* pour la livraison de décembre.

L'éducation dispensée par sa mère, l'enseignement reçu tant à la pension Hix, au lycée Bonaparte, qu'auprès de l'abbé Gaillard, prédisposent l'ambitieux sous-lieutenant à suivre la pente d'une esthétique qui définit le *Beau* en constante relation avec l'intellect et la morale. Ainsi, le Père André considère-t-il dans cette notion un alliage décomposable à l'analyse de raison et d'agrément. Il lui est alors facile de distinguer plusieurs constituants de ce « Beau spirituel » : le *beau essentiel* qui intègre les qualités de *vérité*, d'*ordre*, d'*honnêteté* et de *décence ;* le *beau naturel* qui allie, dans les images, le *grand* et le *gracieux*, dans les sentiments, le *noble* et le *délicat*, dans les mouvements, le *fort* et le *tendre ;* et enfin, le *beau arbitraire* qui relève des règles du discours (l'*expression*, le *tour*, le *style)*, du génie des langues et du goût des peuples (I). Et l'on peut se demander ce qui, de cette notion, pourrait échapper à une telle classification linnéenne, si ce n'est le contact avec la beauté vivante elle-même.

Dans les années 1820, plus spécialement, comme pour répondre à quelques dangers entrevus, l'agitation grandit dans le camp des tenants d'un art néo-classique. Fontanier a réédité et commenté Du Marsais en 1818. J. Planche fait paraître le premier tome de son *Dictionnaire français de la langue oratoire et poétique*, tandis que Carpentier, en réponse, met la dernière main à son *Gradus français*. Les deux premières éditions du *Dictionnaire raisonné des difficultés grammaticales et littéraires de la langue française* (1818 et 1822) de Laveaux ne cessent de proclamer que le bon usage est du côté des classiques, et singulièrement de Racine, auquel Vigny sera ultérieurement comparé par certains critiques. La *Grammaire des grammaires* (4e éd. 1819) offre justement plus de cinq-cent cinquante exemples de celui-là, parce que « les exemples se gravent mieux dans la mémoire, lorsqu'ils présentent une pensée saillante, un trait d'esprit ou de sentiment, un axiome de morale ou une sentence de religion ». Peut-on lier plus explicitement une didactique de la langue, une théorie de l'art et une pratique morale ? En 1818, toujours, la 3e édition du *Tableau historique des progrès de la littérature française* de M.-J. Chénier rappelle que Voltaire doit être considéré comme le « véritable arbitre du goût », et le modèle absolu de tout écrivain. Enfin les *Œuvres complètes* de Marmontel sont publiées à Paris, en 1819; *Les Leçons d'un père à son fils sur la langue française* répètent l'impératif rétrograde, hérité des philologues antiques, qui ne veut voir de valeur réelle que dans le passé, et dans le présent que décadence (II).

Ainsi, il est possible de convoquer la tradition et de souligner une continuité pour résister aux changements idéologiques et conjurer leurs conséquences. Tous ces ouvrages affichent leur attachement à un ordre ancien qui, dans une perspective finale d'esthétique et de morale, fait du *Beau* la synthèse de la *vérité* dans les images et de la *vertu* dans les sentiments, et fixe son expression littéraire dans les modèles révolus.

Mais le présent n'est que turbulence. En 1819, sur l'initiative de Chênedollé, Latouche publie la première édition des *Poésies* d'André Chénier; avec ce texte, hélas, expurgé de quelques-unes de ses hardiesses! se fait entendre la voix d'un écrivain étonnamment novateur et qui n'a pas craint de braver les interdits littéraires pour affirmer sa personnalité, osant revendiquer le droit d'imposer son modèle de la beauté et de la valeur. La mise en vente, le 11 mars 1820, des *Méditations poétiques* de Lamartine confirme, si elle ne la renforce, cette impression de libération esthétique nécessaire.

Lorsqu'en 1821, dans les derniers temps du *Conservateur littéraire*, Victor Cousin rend célèbre la triade *Du Vrai, du Beau, du Bien*, l'éclectisme libérateur c'est donc, pour les jeunes auteurs, de se référer à une théorie esthétique bien établie afin d'en dévoyer discrètement le contenu. L'arsenal des figures rhétoriques (périphrase, métaphore, métonymie, pronomination, synecdoque, etc.) est peu à peu détourné de sa finalité originelle : défendre une morale sociale du voile, de la décence, protéger une esthétique de l'ordre rationnel. On escompte que la libération du carcan des anciens permettra d'atteindre au vrai du sentiment, à l'individualité irrépressible de l'émotion, et de subroger le principe d'une admiration solitaire; mais cela demande préparation et ne se réalise que graduellement. Entre les préceptes classiques authentiques et ceux repris en 1819, il n'existe, apparemment, aucune différence. Toutefois, l'ordre social, l'idéologie, la langue, les besoins culturels ont varié. S'ils cèdent encore, au début, aux facilités du système d'expression qui leur a été transmis par l'instruction, les jeunes « romantiques » se ménagent une marge d'incompréhension consciente des concepts esthétiques anciens, et c'est dans cette marge qu'ils ne vont pas tarder à écrire leur mépris des règles et de la tradition.

Vigny a particulièrement ressenti le poids de cet héritage. Une note du 20 juin 1829 signale qu'avant de composer *Eloa*, le poète a longuement et vainement cherché une inspiration contemporaine qui fût aussi belle que les représentations classiques, et adaptée aux conditions actuelles de la société. Il montre par là l'entrave que constitue un acquis culturel gênant des postulations *philosophiques* naissantes, et pose d'emblée la question de savoir comment adapter une pensée moderne à des formes d'expression anciennes, comment distendre les liens qui unissent l'art et la morale néo-classiques. Il faut attendre que ces postulations se soient affirmées après les luxuriances exotiques et voluptueuses, et les rares tentatives, des *Poèmes antiques et modernes*, pour trouver une réponse à ces interrogations. Vigny constate alors, en 1845, non sans satisfaction, qu'un jeune critique a bien discerné en lui l'intention morale didactique adjointe à la recherche permanente de la Beauté (2). On pourrait craindre alors, que les tendances classiques de sa jeunesse n'aient entièrement triomphé des velléités novatrices, puisque cette alliance du *Beau* et du *Bien* semble renouer avec la tradition d'une esthétique qui est aussi une éthique; toutefois, ce serait commettre là une erreur. Ce *Bien*, ambigu dans sa généralité, auquel il est fait allusion, n'a plus rien à voir avec son homonyme classique : il a été reformulé à son usage propre par le poète.

Il faut bien y insister, dès 1820, Vigny transforme le modèle esthétique qui lui a été légué, non en bouleversant comme plus tard Hugo, le vocabulaire, la versification, toute l'apparence des signes littéraires, mais en associant à des formes d'expression reconnues des contenus encore méconnus : l'interrogation religieuse, philosophique, politique, sociale, sous leurs aspects les plus abstraits et les plus éloignés d'une confession intime en vers tout en étant si personnels. Dramatiser l'énoncé d'une réflexion métaphysique, introduire le questionnement ontologique romantique dans une énonciation stylistiquement classique, c'est là ce qui fait tout le prix des *Poèmes* anonymes publiés en 1822. Vigny souligne complaisamment cette particularité dans la *Préface* de 1837, car ce phénomène de transcodage subreptice peut échapper au lecteur superficiel; et il se place délibérément au premier rang des novateurs « romantiques » :

> « Le seul mérite qu'on n'ait jamais disputé à ces compositions, c'est d'avoir devancé en France toutes celles de ce genre, dans lesquelles une pensée philosophique est mise en scène sous une forme *Epique* ou *Dramatique*. »

En l'espace de quelques années, s'est développé en Vigny un double processus : l'homme, comme en témoigne le *Journal*, s'est interrogé sur la nature du poète contemporain, et sa fonction sociale; l'écrivain, quant à lui, outre *Chatterton* qui formule la réponse à cette question dans le genre dramatique, a trouvé le moyen de suivre l'ambitieux projet d'André Chénier, son modèle inavoué, et dont il jalouse quelque peu la redécouverte toute récente : « Sur des pensers nouveaux, faisons des vers antiques. » (*L'Invention*, v. 184). Mais il n'y a rien là d'une accommodation hypocrite des restes classiques, car, contrairement à une interprétation superficielle, cette imitation de la « couleur » des anciens ne cherche pas à reproduire la plastique et la musicalité de leurs œuvres, mais vise à recréer l'unité et la cohérence d'une forme d'art adaptées à de nouvelles conditions de production; l'époque de sa maturité créatrice voit s'affirmer en Vigny un véritable et durable initiateur que n'hésiteront pas à revendiquer, ultérieurement et non sans quelque méprise, certains parnassiens et symbolistes.

En effet, si l'homme souscrit encore, en vertu du poids de son acquis culturel, à l'analyse de *La Grammaire des grammaires* qui privilégie « la pureté, la netteté, la propriété des expressions » aux dépens de « l'élégance, la grâce, la précision, la force, la richesse, le naturel » même; s'il n'est donc pas encore celui qui livrera ouvertement bataille aux forteresses classiques, l'écrivain se réserve le privilège d'utiliser cet instrument social qu'est la langue à des fins individuelles authentiquement renouvelées, et se propose d'employer le canal littéraire, non l'action mais la dissertation, pour revendiquer l'actualité d'un engagement social qui, dès *Paris*, peut difficilement être égalé, tant est grande sa conviction que, même s'il n'en est pas totalement compris, le poète doit se consacrer à ses contemporains immédiats (3). Comme, dans les années 1840, Vigny pense être fidèle à ce programme, il profite de l'élaboration de *La Maison du berger* pour consigner, une nouvelle fois, sa satisfaction, et définir la difficulté essentielle de l'art poétique. L'écrivain doit être constamment à la recherche d'une forme qui, à la différence des vers mécaniquement rédigés, ne trahisse pas sa pensée, et la finalité originelle de son intention. L'aboutissement de cette recherche dans la découverte d'une nouvelle solidarité significative de l'expression et du contenu, seul, peut assurer le bonheur que suscite la synthèse du vrai moral et du beau esthétique (4). L'écrivain, particulièrement le poète, doit demeurer attaché à cette exigence d'individualité spécifique de l'écriture, de dépassement de son degré zéro où les stéréotypes et les contraintes techniques prennent le pas sur la signification globale.

Mais, précisément, qu'est-ce qu'être poète ? Même si les nombreuses réponses partielles qu'il apporte à cette question, sont entachées d'un égocentrisme indélébile, on se rappellera que, de son exemple personnel, Vigny voudrait tirer des enseignements généraux susceptibles d'éclairer une époque marquée par des bouleversements idéologiques et sociaux tels qu'ils remettent en cause l'existence même du créateur poétique.

Ainsi, alors même qu'il rédige *Paris*, Vigny note les deux postulations essentielles qu'il croit déceler en lui : celle de la morale, et celle de la mise en scène, de la « théâtralisation » de l'idée (5). Peu après, il fait le projet de rédiger un vaste ensemble de poèmes, dans lesquels différents personnages relevant d'épisodes historiques multiples permettraient d'exprimer et de résoudre les grands problèmes sociaux et moraux contemporains, dans la symbiose la plus étroite de l'intention idéologique et de l'expression linguistique (6). Ce projet, en tant que tel, ne paraît pas avoir été réalisé, mais cela n'empêche pas le poète de proclamer à nouveau, dans le *Journal* de 1843, que « Tous les grands problèmes de l'humanité peuvent être discutés dans la forme des vers », reprenant sous une forme légèrement différente l'affirmation d'un programme personnel d'action poétique qu'il avait eu l'occasion d'émettre dès 1835, et sur lequel on s'est souvent mépris : « Ne jamais perdre de vue ce but : moraliser la nation et la spiritualiser. » Sans paternalisme insupportable, sans autoritarisme outrecuidant, mais avec une vigoureuse détermination, l'écrivain marque, dans ces textes convergents, que l'intention éthique doit rester clairement au centre des préoccupations du poète. Mais ce n'est plus dans la perspective passéiste des tenants de la tradition néo-classique qui imposent des impératifs inadéquats au présent, et ressentis comme autant d'entraves. Il s'agit, tout à l'inverse, d'indiquer la voie de l'avenir, de préparer le public littéraire à recevoir favorablement les nouveautés, et, plus largement, le peuple à progresser. A une morale statique, Vigny oppose un souci dynamique permanent du futur, et, prenant prétexte par exemple d'un écrivain malheureux devenu précepteur grâce à lui, en l'occurence Emile Péhant, il marque nettement le rôle que doit assumer le poète : être le garant d'une certaine santé morale de la nation, qui ne se conçoit guère dans l'oubli du présent ou le refus de l'avenir, et l'inventeur nécessaire de nouvelles formes d'art (7).

A cet égard, être poète, c'est donc rechercher et vivre la difficulté : se mouvoir à la limite des plans de la réflexion philosophique et de l'expression littéraire, trouver sa voix entre la méditation silencieuse du sage solitaire et les épanchements bavards du littérateur vaniteux, osciller entre le mépris de la foule et les compromissions qu'elle suscite, sacrifier au culte de l'idée, et, parfois, se retrouver victime de son dieu, lorsque, trop belle et passionnante en soi, cette idée a altéré le sens critique de l'artiste au point de le faire s'engager dans les trivialités de l'action directe; politique entre autres éventualités (8). Tel Moïse, éclaireur responsable de son peuple, le poète doit précéder ses contemporains, et, au regard de l'avenir, leur montrer la vérité. Lorsqu'il n'a pas suffisamment conscience de cette fonction sociale de guide, et de la responsabilité qui en découle, lorsqu'il se laisse prendre au piège des moyens d'expressions dont il dispose, il se condamne sans appel. En ce sens, il lui faut savoir résister autant au culte de la perfection formelle gratuite, qu'à la recherche effrenée de l'admiration immédiate; une seule valeur oriente cette démarche et justifie l'ascèse qu'elle nécessite, celle de *Postérité* (9).

Pour mieux saisir la force de cette mise en garde contre les prestiges illusoires du succès immédiat, il faudrait pouvoir lire en contre-chant les vers d'un néoclassique confirmé, Viennet, par exemple, dont notre poète s'est vivement gaussé un peu plus tard, et l'on comprendrait alors qu'il fallait un certain courage intellectuel pour résister comme l'ont fait Vigny, avec raison, et, avec moins de bonheur, Guiraud (III), à l'attrait d'une réussite évaluée en espèces sonnantes et trébuchantes (IV). Ne gauchissons cependant pas la perspective; le désir de ne pas céder à la séduction de la gloire présente, ne fait pas toute l'originalité du poète.

Lorsque, approfondissant ses réflexions, Vigny propose de distinguer, en juillet 1839, entre deux types de poètes : les « objectifs » et les « subjectifs », il n'oppose pas simplement des écrivains mettant toujours au premier plan leur *Je* envahissant, poètes charmeurs, certes, mais faibles, et qui ne sauraient se comparer à la véritable grandeur des premiers, il définit implicitement un idéal poétique d'objectivation qui ne peut que choquer les tendances du public contemporain (les *Poésies de Joseph Delorme*, et les *Consolations* de Sainte-Beuve ont paru en 1829 et 1830) (10). Et s'il se place dans le premier groupe de ces écrivains, c'est que, pour lui, le poète doit refuser de se livrer dans son œuvre à la confidence intimiste, et accepter, en contrepartie, de restreindre son domaine de création à la pensée, à la réflexion métaphysique et à son illustration symbolique, pour pouvoir prétendre gagner la postérité qu'il vise. Partant, il se coupe presque nécessairement de la plus grande partie de ses contemporains qu'attire toujours la facilité, et mal préparés à supporter ces manifestations de précellence intellectuelle. Néanmoins, ne voyons pas dans cette coupure, la suggestion d'un aveu de mépris total du public. Une notule en forme de paradoxe élucidé, qui pose l'équivalence du public ignare et de l'homme de génie, apporte une nuance essentielle à cette conception en montrant que ce dernier n'est tel que par rapport à une masse dont il a essentiellement besoin, mais à qui il rend sa conscience (11). Il se crée ainsi une relation dialectique entre le poète et la foule anonyme, hors de laquelle le premier ne peut rien, et n'est rien, car ainsi que Vigny le notait déjà en 1829 : « Le génie doit être modeste et assimilatif. » En ce sens, le poète, selon Vigny, est plus que cet « écho sonore » revendiqué par Hugo; ce n'est pas seulement sa voix qu'il doit trouver, c'est une voie qu'il lui faut tracer avec optimisme en direction de l'avenir, puisque « demain vaudra mieux qu'aujourd'hui », comme il est écrit dans le *Journal* de 1846. Son rôle est de concentrer et d'actualiser dans une forme artistique transmissible, les virtualités indécises enfouies dans la foule.

Dès 1830, Vigny semble développer une conception élitiste de la poésie. Il a douloureusement éprouvé l'infériorité du public mondain après « le naufrage » de *La Frégate La Sérieuse* dans le salon de Mme d'Agoult, remarquant que les arts qu'il pratique, musique, peinture, poésie, ne trouvent pas grande audience auprès des Français. Affirmant un peu plus tard que la destinée du poète est certes d'écrire, mais aussi d'espérer d'être lu, « chanté » avec un minimum d'apprêt, il va même jusqu'à évaluer, sans illusion, ses propres chances d'être entendu par le public. Elles sont faibles; leur quantification entre dans le système d'un humour grinçant, tel que le pratique le Docteur Noir, destiné à adoucir des remarques qui, sans ce constituant fondamental de l'optimisme raisonné de Vigny, paraîtraient autant de spéculations froides et désespérées. L'ironie étouffe la douleur (12).

Mais ce constat de la médiocrité générale doit être tempéré par la foi dans le progrès, qui justifie l'idée selon laquelle, c'est en touchant d'abord une élite que le poète peut espérer, développant graduellement les orbes concentriques de son point d'impact, toucher la nation entière. Le temps est un révélateur, et, comme le marquera encore, *in extremis*, *L'Esprit pur*, il justifie les sacrifices du poète. C'est donc volontairement, consciemment, et non par le fait d'un obscur décret, que le poète devient un être solitaire, craint de ses contemporains. Comme le note Vigny avec lucidité, le 30 mars 1831, dans une lettre à Brizeux, les poètes et tous les hommes dotés d'une responsabilité morale quelconque deviennent rapidement des « Parias de la société » puisque, pour exercer cette responsabilité, ils sont obligés de considérer froidement, sans bienveillance, leurs congénères hébétés par le pragmatisme des différents pouvoirs, politique, religieux, et qu'ainsi, nécessairement, ils deviennent les « juges » sévères de ces dernières puissances. Aussi, n'aura-t-on jamais vu Vigny emboucher la trompette pour saluer, en 1840, l'arrivée des cendres de Napoléon, ou saisir sa lyre, en 1856, pour chanter la naissance du Prince Impérial. Nul doute, au reste, que, pour lui, la conscience de la nécessité de ce processus condamnatoire du poète n'active grandement, en retour, un sentiment très personnel de fierté masochiste. D'ailleurs, cette même année voit consigner dans le *Journal* une réflexion où la notion de popularité se trouve définitivement affectée d'une marque péjorative, tandis que la contremarque positive doit en être trouvée dans un néologisme (à l'époque) significatif : « Electivité », qui résume à lui seul la supériorité du poète (13). Ne nous y trompons donc pas, cette entreprise résolue d'isolement du poète n'est pas conditionnée par un pessimisme foncier. L'écrivain s'en explique longuement en montrant que la retraite est le seul lieu dans lequel le penseur peut parvenir à cette concentration intérieure totale au terme de laquelle doit éclore l'œuvre qu'il dédie aux multitudes et à tous les futurs. Le retirement, l'absence au monde, étapes momentanées mais obligées, sont les conditions d'une accumulation interne d'énergie et d'une sublimation des impressions extérieures, que l'acte créateur libère dans l'éclatement ordonné de sa force persuasive (14).

Reste alors à élucider au nom de quelle valeur le poète choisit, apparemment aussi facilement, d'être solitaire. Si, lorsqu'il a inscrit son nom « sur le pur tableau des titres de l'ESPRIT », le poète n'a plus qu'à se confier au temps révélateur, c'est qu'il est un monde supérieur que lui seul a entrevu, une vérité suprême qui vaut tous les sacrifices, toutes les ascèses terrestres : l'*Atticisme*, principe moral et esthétique qui devrait gouverner l'existence de tous les individus en « divinisant » la conscience, et dont Vigny s'est fait une ligne permanente de conduite artistique et pratique. C'est ce principe, maintes fois proclamé, qui lui permet de déceler la vérité éternelle de la condition humaine, et lui donne le courage de la dire (15).

Ainsi devrait-il en être de tous les poètes. Mais l'homme est faible, et l'on se rappellera que, si, à l'époque de *La Bouteille à la mer*, l'écrivain recommande : « Oubliez Chatterton! », c'est précisément parce que ce dernier a fait fi de ce principe esthétique et éthique fondamental en brûlant ses poèmes incompris d'un public qu'il jugeait stupide, sans s'apercevoir qu'il n'en était lui-même qu'une émanation. L'homme de pensée véritable, le poète, doit savoir se détacher suffisamment de lui-même pour comprendre que l'important est non au passé, mais toujours au futur, et que les malheurs présents, incompréhension, voire mépris, ne doivent surtout jamais lui faire étouffer les résonances ultérieures de son œuvre. La lucidité, l'abnégation et l'honneur, un optimisme raisonné, sont les qualités primordiales du penseur et du guide qu'est le poète. Pour prix de l'effort de tension intérieure que requièrent ces qualités, le poète entre en contact avec la beauté absolue des idées, récompense à la fois sensuelle et intellectuelle, fulguration prophétique du bonheur qu'il faut cependant s'astreindre à fixer dans une forme parfaitement simple et indestructible, la forme poétique, que la perle et le diamant symbolisent si souvent (16), pour en assurer la transmission.

Certes, le découragement peut s'emparer, parfois, du poète. Prométhée est alors enchaîné sur son rocher, dévoré par le vautour de la pensée non maîtrisée; un serpent est emporté dans les airs par un cygne dont il suce le sang tout en lui injectant son venin, comme le montrent des notes du *Journal* de 1833. Mais le grand poète doit savoir vaincre ces périodes de doute et d'abattement, et le mythe si personnel de la dévoration interne, exprimant l'intériorisation essentielle à ces *Pères de la pensée*, se charge aussitôt d'une signification optimiste entièrement opposée. L'image de la maternité lui est associée; les douleurs présentes de l'enfantement sont oubliées au profit du souvenir voluptueux d'un « amour extatique » et de l'anticipation du devenir de l'œuvre, de telle sorte que se recompose dans le poète l'allégorie idéale de l'androgyne platonicien associant un principe viril à un principe féminin (17). Ne voit-on pas que viennent interférer dans ce mixte l'image obsédante de la mère du poète, et le regret de Vigny de n'avoir pas eu d'enfant de Lydia; et que ce souci épuré de la postérité dissimule mal un désir violent et désespéré de survivre à soi-même, profondément inscrit dans la chair du poète.

Mais il y a là une sorte de pari, et pour saisir à jamais cette lueur fulgurante de la beauté idéale, pour vaincre la mort et tenir ce qui est, en quelque sorte, un enjeu pascalien laïcisé, une seule possibilité est envisageable : rompre le silence de la méditation, couvrir de signes acérés et penchés la feuille blanche obsédante, écrire. Simplement écrire. Mais qu'est-ce qu'écrire, et surtout comment écrire ?

Lorsque, en 1837, Vigny consigne son souci d'enclore l'œuvre dans une manière de circularité où toutes les parties constituantes se rattachent au centre idéal de l'inspiration (18), il définit la nature très concertée de son art, et la norme même de son fonctionnement : une convergence rigoureuse qui rend étroitement solidaires l' « idée mère » et tous ses développements, et qui, par là, permet d'échapper à la linéarité du littéraire pour retrouver une globalité seule satisfaisante. Ainsi, prépare-t-il la définition d'une conception personnelle et neuve de la poétique, qu'il formule quelques mois plus tard en confessant, avec un rien de suffisance, que l'avenir retiendrait probablement de lui deux traits essentiels de son art : « la conception et la composition ».

L'invention et la composition se superposent de telle sorte dans l'organisation mentale du poète, s'y nécessitent réciproquement de telle manière, que ce « besoin éternel d'organisation » interdit d'invoquer une quelconque priorité entre les deux moments privilégiés de la rhétorique classique. Alors que le *Code des Rhétoriciens* reproduit encore les préceptes de Buffon (V), Vigny, tout en reconnaissant la nécessité de « posséder pleinement son sujet », propose de réduire les trois étapes rhétoriques (*inventio*, *dispositio*, *elocutio*) en une dyade opposant le couple des deux premiers termes au dernier. Ce faisant, même si l'écriture est la condition nécessaire de l'engagement du pari sur l'avenir auquel nous faisions allusion, l'écrivain favorise la phase méditative la plus abstraite de sa création. Vigny a précocement pris conscience de cette particularité, et il l'approfondit à de nombreuses reprises. C'est ainsi que, dès octobre 1827, il explique au marquis de La Grange que la conception même de l'ouvrage, sa saisie globale dans l'esprit du créateur, sont choses fondamentales et presque plus importantes que l'écriture proprement dite (19). Avouons qu'il y a là un curieux mépris de la matérialité du geste de l'écrivain, dont les années ultérieures nous donneront la clé.

La réflexion théorique de Vigny est effectivement progressive et repose sur une conception fort étendue de la notion de temps; or, ce temps, ainsi d'ailleurs qu'une certaine aptitude au détachement contemplatif, joue un rôle considérable dans la symbiose de l'invention et de la composition. L'instantané fulgurant de volupté dans lequel se donne la forme de l'idée est le résultat d'une longue patience, qui, à la limite, devient un phénomène de distraction quasiment passif lorsqu'il est saisi de l'extérieur, d'où l'assimilation de la création littéraire à la véraison involontaire d'un fruit, que note Vigny en 1836 (20). Cette image de la maturation, à laquelle Vigny recourt fréquemment, connote le lent processus intérieur au terme duquel, dans une illusion solipsiste à quoi l'écrivain doit résister, la concrétisation du travail de l'esprit peut paraître secondaire, dérisoire même dans sa facilité trompeuse. Toutefois, si ce mûrissement semble s'effectuer indépendamment de l'activité consciente de l'écrivain (21), le passage à la récolte du fruit repose, lui, sur un acte de volonté et une prise de responsabilité. L'écriture offre bien au poète la chance de se survivre, mais, en instaurant une relation de communication avec la foule dont il émane, elle risque aussi de la faire se méprendre sur l'intention qui l'anime. C'est ce qui confère à l'écriture ce caractère angoissant et douloureux dont le poète doit se rendre maître.

En ce sens, il est injuste de considérer comme des « germes avortés » (Baldensperger) ces éclairs poétiques que Vigny consigna tels quels dans ses papiers, qui, d'ailleurs, n'étaient pas destinés à la publication sous cette forme, et que le temps ne lui permit pas de développer. Il n'y a là nulle impuissance ou stérilité, mais seulement une grande exigence d'artiste. La notation de ces éclairs marque tout autant le besoin d'écrire que la défiance de l'homme s'interrogeant sur les instruments de l'écrivain, auquel il fait dire par l'intermédiaire de Chatterton : « Le mot entraîne l'idée malgré elle. » Le retour au monde du poète par la communication littéraire implique toujours, pour lui, l'éventualité de voir sa pensée déformée, travestie, trahie. Aussi, lorsque Vigny méprise la matérialité contraignante de l'écriture, ne fait-il que pousser jusqu'à un paradoxe, dont il est familier, son sentiment de prévention à l'égard du langage. Cette démarche peut aller, non sans quelque humour impulsif, jusqu'à envisager la possibilité d'une poésie entièrement silencieuse et abstraite, qui rejoindrait les idéaux malebranchistes d'une communication immédiate entre les êtres, mais qui s'anéantirait elle-même dans cette quête (22).

L'étude attentive des productions de l'écrivain montre bien cette attention scrupuleuse portée au détail de la mise en forme linguistique, à seule fin que cette dernière n'introduise pas, à la faveur du processus de communication, une trop grande distorsion entre l'idée du poète et son expression pour autrui. Il serait facile de montrer dans cette perspective que les déterminants du substantif à valeur exemplarisante (*La Colère de Samson*, v. 1), les disjonctions syntaxiques (*Le Bain d'une dame romaine*, v. 13-14), les fréquentes inversions du sujet (*La Prison*, v. 12), le recours répété à des verbes pronominaux ayant valeur de passif (*Le Trappiste*, v. 21-22), l'emploi d'un vocabulaire faisant se juxtaposer termes du langage quotidien et termes du langage le plus artificiellement poétique (*La Sauvage*), constituent non seulement autant de facteurs stylistiques convergents destinés à parer l'idée d'une enveloppe ornementale, mais réalisent, plus profondément, l'intention sémiotique d'un renouvellement de l'union de l'idée-mère et de son expression. Les artifices techniques de l'écriture deviennent significatifs de l'individualité, de l'originalité d'une pensée irréductible à toute autre forme de transmission, l'Idéal visé par le poète, pour lui-même et son public, n'admettant pas de transiger avec les facilités du langage quotidien porteur d'approximations.

Pour un être aussi exigeant, écrire fait ainsi incontestablement problème, et si l'on décèle, quelque ironie ou paradoxe dans ses propos, ces deux caractères ne sont là que pour éloigner l'urgence et l'importance de l'enjeu, abaisser momentanément la tension qui habite le poète, comme il l'avoue, en 1842, dans une lettre à l'éditeur lyonnais Boitel, puisque l'écriture constitue pour lui un investissement affectif (23).

Probablement, l'origine de cette suspicion à l'endroit du langage quotidien, et du naturel, réside-t-elle dans le fait que la culture artistique développée de Vigny lui permettait de se livrer à des comparaisons entre les pouvoirs expressifs des différents codes dont il usait : peinture, musique, écriture. Et les comparaisons ne sont pas favorables à cette dernière. Nous avons vu que l'écrivain, à la recherche d'une circularité idéale de son œuvre, supportait mal la linéarité littéraire qui fait obstacle à une perception d'ensemble; une page des *Mémoires* dresse plus précisément le constat d'échec des mots confrontés précisément à la peinture, en montrant que cette dernière permet d'éviter les ruptures et les redites, le bruit et les redondances, qui conditionnent l'emploi des premiers (24). De même, dans *La Veillée de Vincennes*, Vigny délègue au narrateur, prenant la musique comme système de référence, le soin de rappeler que les mots, contrairement aux notes et à la syntaxe musicale, ne peuvent servir de véhicule universel (ou presque) à la pensée (25). Dans les deux cas, c'est une certaine insuffisance qui est reprochée à l'écriture au regard de l'idée inspiratrice, et si Vigny reconnaît finalement que « Le seul beau moment d'un ouvrage est celui où on l'écrit » (*Journal*, 1828), c'est que ce travail, d'une part, met un terme positif à la quête de l'*Atticisme* caractéristique du poète, en l'autorisant à escompter l'avenir de sa pensée, et, d'autre part, le force à rechercher précisément un langage personnel pour exprimer une pensée originale. De ce point de vue. Vigny éprouve quelque fierté à rappeler qu'*Eloa*, faisant intervenir *une* Ange, constitue dès l'origine une manifestation de ce principe conducteur (26).

Cette défiance à l'égard du langage, souvent proclamée avec un humour presque trop appuyé, marque toute l'importance que Vigny entend accorder aux conditions de préparation d'un poème, particulièrement à sa forme, appelée à protéger pour la postérité le contenu de l'idée-mère. Seules les nécessités intérieures, que nous avons soulignées, et la détresse des masses à la recherche d'un guide, peuvent oblitérer cette défiance, et donner au poète la force de sortir de cette réserve pour (27) éclairer enfin la société en lui montrant son devenir. Mais relativement rares sont ces moments où « l'enthousiasme des idées » (*Journal*, 1841) s'empare de sa personne, qui est prise, alors, dans la spirale ascendante de l'engendrement de la pensée. La multiplicité des « impressions » se réduit, par l'effet d'une convergence organisatrice, en une idée-mère. L'écart existant entre la conception et la composition, d'une part, l'écriture, d'autre part, tend à se réduire. La poésie, une poésie de perfection est près d'apparaître. Si l'idée est incompatible avec la parole, ayant besoin de la solitude méditative pour naître et se développer, d'où chez Vigny le dédain des « improvisations », l'écriture assure sa communication en hypostasiant les potentialités d'un silence intérieur nourri de pensées. C'est pourquoi l'écrivain insiste si fréquemment sur l'objet essentiel de sa recherche : la plus grande dépendance réciproque de l'idée et de la forme dans laquelle il la coule, en évoquant, parfois, le travail du statuaire fondant le métal de son œuvre.

Ainsi, l'invention d'une fable susceptible d'assurer cette symbiose se révèle fort délicate. Il s'agit, en effet, de faire servir les temps et les personnages de l'Histoire, réelle ou légendaire, à l'édification et à l'instruction des contemporains, tout en sachant que l'avenir, seul, sera en mesure de recueillir le fruit de cet effort. A cet égard, l'antiquité homérique, l'antiquité biblique, l'antiquité romaine, le Moyen Age, le XVIe siècle, comme l'époque contemporaine, en France, en Russie, aux Amériques, fournissent au poète des héros, qui, graduellement, se transforment en symboles conservateurs de la pensée initiale. C'est alors que l'écriture pérennise la poésie (28), mais... qu'est-ce donc que la poésie ?

La tradition, représentée, par exemple, par Carpentier, rappelle que le mot *Poésie* désigne tout autant l'art de rédiger des textes en vers, que la suggestion de quelque chose d'ineffable à l'aide de combinaisons sonores (VI). Le *Dictionnaire de l'Académie* et le *Dictionnaire national* de Bescherelle (1835 et 1851) ne sont guère plus précis. Seul, mais nous verrons plus tard qu'il ne s'agit pas d'un hasard, un *Dictionnaire des Arts du Dessin*, de 1838, attire l'attention sur le fait que la poésie est fort souvent contenue entièrement non dans la réalisation, mais dans la conception même du sujet, rapprochant ainsi, conformément au lieu commun selon lequel l'écriture est la peinture de la pensée, deux disciplines artistiques complémentairement appréciées par Vigny (VII).

Pour sa part, ce dernier développe tout au long de son existence une conception extensive et systématique très personnelle de la notion de *Poésie*. Dans le compte rendu du recueil de Gaspard de Pons, *Amour*, il marque déjà que la poésie répugne au *Je* et aux indices trop clairs de personnalisation des textes (cf. *La Muse française*, mars 1824). Trois ans après, dans une lettre à l'ami bordelais Delprat, la poésie devient quasiment un principe existentiel rejoignant la notion d'*Atticisme* évoquée plus haut : aptitude de l'homme à éprouver et effectuer de grandes choses. Mais, plus importants, voici deux indices à rapprocher. Le premier, extrait des *Mémoires*, retrace les conditions dans lesquelles le petit Vigny, auprès de son père, écrivit son premier vers (29). Toute une atmosphère de transgression de la loi familiale, d'interdits enfreints, aggrave pour l'enfant la révélation de l'écriture poétique versifiée, et tend à lui faire pratiquement assimiler la poésie à un péché. Le second indice, tiré d'une lettre de Vigny à Hugo de mai 1829, à l'occasion de la présentation de la seconde édition de ses *Poèmes*, réitère cet effet de sens en permettant à ce mot de *péché* de commuter directement dans le contexte avec celui de *poème* (30).

La phraséologie ici employée est bien révélatrice d'une culpabilité latente, résultat de son éducation, dont Vigny tente, par exemple, de se débarrasser par l'ironie soutenue avec laquelle il la considère, mais qui détermine de toute façon sa méfiance envers les attraits superficiels de la forme versifiée souvent nuisible à la pensée. Là encore, le point d'ancrage biographique de ce complexe (dont la correspondance offre de multiples témoignages, comme l'a montré Y. Legrand), doit être recherché dans la personnalité écrasante de Marie-Jeanne-Amélie, sa mère, la redoutable correctrice d'*Héléna*. La contrepartie de cette culpabilité inculquée et trop consciente est une certaine timidité dont souffrent les premiers travaux poétiques de Vigny. Cette timidité lui a été vivement reprochée à l'époque (VIII) parce qu'elle nuisait aux ambitieux desseins du poète, proclamés par ailleurs. Mais, si l'affirmation de la conception poétique de Vigny passe par la levée des interdits complexes de l'enfance qui, de la poésie aux femmes (et singulièrement les actrices!), par la voix de sa mère, ont jusqu'alors survécu en lui, ce dépassement n'est pas chose aisée. Avant d'avoir pris entièrement conscience de ses propres exigences, Vigny n'a-t-il pas suggéré à Emile Deschamps et Victor Hugo de faire des « changements dans la toilette de Dolorida », n'osant pas encore prendre totalement à son compte cette entreprise d'émancipation que représente d'abord, pour lui, la poésie.

Il faut bien convenir que Vigny ne devient véritablement maître de sa personnalité que lorsque, ayant enfreint le second interdit maternel, l'écrivain devient l'amant de Marie Dorval, et rejette toutes les tentations anciennes de collaboration littéraire. C'est alors que la poésie peut assumer ouvertement sa différence. Dès 1834, elle se trouve ainsi caractérisée par opposition aux divers autres genres littéraires; elle seule ne ressortit pas de ce simulacre trop flagrant de communication que représente la prose, trop proche d'une conversation que dissimulent à peine les contraintes de l'écrit. Fruit, comme nous l'avons vu, d'un patient travail, la poésie échappe aux imperfections; l'idée-mère, organisatrice implacable bannit les épanchements faciles et les appels insistants à la complicité du lecteur. Lorsque le *Je* et le *Tu* apparaissent dans les poèmes *(Le Cor, La Maison du berger, Les Oracles, La Mort du loup, L'Esprit pur)*, ce couple de termes complémentaires et réversibles ne vaut qu'en fonction du point de vue qui les constitue en instance de parole, et oblige le lecteur à rechercher ce point, à reconstituer l'être idéal qui en assure l'énonciation.

La pensée poétique se manifeste ainsi, de préférence, sur le mode du « il »; non que la poésie soit impersonnelle (l'idée « émeut » le poète jusqu'au cœur), mais parce que cette personne extérieure, *délocutée* (G. Guillaume), absente du dialogue de l'homme et du lecteur, est le gage du respect de la conception initiale de l'écrivain. Cette condition a pu, souvent, donner l'impression que la poésie de Vigny était froide et objective, quand elle ne fait que résumer la servitude et la grandeur paradoxales de l'art poétique selon sa propre conception. L'extériorité du discours, seule, permet à la poésie de se poser en affirmation d'une intériorité absolue, dont l'écriture assure l'efficacité démonstrative.

Cependant, cette conclusion quant à la puissance de la poésie, ne résout pas encore le problème initial de ses rapports à la versification. C'est en novembre 1837, que Vigny développe, à nouveau, jusqu'au paradoxe, l'analogie qu'il a décelée cinq ans plus tôt, entre la lecture de la poésie et l'art musical, remarquant alors que ce genre littéraire, ennemi du silence qui le vit naître, est étroitement dépendant de la qualité de l'organe vocal qui lui sert de vecteur. Il n'y a rien de neuf dans cette analogie qui a déjà été largement étudiée à l'époque (IX), et que Vigny lui-même suggérait, dès 1828, en notant dans son *Journal* que les *Odes* d'Horace devaient être analysées comme une composition musicale de Mozart. Mais la manière dont cette analogie est désormais développée confère toute son ampleur à la représentation de la poésie que se donne l'écrivain (31).

S'il existe une littérature faite pour être lue, et une autre faite pour être entendue, ce vecteur vocal dont a besoin la poésie est tout autant cause de l'attrait qu'elle suscite et du pouvoir qu'elle exerce sur l'esprit sensible des élites de la pensée, que de la répulsion qu'elle engendre chez « l'homme du monde », inaccessible à ce genre d'émotion et uniquement préoccupé par la logique transparente de la prose. L'harmonie que privilégie la poésie risque de la faire suspecter de légèreté, en ce sens qu'une technique de la versification non maîtrisée peut masquer la *gravité* de l'intention; c'est pourquoi Vigny signale qu'il convient de prendre garde aux entraînements du « moulin » et de la « vielle » (32), en reprenant à son compte une critique de la rime formulée, dès 1813, par Fabre d'Olivet (X), qui notait que la rime était, dans bien des cas, un facteur de déséquilibre de la pensée. Mais, comme le projet de l'écrivain n'est pas de souscrire à un système qui rompe avec la monotonie de l'homophonie en faisant se succéder immédiatement des terminaisons féminines et masculines (vers dits « eumolpiques »), cette défiance, en soi pré-verlainienne, ne se tourne jamais en condamnation définitive de la rime; ce n'est pas lui qui « disloquera ce grand niais d'alexandrin », et des statistiques montrent que l'on trouve chez Vigny un art tout à fait consommé de la rime, qui fait de lui, après Du Bellay et Ronsard, et avant Valéry, un des quatre grands « versificateurs » de notre langue (P. Guiraud). On aura compris que la défiance s'est rapidement transformée en une raison d'étude et d'approfondissement. Ainsi, la réflexion, la méditation, doivent conforter la maîtrise du poète pour lui éviter de faire tort à la poésie par une recherche immodérée de l'éclat qui la discrédite, puisque le public ne voit plus en elle que superficialité et vénales sollicitations (33). Le second chant de *La Maison du berger* dissimule à peine ce solennel avertissement, lorsque le poète y instruit le procès de la « Fille sans pudeur », qu'elle est parfois devenue.

Quand on envisage, parallèlement à la production officielle, les textes plus ou moins improvisés recueillis dans les *Fantaisies oubliées*, il faut bien convenir que, de même que l'homme n'a pas su résister à l'attraction de Marie Dorval, le poète n'a pas toujours vu en la poésie la « Fille du Saint Orphée »; mais, là où il y avait ambiguïté et conflit avant son émancipation humaine et littéraire, s'affirme désormais ouvertement le caractère enivrant de la poésie. Dès 1834, Vigny met au premier plan un processus de métaphorisation érotique par lequel il se représente le commerce des idées. C'est ce même processus qu'il utilise, en 1840, pour définir la qualité fondamentale de la poésie : être une volupté (34). L'émotion sensuelle conjointe à l'émotion cérébrale détermine le pouvoir démiurgique du poète, qui lui permet d'allier le « beau » et le « vrai » dans une seule forme cohérente et nécessaire. En enveloppant l'idée génératrice, la poésie concourt à sa protection et à son embellissement. Vigny n'a donc plus aucune difficulté, dans les années 1842-1843, à conceptualiser sa position dans le débat, toujours rebondissant, des rapports de la poésie, de la prose et de la versification.

La querelle est ancienne; il n'est pas question d'en retracer ici l'historique. Mais on notera que, si la question d'une poésie indépendante des vers connaît un net regain d'actualité entre 1825 et 1845, les ouvrages techniques, les dictionnaires, comme nous l'avons vu, ne s'engagent que prudemment dans cette querelle. Certes, dans son *Histoire du Romantisme*, parue en 1829, Toreinx affirme que la poésie, en tant que qualité du contenu du discours, est indépendante de la forme versifiée. Mais un an auparavant, les *Annales littéraires* de Dussault avaient proposé une thèse ancienne toute contraire liant essentiellement versification et poésie (XI). La même année, pour marquer la suprématie de la poésie versifiée, Emile Deschamps notait en préface aux *Études françaises et étrangères* que les poètes pouvaient facilement devenir de bons prosateurs alors que l'inverse ne s'était encore jamais vu (XII).

Fidèle à son ambition d'insuffler des contenus nouveaux à des formes anciennes et reconnues, Vigny se range à l'avis des partisans d'une assimilation de la poésie et de la versification, tranchant même dans ce débat avec la froide rigueur d'un Aristarque qui pourrait donner l'illusion d'être classique. Dès 1830, il dénonce le défaut « Des vers de fou, sans rime et sans mesure » *(Les Amants de Montmorency)*. De même que le poète doit chercher à réveiller la conscience assoupie de la foule, la poésie doit viser à retrouver dans les formes du passé l'aliment de sa propre révolution (35). Ainsi ce respect apparent de la tradition ne doit-il pas être confondu avec un plat conformisme. Vigny apprécie dans les contraintes de la forme versifiée la garantie d'une conservation plus parfaite de l'idée, qui s'abâtardirait au contact de la forme moins élaborée de la prose. L'application du modèle versifié fait de la poésie un art distillé, un « élixir des idées », et s'impose comme méthode de concentration de la pensée (36).

Enivrante pour le poète, la poésie doit posséder d'autres qualités pour remplir la mission qui lui a été assignée; et en ce sens, également, la versification est une nécessité. Moyen mnémotechnique, le vers *grave* l'enseignement du poète dans l'esprit des lecteurs, et confère à sa pensée la dense solidité de la « perle » ou du « diamant ». La versification est le processus fondamental par lequel se réalise la qualité primordiale de la poésie : conserver l'essentiel (37), et le communiquer.

Mais en assignant ainsi de strictes limites formelles à la définition de la notion de poésie, Vigny restreint du même coup l'étendue et la nature des sujets qu'elle peut aborder. Quand le poète affirme pouvoir traiter dans ses vers « tous les grands problèmes de l'humanité », c'est qu'il définit ces derniers en termes suffisamment abstraits pour que son imagination s'en saisisse et les revête d'une tenue compatible avec l'expression versifiée. Cette tenue, c'est le symbole qui s'adapte à l'évocation du bien, du mal, du bourreau, de la victime, de la nature, des religions, des pouvoirs politiques, du destin. Forme la plus dépouillée, la plus nue de sa pensée, le symbole, réalisé dans des êtres ou des objets universels, permet au poète de tout ramener du particulier au général, en suggérant finalement, beaucoup plus qu'il n'explique. Qu'il soit Moïse, Eloa, la Sauvage, la Flûte, Wanda ou la Bouteille du capitaine naufragé, le symbole est l'instrument d'élection d'une cosmologie syncrétique.

Pour reprendre des termes de Simonde de Sismondi,

que Vigny semble avoir attentivement médités, cette poésie, résultat d'une sublimante élaboration, se définit comme un « mixte mélodieux » s'adressant autant « à tous les sens à la fois » qu'à « l'esprit ». Que le public ne soit pas capable de goûter cet « élixir des idées », qu'il ne soit pas prêt à recevoir ce message qui devrait lui être un magistère, Vigny n'est pas seul à l'affirmer, et, dans l'ouvrage que nous citions précédemment, Emile Deschamps énonçait le même regret (XIII); mais ce n'est pas là raison suffisante pour faire oublier que la poésie est, seule, apte à montrer de manière durable, la voie du progrès, et qu'elle a, en ce sens, valeur de philosophie existentielle.

Il reste désormais à ressaisir l'unité d'un écrivain qui, même en s'inspirant des idées passées et contemporaines, a toujours voulu sauvegarder son actualité et son originalité. Il s'agit, par conséquent, de découvrir le point de convergence à partir duquel le poète a envisagé les diverses modalités de son être et de son action. A cet égard, si, à quelques moments, Vigny a voulu représenter son art en le comparant à celui d'un sculpteur (38), remarquons qu'entre 1823 et 1863 il confie au *Journal* plus de quarante-cinq notules dans lesquelles le travail de l'écrivain est exprimé par une métaphore picturale. Parallèlement, la *Correspondance*, ainsi que les *Mémoires*, offrent la possibilité de mieux comprendre la signification profonde de cette analogie hautement revendiquée entre le poète et le peintre.

Comme on peut le pressentir, le point d'ancrage, biographique, de ce rapprochement qui se transforme progressivement en une véritable assimilation de pouvoirs comparables, dépasse de beaucoup la tradition rhétorique. Cette dernière, en effet, avec Simonide puis l'*Ut pictura poesis* horacien, a transformé en un lieu commun éculé l'idée que les mots peignent l'*Idée*. L'abbé Du Bos n'a-t-il pas émis des *Réflexions critiques sur la poésie et la peinture* (1718) qui dressent une théorie systématiquement comparative de ces deux disciplines et opposent les signes naturels de la peinture à ceux, artificiels, de la poésie ? Rappelons donc brièvement ce culte de la beauté auquel Vigny fut dédié dès sa prime jeunesse.

On sait que Vigny a pratiqué la musique (*Mémoires*, p. 53), qu'il a noué de fidèles relations avec Berlioz, Liszt, Chopin, Moschelès, et qu'il a surtout fréquemment recherché la rigueur de notation qui caractérise cet art. Mais Vigny, qui reçut des leçons de dessin de Girodet-Trioson, pratiqua également la peinture comme en témoignent, entre autres, les aquarelles qu'il laissa de son séjour de jeune militaire dans les Pyrénées. Cependant, même talentueux, il ne fut dans ces deux domaines qu'un amateur. Or, ainsi qu'il se plaisait lui-même à les nommer, ces deux « Nourrices » de son enfance ont entièrement orienté sa conception de la vérité et sa représentation du monde. Le contact précoce avec les chefs-d'œuvre détermina en lui une recherche permanente de la beauté, sous toutes ses formes, qu'il dénomma personnellement *Atticisme*, et eut pour résultat de toujours placer le « prisme des arts » entre lui et la réalité, le rendant plus exigeant qu'il n'aurait fallu quant à la qualité des êtres, des choses, des spectacles de la vie quotidienne, pour un écrivain qui se voulait pragmatique et didactique (39).

Dans l'hommage posthume qu'il rend *aux Mânes de Girodet*, son ancien maître, Vigny, invoquant une « triple lyre, instrument inconnu » dont il souhaiterait pouvoir disposer, préfigure les célèbres correspondances baudelairiennes entre les arts (XIV). Ce désir d'une expression qui assurerait la synthèse des diverses formes d'art, probablement suggéré à Vigny par l'observation des qualités de Girodet « aux yeux de flamme » (*Mémoires*, p. 52) qui, lui-même, sur le tard de sa vie, s'est intéressé à la littérature jusqu'à illustrer Virgile, Racine et Bernardin de Saint-Pierre, a vivement impressionné le poète qui voyait là une solution unitaire à ses ambitions esthétiques. On peut dès lors penser que, par filiation spirituelle, tout autant que par goût natif, une phraséologie picturale s'est développée en l'écrivain comme l'expression du regret de n'être pas parvenu, pour lui-même, à une véritable synthèse des arts complémentaires. Ecrivant à Mme Périé-Candeille, au début de l'été 1826, Vigny confie que son maître est le « grand poète de la peinture », et l'on peut lire en filigrane dans ce jugement le rêve caché du poète.

Figure inverse de celle de Girodet, Vigny se plaît à se recomposer sous les traits d'un grand peintre de la poésie, même si son œuvre poétique ne justifie pas ce désir, étant au contraire marqué par le refus du pittoresque gratuit. Cette intention de recomposition de son être divisé, non seulement entre « le cœur sauvage » et « l'esprit civilisé », mais aussi entre des postulations esthétiques et philosophiques souvent inconciliables, explique pourquoi le métalangage théorique de l'écrivain, notamment dans le *Journal*, fait tellement référence à la technique de la peinture, aux œuvres et à leurs auteurs. Raphaël est cité le plus souvent (1832, 1833, 1834, 1852); Gérard et Gros, rencontrés à Dieppe en juillet 1827, Boucher, Watteau, Ingres, Delacroix, Decamps, Murillo, David, Ribeira, Cano, Rubens, Le Guide, apparaissent au détour des pages, et suggèrent l'unité créatrice reconquise.

Chaque fois qu'il s'agit de penser à la création littéraire, ce sont les éléments du champ sémantique de la peinture qui s'imposent comme étant les plus propres à exprimer l'expérience délicate de l'écriture, la seule de toutes les expériences possibles de l'art que Vigny se juge apte à mener à terme. *Peindre* devient ainsi, dans la profondeur même de l'être imaginatif, le substitut d'écrire. Les défauts de la peinture, caractéristiques d'une époque, n'ont-ils pas, d'ailleurs, leurs homologues dans le domaine littéraire (40) ? La composition, terme relevant conjointement du domaine de la peinture de celui de la littérature, se particularise et devient « facture » (*Journal*, 1828); la réalisation n'est qu'une question de « brosse » (*J.* 1843, 1844), de « touche » (*J.* 1829). Il ne s'agit pas seulement de produire des « esquisses » (*J.* 1833, 1839), des « dessins » (*J.* 1830, 1832, 1839), mais aussi, plus ambitieusement, des « machines » (*J.* 1823), de véritables « tableaux » (*J.* 1829, 1830, 1858, 1863).

Ainsi, l'écrivain est à la recherche d'un absolu de beauté que la nature ne peut assouvir, et que seul l'art peut combler en lui montrant que la réalité est affligée d'une petitesse mesquine (41). Cette notion dirige constamment la pensée éthique et esthétique du poète. Celle de *rêverie*, dans laquelle la préoédente est fréquemment entrevue, assure la synthèse de la distraction et de l'abstraction que Vigny reconnaît en lui, et devient une forme capitale de la pensée, caractéristique du poète (*J.* 1832). Pour cet *amoureux fervent* de l'Atticisme, enfin, l'image de la *femme* illustre alors le type de rapports affectifs et ambigus qu'entretiennent le peintre avec son modèle, l'écrivain avec son idée ou son égérie symbolique, en impliquant une part de volupté essentielle dans le travail cérébral. La méditation solitaire et nocturne du sage devient le principe de ce dédoublement au terme duquel, l'écrivain observant et le peintre observé voient surgir l'image intérieure de l'Idée, qui assure la réunion des deux parts du poète androgyne, père de la pensée poétique et mère de son œuvre. « Posséder », « volupté », « extase », « jouissance » (*J.* 1834) sont alors les vocables qui accompagnent cette symbiose désormais sans remords.

A cet égard, la phraséologie picturale de Vigny ne doit plus rien à la phraséologie traditionnelle des ouvrages de poétique ou de rhétorique, qui ne poussaient pas l'analogie de la peinture et de la poésie jusqu'à ce paroxysme où la sensualité la plus vive exprime la cérébralité la plus intense. Ouvrons de nouveau ce fameux *Code des rhétoriciens* aux pages de Fénelon consacrées à « Ce que c'est que peindre en matière d'éloquence ». Nous y trouvons l'affirmation d'un art qui repose tout entier sur l'abstraction du poète de son œuvre (XV). La relation de similitude entre le peintre et le poète qu'énonce Fénelon est essentiellement négative; les deux artistes doivent conjointement s'effacer derrière leurs productions. Plus précisément, l'idéal du poète doit rejoindre celui que réalise le peintre en se diluant dans les couleurs, et en se masquant sous les formes de son œuvre, pour ne plus donner au spectateur qu'une imitation de la réalité dont il s'exclut entièrement, ne pouvant, à la fois, être vu dans son tableau et voir celui où il cherche à représenter l'idée inspiratrice. Et c'est là, la négation du processus précédent de dédoublement créateur.

A l'inverse de cette peinture-dissimulation, Vigny prône un idéal de peinture-affirmation, où la personnalité de l'artiste, quelque divisée qu'elle soit, s'assume pleinement, vigoureusement, authentifiant sans détours son œuvre (42). Les modèles revendiqués de Rubens et de Raphaël ne sont là que pour attester la puissance des fortes individualités, et le « vouloir », qui accompagne presque toujours l'énonciation du procès « peindre » marque, non les velléités de Vigny, mais, au-delà de son rêve, ce caractère actif et personnel de cohérence qu'il faut toujours imprimer aux œuvres de l'art, puisque le public a toujours quelque chose de profitable à recueillir dans les propos d'un poète qui s'est constamment voué à son progrès (43) Il ne s'agit donc plus de s'effacer derrière l'œuvre, même si la poésie privilégie les formes d'expression impersonnelles, car la voix du poète doit être distincte et reconnaissable pour conserver à la postérité le témoignage d'une époque, en assurant, à la fois, sa propre survie à l'écrivain et sa continuité à une société (44). Rien de moins improvisé, par conséquent, que cet art qui se donne l'éternité comme seule dimension véritable. Etudier, réfléchir, méditer, intérioriser, s'imposent, en dernière analyse, comme les constantes de ces tentatives qui visent toujours à la perfection immédiate et à la gloire future (45).

Perdurer rend nécessaire de s'affirmer, de se démarquer dans une individualité créatrice. D'autres, qui n'avaient pas au même degré que Vigny le souci de « moraliser la Nation et la spiritualiser », ont cru pouvoir se distinguer en empruntant les voies de la subversion des formes littéraires établies; et, de revendiquer la faveur d'avoir mis « le bonnet rouge au dictionnaire »! Lui, conscient de sa situation d'intermédiaire entre la tradition, dont il est l'aboutissement, et l'innovation, qu'il recherche (46), conservateur perpétuellement en avance sur son temps d'un *Musée idéal* dont il avait le devoir de léguer les trésors spirituels à la postérité, a compris que la libération romantique devait tendre à l'élaboration d'un nouveau système de l'art, et non au refus anarchique agressif et gratuit de toute contrainte. Ce système, le poète ne le découvre individuellement qu'en lui-même. Cette intériorisation solipsiste explique, sinon justifie, l'estime guindée que l'on accorde à un œuvre qui ne se donne pas immédiatement, mais qui doit être conquis, et qui peut se définir comme l'idéal paradoxal — ardemment défendu — du classicisme romantique.

Sachons au moins montrer, à présent, que la postérité que nous sommes ne démérite pas trop, et qu'elle n'est pas indigne de la confiance que lui a témoignée Vigny. Interprétant ses *poèmes*, tendons-lui ce « miroir » qu'évoque *L'Esprit pur*, dans lequel l'écrivain reconnaîtra le peintre qu'il souhaita toujours devenir.

Jacques-Philippe SAINT-GÉRAND.

BIBLIOGRAPHIE SOMMAIRE

A) TEXTES :

Poèmes antiques et modernes, éd. Estève. Paris, Hachette, 1914.
Les Destinées, éd. Saulnier, Paris, Droz-Minard, 1946. Editions établies essentiellement du point de vue des sources.
Journal, éd. Baldensperger, Paris, La Pléiade, Gallimard, 1948 (t. II, p. 875-1392).
Mémoires inédits, fragments et projets, éd. Sangnier, Paris, Gallimard, 1958.
Correspondance (1822-1863). Ed. Séché, Paris, La Renaissance du Livre, 1913, 2 vol.

B) ETUDES :

1) Livres.

BONNEFOY (G.). *La Pensée religieuse et morale d'Alfred de Vigny*, Paris, Hachette, 1944.
CASTEX (P.-G.). *Vigny, l'Homme et l'Œuvre*, Paris, Connaissance des Lettres, Hatier, 1963.
CITOLEUX (M.). *Alfred de Vigny. Persistances classiques et affinités étrangères*, Paris, Champion, 1924.
FLOTTES (P.). *La Pensée politique et sociale d'Alfred de Vigny*, Paris, Les Belles-Lettres, 1927.
GERMAIN (F.). *L'Imagination d'A. de Vigny*, Paris, Corti, 1962 (ouvrage fondamental à lire en priorité).

Guillemin (H.). *M. de Vigny, Homme d'ordre et Poète*, Paris, N.R.F., 1955 (apport de documents inédits).

Jarry (André). *Le Manuscrit de travail de La Sauvage*, Paris, Minard, Archives des Lettres Modernes, 1974, nº 149.

La Salle (B. de). *Alfred de Vigny*, Paris, Fayard, 1963.

Legrand (Y.). *La Notion de couleur dans l'œuvre poétique de Vigny*, Bordeaux, Péchade, 1966.

Sungolowsky (J.). *A. de Vigny et le XVIIIe siècle*, Paris, Nizet, 1968.

Viallaneix (P.). *Vigny*, Paris, Le Seuil, Ecrivains de toujours, 1964.

2) Articles.

Bowman (F.-P.). The poetic practices of Vigny's Poèmes Philosophiques, *Modern Languages Review*, LX 3, 1965, p. 359-368.

Bruneau (C.). La langue d'Alfred de Vigny, in *Histoire de la Langue Française* (F. Brunot), Paris, Armand Colin, 1968, t. XII, p. 163-166, 194-197.

Le Hir (Y.). A propos de *La Fille de Jephté*. Influence des Chants Sacrés de Mollevaut, *Revue des Sciences humaines*, avril-juin 1967.

Richard (J.-P.). Vertical et Horizontal dans l'Œuvre poétique d'A. de Vigny, *Critique*, 1970, nº 273.

Un numéro spécial de la *Revue d'Histoire littéraire de la France* (t. LXIV, 1964, nº 2, p. 177-248), avec des contributions remarquables de F. Germain, C. Lefranc, M. Cordroc'h, a été partiellement consacré à Vigny pour le centenaire de sa mort.

L'*Association des Amis d'Alfred de Vigny* (6, avenue Constant-Coquelin, 75007 - Paris), présidée par Mme C. Lefranc, publie depuis 1964 un important bulletin annuel principalement constitué de contributions biographiques et/ou textuelles, parmi lesquelles on notera particulièrement les travaux de Y. Legrand (1970-1971, p. 22-43; 1974-1975, p. 14-34), et de André Jarry (1972-1973, p. 16-54; 1974-1975, p. 35-54; 1976-1977, p. 46-59). Une bibliographie constamment tenue à jour par M. de Castelbajac, complète utilement cette publication en présentant les diverses recherches dont Vigny est aujourd'hui l'objet.

NOTE SUR LA PRÉSENTE ÉDITION

Le texte des *Poèmes antiques et modernes* a été reproduit d'après l'édition de 1859, la dernière revue par Vigny, corrigée en cas de coquille manifeste (ex. : *Moïse*, v. 1, « plongeait » pour « prolongeait ».)

Héléna est repris du recueil de 1822.

Les Destinées sont publiés d'après le texte de 1864 amendé par les corrections qu'apporte la consultation des manuscrits disponibles.

Les Fantaisies oubliées définissent une part importante de la production poétique de Vigny qui, toujours soucieux de « l'écrit gravé au marbre », a volontairement laissé le soin à ses éditeurs futurs de rassembler des textes bien dispersés, dont, grâce aux patientes recherches menées par A. Jarry, le nombre et la diversité vient encore récemment de s'accroître. Les textes que nous présentons offrent simplement un état présent (à la date de juillet 1977) de cette production parallèle à celle des grands textes, probablement appelé à se modifier au fur et à mesure de l'ouverture des archives privées qui détiennent encore des manuscrits du poète[1].

On a adjoint à cet ensemble les projets versifiés destinés originellement à figurer dans des poèmes ultérieurement réalisés de manière différente. De même, on a inclus dans cette section le texte des suppressions survenues dans *La Femme adultère* et *Le Bal* entre les recueils de 1822 et 1829.

On a, enfin, reproduit en bas de page les annotations critiques de la mère du Poète, lorsqu'on en disposait.

Considérant que le texte manifeste l'existence d'un système sémiologique qu'il ne faut pas trahir, nous avons

1. Au moment de mettre ce livre sous presse (Février 1978) l'éditeur apprend que Monsieur Simon Jeune a découvert de nouveaux textes illustrant les relations de Vigny et Marie Dorval.

été particulièrement attentif à observer la disposition des blancs et filets dont Vigny souhaitait qu'ils permissent d'opposer le « récitatif » et le « chant » (*J.* 1841).

ANCIENNES PRÉFACES

a) Poèmes. A Paris chez Pélicier, libraire, place du Palais-Royal, nº 243, MDCCCXXII.

Introduction [en tête de volume]

Dans quelques instants de loisirs, j'ai fait des vers inutiles; on les lira peut-être, mais on n'en retirera aucune leçon pour nos temps. Tous plaignent des infortunes qui tiennent aux peines du cœur, et peu d'entre mes ouvrages se rattacheront à des intérêts politiques. Puisse au moins le premier de ces Poèmes n'être pas sorti infructueusement de ma plume! Je serai content s'il échauffe un cœur de plus pour une cause sacrée. Défenseur de toute légitimité, je nie et je combats celle du pouvoir Ottoman.

Note [entre *Héléna* et le reste du volume]

On éprouve un grand charme à remonter par la pensée jusqu'aux temps antiques; c'est peut-être le même qui entraîne un vieillard à se rappeler ses premières années d'abord, puis le cours entier de sa vie. La Poésie, dans les âges de simplicité, fut tout entière vouée aux beautés des formes physiques de la nature et de l'homme; chaque pas qu'elle fait ensuite avec les Sociétés, vers nos temps de civilisation et de douleurs, a semblé la mêler à nos arts ainsi qu'aux souffrances de nos âmes; à présent, enfin, sérieuse comme notre Religion et la Destinée, elle leur emprunte ses plus grandes beautés. Sans jamais se décourager, elle a suivi l'homme dans son grand voyage, comme une belle et douce compagne.

J'ai tenté dans notre langue quelques-unes de ses couleurs, en suivant aussi sa marche vers nos jours.

b) Poèmes, par M. le Comte de Vigny (...). Seconde édition, revue, corrigée et augmentée. Paris, Charles Gosselin, libraire (...), rue Saint-Germain-des-Prés, nº 9, Urbain Canel, rue J.-J. Rousseau, nº 16, Levasseur, Palais-Royal, MDCCCXXIX (Mai).

PRÉFACE DE LA 2e ÉDITION

Nous réunissons ici, pour la première fois, des poèmes qui furent composés et publiés de temps à autre, çà et là, à travers la vie errante et militaire de l'auteur. Plusieurs nouveaux poèmes en remplacent d'autres, qui ont été jugés sévèrement par lui-même et retranchés de l'élite de ses œuvres.

Le seul mérite qu'on n'ait jamais disputé à ces compositions, c'est d'avoir devancé en France toutes celles de ce genre, dans lesquelles presque toujours une pensée philosophique est mise en scène sous une forme épique ou dramatique.

Ces poèmes portent chacun leur date : cette date peut être à la fois un titre pour tous, et une excuse pour plusieurs; car dans cette route d'innovations, l'auteur se mit en marche bien jeune, mais le premier.

c) Poèmes, par M. le Comte Alfred de Vigny (...). Troisième édition. Paris, Charles Gosselin...; Urbain Canel...; Levasseur... MDCCCXXIX.

A la Préface de la seconde édition, Vigny ajoute une note *sur la troisième édition.*

Ces poèmes viennent d'être réimprimés, et voilà qu'on les imprime encore peu de jours après. Lorsqu'ils parurent, il y a neuf ans, ils furent presque inaperçus du public.

Tout cela devait être. Les choses se sont bien passées. De part et d'autre, on peut être content. Chaque idée a son heure.

C'est bien peu de chose qu'un livre comme celui-ci; mais s'il plaît aujourd'hui, c'est qu'alors il étonna; c'est peut-être qu'il prévenait un désir de l'esprit général, et qu'en le prévenant il acheva de le développer; c'est qu'une goutte d'eau est remarquée lorsqu'elle jaillit au-delà d'une mer ou d'un torrent, une étincelle lorsqu'elle dépasse les flammes d'un grand foyer.

Si ce n'était appliquer de trop vastes idées à un humble sujet, on pourrait dire encore que la marche de l'humanité, dans la région des pensées, ressemble à celle d'une grande armée dans le désert. D'abord, la multitude s'avance et n'aperçoit ni ses éclaireurs perdus en avant d'elle, au-delà de l'horizon, ni les traînards qu'elle sème en arrière sur sa route; elle sent bien le besoin du mouvement, mais elle en ignore le terme; chaque nouvel aspect, elle croit l'avoir découvert; elle prend possession de l'espace; et puisqu'elle ne porte sa vue qu'à une étendue très restreinte, elle marche incessamment dans des régions sans bornes; elle s'aperçoit qu'on l'a précédée seulement lorsqu'elle trouve l'empreinte des pas sur le sable, et un nom d'homme gravé sur quelque pierre; alors elle s'arrête un moment pour lire ce nom, et continue sa marche avec plus d'assurance. Elle dépasse bientôt les traces du devancier, mais ne les efface jamais. Que ce pas ait été rencontré à une grande ou courte distance, sur la montagne ou dans la vallée, qu'il ait fait découvrir un grand fleuve ou un humble puits, une vaste contrée ou une petite plante, une pyramide ou le bracelet d'une momie, on en tient compte à l'homme qui l'osa faire. Ce faible pas peut suffire à créer une haute renommée, tant la destinée de chacun dépend de tous.

Dans cette rapide et continuelle traversée vers l'infini, aller en avant de la foule, c'est la gloire; aller avec elle, c'est la vie; rester en arrière, c'est la mort elle-même.

POÈMES ANTIQUES ET MODERNES

PRÉFACE

Ces poèmes sont choisis par l'auteur parmi ceux qu'il composa dans sa vie errante et militaire. Ce sont les seuls qu'il juge dignes d'être conservés.

Plusieurs nouveaux poèmes en remplacent d'autres qu'il retranche de l'élite de ses créations.

L'avenir accepte rarement tout ce que lui lègue un poète. Il est bon de chercher à deviner son goût et de lui épargner, autant qu'on peut le faire, son travail d'épurations rigides. Si cela est praticable, c'est, comme ici, lorsque doivent paraître des œuvres complètes sous les yeux de leur auteur et lorsqu'il sait se connaître lui-même et se juger sévèrement.

Le seul mérite qu'on n'ait jamais disputé à ces compositions, c'est d'avoir devancé en France toutes celles de ce genre, dans lesquelles une pensée philosophique est mise en scène sous une forme Epique ou Dramatique.

Ces poèmes portent chacun leur date. Cette date peut être à la fois un titre pour tous et une excuse pour plusieurs; car, dans cette route d'innovations, l'auteur se mit en marche bien jeune, mais le premier.

Août 1837.

LIVRE MYSTIQUE

MOÏSE

Poème

Le soleil prolongeait sur la cime des tentes
Ces obliques rayons, ces flammes éclatantes,
Ces larges traces d'or qu'il laisse dans les airs,
Lorsqu'en un lit de sable il se couche aux déserts.
La pourpre et l'or semblaient revêtir la campagne.
Du stérile Nébo gravissant la montagne,
Moïse, homme de Dieu, s'arrête, et, sans orgueil,
Sur le vaste horizon promène un long coup d'œil.
Il voit d'abord Phasga, que des figuiers entourent;
Puis, au-delà des monts que ses regards parcourent,
S'étend tout Galaad, Ephraïm, Manassé,
Dont le pays fertile à sa droite est placé;
Vers le Midi, Juda, grand et stérile, étale
Ses sables où s'endort la mer occidentale;
Plus loin, dans un vallon que le soir a pâli,
Couronné d'oliviers, se montre Nephtali;
Dans des plaines de fleurs magnifiques et calmes
Jéricho s'aperçoit, c'est la ville des palmes;
Et, prolongeant ses bois, des plaines de Phogor
Le lentisque touffu s'étend jusqu'à Ségor.
Il voit tout Chanaan et la terre promise,
Où sa tombe, il le sait, ne sera point admise.
Il voit; sur les Hébreux étend sa grande main,
Puis vers le haut du mont il reprend son chemin.

Or, des champs de Moab couvrant la vaste enceinte,
Pressés au large pied de la montagne sainte,
Les enfants d'Israël s'agitaient au vallon
Comme les blés épais qu'agite l'aquilon.

Dès l'heure où la rosée humecte l'or des sables
Et balance sa perle au sommet des érables,
Prophète centenaire, environné d'honneur,
Moïse était parti pour trouver le Seigneur.
On le suivait des yeux aux flammes de sa tête,
Et, lorsque du grand mont il atteignit le faîte,
Lorsque son front perça le nuage de Dieu
Qui couronnait d'éclairs la cime du haut lieu,
L'encens brûla partout sur les autels de pierre,
Et six cent mille Hébreux, courbés dans la poussière,
A l'ombre du parfum par le soleil doré,
Chantèrent d'une voix le cantique sacré;
Et les fils de Lévi, s'élevant sur la foule,
Tels qu'un bois de cyprès sur le sable qui roule,
Du peuple avec la harpe accompagnant les voix,
Dirigeaient vers le ciel l'hymme du Roi des Rois.

Et, debout devant Dieu, Moïse ayant pris place,
Dans le nuage obscur lui parlait face à face.

Il disait au Seigneur : « Ne finirai-je pas ?
Où voulez-vous encor que je porte mes pas ?
Je vivrai donc toujours puissant et solitaire ?
Laissez-moi m'endormir du sommeil de la terre. —
Que vous ai-je donc fait pour être votre élu ?
J'ai conduit votre peuple où vous avez voulu.
Voilà que son pied touche à la terre promise.
De vous à lui qu'un autre accepte l'entremise,
Au coursier d'Israël qu'il attache le frein;
Je lui lègue mon livre et la verge d'airain.

Pourquoi vous fallut-il tarir mes espérances,
Ne pas me laisser homme avec mes ignorances,
Puisque du mont Horeb jusques au mont Nébo
Je n'ai pas pu trouver le lieu de mon tombeau ?
Hélas! vous m'avez fait sage parmi les sages!
Mon doigt du peuple errant a guidé les passages.
J'ai fait pleuvoir le feu sur la tête des rois;
L'avenir à genoux adorera mes lois;

Des tombes des humains j'ouvre la plus antique,
La mort trouve à ma voix une voix prophétique,
Je suis très grand, mes pieds sont sur les nations,
Ma main fait et défait les générations. —
Hélas! je suis, Seigneur, puissant et solitaire,
Laissez-moi m'endormir du sommeil de la terre!

Hélas! je sais aussi tous les secrets des cieux,
Et vous m'avez prêté la force de vos yeux.
Je commande à la nuit de déchirer ses voiles;
Ma bouche par leur nom a compté les étoiles,
Et, dès qu'au firmament mon geste l'appela,
Chacune s'est hâtée en disant : Me voilà.
J'impose mes deux mains sur le front des nuages
Pour tarir dans leurs flancs la source des orages;
J'engloutis les cités sous les sables mouvants;
Je renverse les monts sous les ailes des vents;
Mon pied infatigable est plus fort que l'espace;
Le fleuve aux grandes eaux se range quand je passe,
Et la voix de la mer se tait devant ma voix.
Lorsque mon peuple souffre, ou qu'il lui faut des lois,
J'élève mes regards, votre esprit me visite;
La terre alors chancelle et le soleil hésite,
Vos anges sont jaloux et m'admirent entre eux. —
Et cependant, Seigneur, je ne suis pas heureux;
Vous m'avez fait vieillir puissant et solitaire,
Laissez-moi m'endormir du sommeil de la terre.

Sitôt que votre souffle a rempli le berger,
Les hommes se sont dit : Il nous est étranger;
Et leurs yeux se baissaient devant mes yeux de flamme,
Car ils venaient, hélas! d'y voir plus que mon âme.
J'ai vu l'amour s'éteindre et l'amitié tarir,
Les vierges se voilaient et craignaient de mourir.
M'enveloppant alors de la colonne noire,
J'ai marché devant tous, triste et seul dans ma gloire,
Et j'ai dit dans mon cœur : Que vouloir à présent ?
Pour dormir sur un sein mon front est trop pesant,
Ma main laisse l'effroi sur la main qu'elle touche,
L'orage est dans ma voix, l'éclair est sur ma bouche;

Aussi, loin de m'aimer, voilà qu'ils tremblent tous,
Et, quand j'ouvre les bras, on tombe à mes genoux.
O Seigneur! j'ai vécu puissant et solitaire,
Laissez-moi m'endormir du sommeil de la terre. »

Or, le peuple attendait, et, craignant son courroux,
Priait sans regarder le mont du Dieu jaloux;
Car s'il levait les yeux, les flancs noirs du nuage
Roulaient et redoublaient les foudres de l'orage,
Et le feu des éclairs, aveuglant les regards,
Enchaînait tous les fronts courbés de toutes parts,
Bientôt le haut du mont reparut sans Moïse. —
Il fut pleuré. — Marchant vers la terre promise,
Josué s'avançait pensif et pâlissant,
Car il était déjà l'élu du Tout-Puissant.

Ecrit en 1822.

ÉLOA
OU
LA SŒUR DES ANGES
Mystère

C'est le serpent, dit-elle, je l'ai écouté, et il m'a trompée.

Genèse.

CHANT PREMIER

NAISSANCE

Il naquit sur la terre un Ange, dans le temps
Où le Médiateur sauvait ses habitants.
Avec sa suite obscure et comme lui bannie,
Jésus avait quitté les murs de Béthanie;
A travers la campagne il fuyait d'un pas lent,
Quelquefois s'arrêtait, priant et consolant,
Assis au bord d'un champ le prenait pour symbole,
Ou du Samaritain disait la parabole,
La brebis égarée, ou le mauvais pasteur,
Ou le sépulcre blanc pareil à l'imposteur;
Et de là poursuivant sa paisible conquête,
De la Chananéenne écoutait la requête,
A la fille sans guide enseignait ses chemins,
Puis aux petits enfants il imposait les mains.
L'aveugle-né voyait, sans pouvoir le comprendre,
Le lépreux et le sourd se toucher et s'entendre,
Et tous, lui consacrant des larmes pour adieu,
Ils quittaient le désert où l'on exilait Dieu.
Fils de l'homme et sujet aux maux de la naissance,
Il les commençait tous par le plus grand, l'absence,

Abandonnant sa ville et subissant l'Edit,
Pour accomplir en tout ce qu'on avait prédit.

Or, pendant ces temps-là, ses amis en Judée
Voyaient venir leur fin qu'il avait retardée;
Lazare, qu'il aimait et ne visitait plus,
Vint à mourir, ses jours étant tous révolus.
Mais l'amitié de Dieu n'est-elle pas la vie ?
Il partit dans la nuit; sa marche était suivie
Par les deux jeunes sœurs du malade expiré,
Chez qui, dans ses périls, il s'était retiré.
C'étaient Marthe et Marie; or, Marie était celle
Qui versa les parfums et fit blâmer son zèle.
Tous s'affligeaient; Jésus disait en vain : Il dort.
Et lui-même en voyant le linceul et le mort,
Il pleura. — Larme sainte à l'amitié donnée,
Oh! vous ne fûtes point aux vents abandonnée!
Des Séraphins penchés l'urne de diamant,
Invisible aux mortels, vous reçut mollement,
Et comme une merveille, au Ciel même étonnante,
Aux pieds de l'Eternel vous porta rayonnante.
De l'œil toujours ouvert un regard complaisant
Emut et fit briller l'ineffable présent;
Et l'Esprit-Saint sur elle épanchant sa puissance
Donna l'âme et la vie à la divine essence.
Comme l'encens qui brûle aux rayons du soleil
Se change en un feu pur, éclatant et vermeil,
On vit alors du sein de l'urne éblouissante
S'élever une forme et blanche et grandissante,
Une voix s'entendit qui disait : Eloa!
Et l'Ange apparaissant répondit : Me voilà.

Toute parée, aux yeux du Ciel qui la contemple,
Elle marche vers Dieu comme une épouse au Temple;
Son beau front est serein et pur comme un beau lys,
Et d'un voile d'azur il soulève les plis;
Ses cheveux partagés, comme des gerbes blondes,
Dans les vapeurs de l'air perdent leurs molles ondes,
Comme on voit la comète errante dans les cieux
Fondre au sein de la nuit ses rayons gracieux;

Une rose aux lueurs de l'aube matinale
N'a pas de son teint frais la rougeur virginale;
Et la lune, des bois éclairant l'épaisseur,
D'un de ses doux regards n'atteint pas la douceur.
Ses ailes sont d'argent; sous une pâle robe
Son pied blanc tour à tour se montre et se dérobe,
Et son sein agité, mais à peine aperçu,
Soulève les contours du céleste tissu.
C'est une femme aussi, c'est une Ange charmante;
Car ce peuple d'Esprits, cette famille aimante,
Qui, pour nous, près de nous, prie et veille toujours,
Unit sa pure essence en de saintes amours :
L'Archange Raphaël, lorsqu'il vint sur la Terre,
Sous le berceau d'Eden conta ce doux mystère.
Mais nulle de ces sœurs que Dieu créa pour eux
N'apporta plus de joie au ciel des Bienheureux.

Les Chérubins brûlants qu'enveloppent six ailes,
Les tendres Séraphins, Dieux des amours fidèles,
Les Trônes, les Vertus, les Princes, les Ardeurs,
Les Dominations, les Gardiens, les Splendeurs,
Et les Rêves pieux, et les saintes Louanges,
Et tous les Anges purs, et tous les grands Archanges,
Et tout ce que le Ciel renferme d'habitants,
Tous, de leurs ailes d'or voilés en même temps,
Abaissèrent leurs fronts jusqu'à ses pieds de neige,
Et les Vierges ses sœurs, s'unissant en cortège,
Comme autour de la Lune on voit les feux du soir,
Se tenant par la main, coururent pour la voir.
Des harpes d'or pendaient à leur chaste ceinture;
Et des fleurs qu'au Ciel seul fit germer la nature,
Des fleurs qu'on ne voit pas dans l'Eté des humains,
Comme une large pluie abondaient sous leurs mains.

« Heureux, chantaient alors des voix incomparables,
« Heureux le monde offert à ses pas secourables!
« Quand elle aura passé parmi les malheureux,
« L'esprit consolateur se répandra sur eux.
« Quel globe attend ses pas ? Quel siècle la demande ?
« Naîtra-t-il d'autres cieux afin qu'elle y commande ? »

Un jour... (Comment oser nommer du nom de jour
Ce qui n'a pas de fuite et n'a pas de retour ?
Des langages humains défiant l'indigence,
L'Eternité se voile à notre intelligence,
Et pour nous faire entendre un de ces courts instants,
Il faut chercher pour eux un nom parmi les Temps.)
Un jour les habitants de l'immortel empire,
Imprudents une fois, s'unissaient pour l'instruire.
« Eloa, disaient-ils, oh! veillez bien sur vous :
« Un Ange peut tomber; le plus beau de nous tous
« N'est plus ici : pourtant dans sa vertu première
« On le nommait *celui qui porte la lumière ;*
« Car il portait l'amour et la vie en tout lieu,
« Aux astres il portait tous les ordres de Dieu;
« La Terre consacrait sa beauté sans égale,
« Appelant *Lucifer* l'étoile matinale,
« Diamant radieux que, sur son front vermeil,
« Parmi ses cheveux d'or a posé le Soleil.
« Mais on dit qu'à présent il est sans diadème,
« Qu'il gémit, qu'il est seul, que personne ne l'aime,
« Que la noirceur d'un crime appesantit ses yeux,
« Qu'il ne sait plus parler le langage des Cieux;
« La mort est dans les mots que prononce sa bouche;
« Il brûle ce qu'il voit, il flétrit ce qu'il touche;
« Il ne peut plus sentir le mal ni les bienfaits;
« Il est même sans joie aux malheurs qu'il a faits.
« Le Ciel qu'il habita se trouble à sa mémoire,
« Nul Ange n'osera vous conter son histoire,
« Aucun Saint n'oserait dire une fois son nom. »
Et l'on crut qu'Eloa le maudirait; mais non,
L'effroi n'altéra point son paisible visage,
Et ce fut pour le Ciel un alarmant présage.
Son premier mouvement ne fut pas de frémir,
Mais plutôt d'approcher comme pour secourir;
La tristesse apparut sur sa lèvre glacée
Aussitôt qu'un malheur s'offrit à sa pensée;
Elle apprit à rêver, et son front innocent
De ce trouble inconnu rougit en s'abaissant;
Une larme brillait auprès de sa paupière.
Heureux ceux dont le cœur verse ainsi la première!

Un Ange eut ces ennuis qui troublent tant nos jours,
Et poursuivent les grands dans la pompe des cours;

Mais au sein des banquets, parmi la multitude,
Un homme qui gémit trouve la solitude;
Le bruit des Nations, le bruit que font les Rois,
Rien n'éteint dans son cœur une plus forte voix.
Harpes du Paradis, vous étiez sans prodiges!
Chars vivants dont les yeux ont d'éclatants prestiges,
Armures du Seigneur, pavillons du saint lieu,
Etoiles des bergers tombant des doigts de Dieu,
Saphirs des encensoirs, or du céleste dôme,
Délices du Nebel, senteurs du Cinnamome,
Vos bruits harmonieux, vos splendeurs, vos parfums,
Pour un Ange attristé devenaient importuns;
Les cantiques sacrés troublaient sa rêverie,
Car rien n'y répondait à son âme attendrie;
Et soit lorsque Dieu même appelant les Esprits,
Dévoilait sa grandeur à leurs regards surpris,
Et montrait dans les cieux, foyer de la naissance,
Les profondeurs sans nom de sa triple puissance;
Soit quand les Chérubins représentaient entre eux
Ou les actes du Christ ou ceux des Bienheureux,
Et répétaient au Ciel chaque nouveau Mystère
Qui, dans les mêmes temps, se passait sur la Terre,
La crèche offerte aux yeux des Mages étrangers,
La famille au désert, le salut des Bergers :
Eloa s'écartant de ce divin spectacle,
Loin de leur foule et loin du brillant Tabernacle,
Cherchait quelque nuage où dans l'obscurité
Elle pourrait du moins rêver en liberté.

Les Anges ont des nuits comme la nuit humaine.
Il est dans le Ciel même une pure fontaine;
Une eau brillante y court sur un sable vermeil.
Quand un Ange la puise, il dort, mais d'un sommeil
Tel que le plus aimé des amants de la terre
N'en voudrait pas quitter le charme solitaire,
Pas même pour revoir dormant auprès de lui
La beauté dont la tête a son bras pour appui.
Mais en vain Eloa s'abreuvait de son onde,
Sa douleur inquiète en était plus profonde;
Et toujours dans la nuit un rêve lui montrait
Un Ange malheureux qui de loin l'implorait.
Les Vierges quelquefois pour connaître sa peine,
Formant une prière inentendue et vaine,

L'entouraient, et prenant ces soins qui font souffrir,
Demandaient quels trésors il lui fallait offrir,
Et de quel prix serait son éternelle vie,
Si le bonheur du Ciel flattait peu son envie;
Et pourquoi son regard ne cherchait pas enfin
Les regards d'un Archange ou ceux d'un Séraphin.
Eloa répondait une seule parole :
« Aucun d'eux n'a besoin de celle qui console.
« On dit qu'il en est un... » Mais, détournant leurs pas,
Les Vierges s'enfuyaient et ne le nommaient pas.

Cependant, seule, un jour, leur timide compagne
Regarde autour de soi la céleste campagne,
Etend l'aile et sourit, s'envole, et dans les airs
Cherche sa Terre amie ou des astres déserts.

Ainsi dans les forêts de la Louisiane,
Bercé sous les bambous et la longue liane,
Ayant rompu l'œuf d'or par le soleil mûri,
Sort de son lit de fleurs l'éclatant Colibri;
Une verte émeraude a couronné sa tête,
Des ailes sur son dos la pourpre est déjà prête,
La cuirasse d'azur garnit son jeune cœur;
Pour les luttes de l'air l'oiseau part en vainqueur...
Il promène en des lieux voisins de la lumière
Ses plumes de corail qui craignent la poussière;
Sous son abri sauvage étonnant le ramier,
Le hardi voyageur visite le palmier.
La plaine des parfums est d'abord délaissée;
Il passe, ambitieux, de l'érable à l'alcée,
Et de tous ses festins croit trouver les apprêts
Sur le front du palmiste ou les bras du cyprès;
Mais les bois sont trop grands pour ses ailes naissantes,
Et les fleurs du berceau de ces lieux sont absentes;
Sur la verte savane il descend les chercher;
Les serpents-oiseleurs qu'elles pourraient cacher
L'effarouchent bien moins que les forêts arides.
Il poursuit près des eaux le jasmin des Florides,
La nonpareille au fond de ses chastes prisons,
Et la fraise embaumée au milieu des gazons.

C'est ainsi qu'Eloa, forte dès sa naissance,
De son aile argentée essayant la puissance,
Passant la blanche voie où des feux immortels
Brûlent aux pieds de Dieu comme un amas d'autels,
Tantôt se balançant sur deux jeunes planètes,
Tantôt posant ses pieds sur le front des comètes,
Afin de découvrir les êtres nés ailleurs,
Arriva seule au fond des Cieux inférieurs.

L'Ether a ses degrés, d'une grandeur immense,
Jusqu'à l'ombre éternelle où le Chaos commence.
Sitôt qu'un Ange a fui l'azur illimité,
Coupole de saphirs qu'emplit la Trinité,
Il trouve un air moins pur; là passent des nuages,
Là tournent des vapeurs, serpentent des orages,
Comme une garde agile, et dont la profondeur
De l'air que Dieu respire éteint pour nous l'ardeur.
Mais après nos soleils et sous les atmosphères
Où, dans leur cercle étroit, se balancent nos sphères,
L'espace est désert, triste, obscur, et sillonné
Par un noir tourbillon lentement entraîné.
Un jour douteux et pâle éclaire en vain la nue,
Sous elle est le Chaos et la nuit inconnue;
Et lorsqu'un vent de feu brise son sein profond,
On devine le vide impalpable et sans fond.

Jamais les purs Esprits, enfants de la lumière,
De ces trois régions n'atteignent la dernière.
Et jamais ne s'égare aucun beau Séraphin
Sur ces degrés confus dont l'Enfer est la fin.
Même les Chérubins, si forts et si fidèles,
Craignent que l'air impur ne manque sous leurs ailes,
Et qu'ils ne soient forcés, dans ce vol dangereux,
De tomber jusqu'au fond du Chaos ténébreux.
Que deviendrait alors l'exilé sans défense ?
Du rire des Démons l'inextinguible offense,
Leurs mots, leurs jeux railleurs, lent et cruel affront,
Feraient baisser ses yeux, feraient rougir son front.
Péril plus grand! peut-être il lui faudrait entendre
Quelque chant d'abandon voluptueux et tendre,

Quelque regret du Ciel, un récit douloureux
Dit par la douce voix d'un Ange malheureux.
Et même, en lui prêtant une oreille attendrie,
Il pourrait oublier la céleste patrie,
Se plaire sous la nuit, et dans une amitié
Qu'auraient nouée entre eux les chants et la pitié.
Et comment remonter à la voûte azurée,
Offrant à la lumière éclatante et dorée
Des cheveux dont les flots sont épars et ternis,
Des ailes sans couleurs, des bras, un col brunis,
Un front plus pâle, empreint de traces inconnues
Parmi les fronts sereins des habitants des nues,
Des yeux dont la rougeur montre qu'ils ont pleuré,
Et des pieds noirs encor d'un feu pestiféré ?

Voilà pourquoi, toujours prudents et toujours sages,
Les Anges de ces lieux redoutent les passages.

C'était là cependant, sur la sombre vapeur,
Que la Vierge Eloa se reposait sans peur :
Elle ne se troubla qu'en voyant sa puissance,
Et les bienfaits nouveaux causés par sa présence.
Quelques mondes punis semblaient se consoler;
Les globes s'arrêtaient pour l'entendre voler.
S'il arrivait aussi qu'en ces routes nouvelles
Elle touchât l'un d'eux des plumes de ses ailes,
Alors tous les chagrins s'y taisaient un moment,
Les rivaux s'embrassaient avec étonnement;
Tous les poignards tombaient oubliés par la haine;
Le captif souriant marchait seul et sans chaîne;
Le criminel rentrait au temple de la loi;
Le proscrit s'asseyait au palais de son Roi;
L'inquiète Insomnie abandonnait sa proie;
Les pleurs cessaient partout, hors les pleurs de la joie;
Et surpris d'un bonheur rare chez les mortels,
Les amants séparés s'unissaient aux autels.

CHANT DEUXIÈME

SÉDUCTION

Souvent parmi les monts qui dominent la terre
S'ouvre un puits naturel, profond et solitaire;
L'eau qui tombe du ciel s'y garde, obscur miroir
Où, dans le jour, on voit les étoiles du soir.
Là, quand la villageoise a, sous la corde agile,
De l'urne, au fond des eaux, plongé la frêle argile,
Elle y demeure oisive, et contemple longtemps
Ce magique tableau des astres éclatants,
Qui semble orner son front, dans l'onde souterraine,
D'un bandeau qu'envîraient les cheveux d'une Reine.
Telle, au fond du Chaos qu'observaient ses beaux yeux,
La Vierge, en se penchant, croyait voir d'autres Cieux.
Ses regards, éblouis par des Soleils sans nombre,
N'apercevaient d'abord qu'un abîme et que l'ombre,
Mais elle y vit bientôt des feux errants et bleus
Tels que des froids marais les éclairs onduleux;
Ils fuyaient, revenaient, puis s'échappaient encore;
Chaque étoile semblait poursuivre un météore;
Et l'Ange, en souriant au spectacle étranger,
Suivait des yeux leur vol circulaire et léger.
Bientôt il lui sembla qu'une pure harmonie
Sortait de chaque flamme à l'autre flamme unie :
Tel est le choc plaintif et le son vague et clair
Des cristaux suspendus au passage de l'air,
Pour que, dans son palais, la jeune Italienne
S'endorme en écoutant la harpe Eolienne.
Ce bruit lointain devint un chant surnaturel,
Qui parut s'approcher de la fille du Ciel;
Et ces feux réunis furent comme l'aurore
D'un jour inespéré qui semblait près d'éclore.
A sa lueur de rose un nuage embaumé
Montait en longs détours dans un air enflammé,
Puis lentement forma sa couche d'ambroisie,
Pareille à ces divans où dort la molle Asie.
Là, comme un Ange assis, jeune, triste et charmant,
Une forme céleste apparut vaguement.

Quelquefois un enfant de la Clyde écumeuse,
En bondissant parcourt sa montagne brumeuse,
Et chasse un daim léger que son cor étonna,
Des glaciers de l'Arven aux brouillards du Crona,
Franchit les rocs moussus, dans les gouffres s'élance,
Pour passer le torrent aux arbres se balance,
Tombe avec un pied sûr, et s'ouvre des chemins
Jusqu'à la neige encor vierge des pas humains.
Mais bientôt, s'égarant au milieu des nuages,
Il cherche les sentiers voilés par les orages;
Là, sous un arc-en-ciel qui couronne les eaux,
S'il a vu, dans la nue et ses vagues réseaux,
Passer le plaid léger d'une Ecossaise errante,
Et s'il entend sa voix dans les échos mourante,
Il s'arrête enchanté, car il croit que ses yeux
Viennent d'apercevoir la sœur de ses aïeux,
Qui va faire frémir, ombre encore amoureuse,
Sous ses doigts transparents la harpe vaporeuse;
Il cherche alors comment Ossian la nomma,
Et, debout sur sa roche, appelle Evir-Coma.

Non moins belle apparut, mais non moins incertaine,
De l'Ange ténébreux la forme encor lointaine,
Et des enchantements non moins délicieux
De la Vierge céleste occupèrent les yeux.
Comme un cygne endormi qui seul, loin de la rive,
Livre son aile blanche à l'onde fugitive,
Le jeune homme inconnu mollement s'appuyait
Sur ce lit de vapeurs qui sous ses bras fuyait.
Sa robe était de pourpre et, flamboyante ou pâle,
Enchantait les regards des teintes de l'opale.
Ses cheveux étaient noirs, mais pressés d'un bandeau;
C'était une couronne ou peut-être un fardeau :
L'or en était vivant comme ces feux mystiques
Qui, tournoyant, brûlaient sur les trépieds antiques.
Son aile était ployée, et sa faible couleur
De la brume des soirs imitait la pâleur.
Des diamants nombreux rayonnent avec grâce
Sur ses pieds délicats qu'un cercle d'or embrasse;
Mollement entourés d'anneaux mystérieux,
Ses bras et tous ses doigts éblouissent les yeux.
Il agite sa main d'un sceptre d'or armée,
Comme un roi qui d'un mont voit passer son armée,

Et craignant que ses vœux ne s'accomplissent pas,
D'un geste impatient accuse tous ses pas.
Son front est inquiet; mais son regard s'abaisse,
Soit que sachant des yeux la force enchanteresse,
Il veuille ne montrer d'abord que par degrés
Leurs rayons caressants encore mal assurés,
Soit qu'il redoute aussi l'involontaire flamme
Qui dans un seul regard révèle l'âme à l'âme.
Tel que dans la forêt le doux vent du matin
Commence ses soupirs par un bruit incertain
Qui réveille la terre et fait palpiter l'onde;
Elevant lentement sa voix douce et profonde,
Et prenant un accent triste comme un adieu,
Voici les mots qu'il dit à la fille de Dieu :

« D'où viens-tu, bel Archange ? où vas-tu ? quelle voie
« Suit ton aile d'argent qui dans l'air se déploie ?
« Vas-tu, te reposant au centre d'un Soleil,
« Guider l'ardent foyer de son cercle vermeil;
« Ou, troublant les amants d'une crainte idéale,
« Leur montrer dans la nuit l'Aurore boréale;
« Partager la rosée aux calices des fleurs,
« Ou courber sur les monts l'écharpe aux sept couleurs ?
« Tes soins ne sont-ils pas de surveiller les âmes,
« Et de parler, le soir, au cœur des jeunes femmes;
« De venir comme un rêve en leurs bras te poser,
« Et de leur apporter un fils dans un baiser ?
« Tels sont tes doux emplois, si du moins j'en veux croire
« Ta beauté merveilleuse et tes rayons de gloire.
« Mais plutôt n'es-tu pas un ennemi naissant
« Qu'instruit à me haïr mon rival trop puissant ?
« Ah! peut-être est-ce toi qui, m'offensant moi-même,
« Conduiras mes Païens sous les eaux du baptême;
« Car toujours l'ennemi m'oppose triomphant
« Le regard d'une vierge ou la voix d'un enfant.
« Je suis un exilé que tu cherchais peut-être :
« Mais s'il est vrai, prends garde au Dieu jaloux ton [maître;
« C'est pour avoir aimé, c'est pour avoir sauvé,
« Que je suis malheureux, que je suis réprouvé.
« Chaste beauté! viens-tu me combattre ou m'absoudre ?
« Tu descends de ce Ciel qui m'envoya la foudre,

« Mais si douce à mes yeux, que je ne sais pourquoi
« Tu viens aussi d'en haut, bel Ange, contre moi. »

Ainsi l'Esprit parlait. A sa voix caressante,
Prestige préparé contre une âme innocente,
A ces douces lueurs, au magique appareil
De cet Ange si doux, à ses frères pareil,
L'habitante des Cieux, de son aile voilée,
Montait en reculant sur sa route étoilée,
Comme on voit la baigneuse au milieu des roseaux
Fuir un jeune nageur qu'elle a vu sous les eaux.
Mais en vain ses deux pieds s'éloignaient du nuage,
Autant que la colombe en deux jours de voyage
Peut s'éloigner d'Alep et de la blanche tour
D'où la sultane envoie une lettre d'amour :
Sous l'éclair d'un regard sa force fut brisée;
Et dès qu'il vit ployer son aile maîtrisée,
L'ennemi séducteur continua tout bas :

« Je suis celui qu'on aime et qu'on ne connaît pas.
« Sur l'homme j'ai fondé mon empire de flamme
« Dans les désirs du cœur, dans les rêves de l'âme,
« Dans les liens des corps, attraits mystérieux,
« Dans les trésors du sang, dans les regards des yeux.
« C'est moi qui fais parler l'épouse dans ses songes;
« La jeune fille heureuse apprend d'heureux mensonges;
« Je leur donne des nuits qui consolent des jours,
« Je suis le Roi secret des secrètes amours.
« J'unis les cœurs, je romps les chaînes rigoureuses,
« Comme le papillon sur ses ailes poudreuses
« Porte aux gazons émus des peuplades de fleurs,
« Et leur fait des amours sans périls et sans pleurs.
« J'ai pris au Créateur sa faible créature;
« Nous avons, malgré lui, partagé la Nature :
« Je le laisse, orgueilleux des bruits du jour vermeil
« Cacher des astres d'or sous l'éclat d'un Soleil;
« Moi, j'ai l'ombre muette, et je donne à la terre
« La volupté des soirs et les biens du mystère.
« Es-tu venue, avec quelques Anges des cieux,
« Admirer de mes nuits le cours délicieux ?

« As-tu vu leurs trésors ? Sais-tu quelles merveilles
« Des Anges ténébreux accompagnent les veilles ?

« Sitôt que balancé sous le pâle horizon
« Le Soleil rougissant a quitté le gazon,
« Innombrables Esprits, nous volons dans les ombres
« En secouant dans l'air nos chevelures sombres :
« L'odorante rosée alors jusqu'au matin
« Pleut sur les orangers, le lilas et le thym.
« La Nature attentive aux lois de mon empire
« M'accueille avec amour, m'écoute et me respire;
« Je redeviens son âme, et pour mes doux projets
« Du fond des éléments j'évoque mes sujets.
« Convive accoutumé de ma nocturne fête,
« Chacun d'eux en chantant à s'y rendre s'apprête.
« Vers le ciel étoilé, dans l'orgueil de son vol,
« S'élance le premier l'éloquent rossignol;
« Sa voix sonore, à l'onde, à la terre, à la nue,
« De mon heure chérie annonce la venue;
« Il vante mon approche aux pâles alisiers,
« Il la redit encore aux humides rosiers;
« Héraut harmonieux, partout il me proclame;
« Tous les oiseaux de l'ombre ouvrent leurs yeux de flamme.
« Le vermisseau reluit; son front de diamant
« Répète auprès des fleurs les feux du firmament,
« Et lutte de clartés avec le météore
« Qui rôde sur les eaux comme une pâle aurore.
« L'étoile des marais, que détache ma main,
« Tombe et trace dans l'air un lumineux chemin.

« Dédaignant le remords et sa triste chimère,
« Si la Vierge a quitté la couche de sa mère,
« Ces flambeaux naturels s'allument sous ses pas,
« Et leur feu clair la guide et ne la trahit pas.
« Si sa lèvre s'altère et vient près du rivage
« Chercher comme une coupe un profond coquillage,
« L'eau soupire et bouillonne, et devant ses pieds nus
« Jette aux bords sablonneux la Conque de Vénus.
« Des Esprits lui font voir de merveilleuses choses,
« Sous des bosquets remplis de la senteur des roses;

« Elle aperçoit sur l'herbe, où leur main la conduit,
« Ces fleurs dont la beauté ne s'ouvre que la nuit,
« Pour qui l'aube du jour aussi sera cruelle,
« Et dont le sein modeste a des amours comme elle.
« Le silence la suit; tout dort profondément;
« L'ombre écoute un mystère avec recueillement.
« Les vents, des prés voisins, apportent l'ambroisie
« Sur la couche des bois que l'amant a choisie.
« Bientôt deux jeunes voix murmurent des propos
« Qui des bocages sourds animent le repos.
« Au fond de l'orme épais dont l'abri les accueille,
« L'oiseau réveillé chante et bruit sous la feuille,
« L'hymne de volupté fait tressaillir les airs,
« Les arbres ont leurs chants, les buissons leurs concerts,
« Et sur les bords d'une eau qui gémit et s'écoule,
« La colombe de nuit languissamment roucoule.

« La voilà sous tes yeux l'œuvre du Malfaiteur;
« Ce méchant qu'on accuse est un Consolateur
« Qui pleure sur l'esclave et le dérobe au maître,
« Le sauve par l'amour des chagrins de son être,
« Et, dans le mal commun lui-même enseveli,
« Lui donne un peu de charme et quelquefois l'oubli. »
Trois fois, durant ces mots, de l'Archange naissante
La rougeur colora la joue adolescente,
Et, luttant par trois fois contre un regard impur,
Une paupière d'or voila ses yeux d'azur.

CHANT TROISIÈME

CHUTE

D'où venez-vous, Pudeur, noble crainte, ô Mystère
Qu'au temps de son enfance a vu naître la terre,
Fleur de ses premiers jours qui germez parmi nous,
Rose du Paradis! Pudeur, d'où venez-vous?
Vous pouvez seule encor remplacer l'innocence,
Mais l'arbre défendu vous a donné naissance;

Au charme des vertus votre charme est égal,
Mais vous êtes aussi le premier pas du mal;
D'un chaste vêtement votre sein se décore,
Eve avant le serpent n'en avait pas encore;
Et si le voile pur orne votre maintien,
C'est un voile toujours, et le crime a le sien;
Tout vous trouble, un regard blesse votre paupière,
Mais l'enfant ne craint rien, et cherche la lumière.
Sous ce pouvoir nouveau, la Vierge fléchissait,
Elle tombait déjà, car elle rougissait;
Déjà presque soumise au joug de l'Esprit sombre,
Elle descend, remonte, et redescend dans l'ombre.
Telle on voit la perdrix voltiger et planer
Sur des épis brisés qu'elle voudrait glaner,
Car tout son nid l'attend; si son vol se hasarde,
Son regard ne peut fuir celui qui la regarde...
Et c'est le chien d'arrêt qui, sombre surveillant,
La suit, la suit toujours d'un œil fixe et brillant.

O des instants d'amour ineffable délire!
Le cœur répond au cœur comme l'air à la lyre.
Ainsi qu'un jeune amant, interprète adoré,
Explique le désir par lui-même inspiré,
Et contre la pudeur aidant sa bien-aimée,
Entraînant dans ses bras sa faiblesse charmée,
Tout enivré d'espoir, plus qu'à demi vainqueur,
Prononce les serments qu'elle fait dans son cœur,
Le prince des Esprits, d'une voix oppressée,
De la Vierge timide expliquait la pensée.
Eloa, sans parler, disait : Je suis à toi;
Et l'Ange ténébreux dit tout haut : Sois à moi!

« Sois à moi, sois ma sœur; je t'appartiens moi-même;
« Je t'ai bien méritée, et dès longtemps je t'aime,
« Car je t'ai vue un jour. Parmi les fils de l'air
« Je me mêlais, voilé comme un soleil d'hiver.
« Je revis une fois l'ineffable contrée,
« Des peuples lumineux la patrie azurée,
« Et n'eus pas un regret d'avoir quitté ces lieux
« Où la crainte toujours siège parmi les Dieux.

« Toi seule m'apparus comme une jeune étoile
« Qui de la vaste nuit perce à l'écart le voile;
« Toi seule me parus ce qu'on cherche toujours,
« Ce que l'homme poursuit dans l'ombre de ses jours,
« Le Dieu qui du bonheur connaît seul le mystère,
« Et la Reine qu'attend mon trône solitaire.
« Enfin, par ta présence habile à me charmer,
« Il me fut révélé que je pouvais aimer.

« Soit que tes yeux, voilés d'une ombre de tristesse,
« Aient entendu les miens qui les cherchaient sans cesse,
« Soit que ton origine, aussi douce que toi,
« T'ait fait une patrie un peu plus près de moi,
« Je ne sais, mais depuis l'heure qui te vit naître,
« Dans tout être créé j'ai cru te reconnaître;
« J'ai trois fois en pleurant passé dans l'Univers,
« Je te cherchais partout, dans un souffle des airs,
« Dans un rayon tombé du disque de la lune,
« Dans l'étoile qui fuit le ciel qui l'importune,
« Dans l'arc-en-ciel, passage aux Anges familier,
« Ou sur le lit moelleux des neiges du glacier;
« Des parfums de ton vol je respirais la trace;
« En vain j'interrogeai les globes de l'espace,
« Du char des astres purs j'obscurcis les essieux,
« Je voilai leurs rayons pour attirer tes yeux,
« J'osai même, enhardi par mon nouveau délire,
« Toucher les fibres d'or de la céleste lyre.
« Mais tu n'entendis rien, mais tu ne me vis pas.
« Je revins à la Terre, et je glissai mes pas
« Sous les abris de l'homme où tu reçus naissance.
« Je croyais t'y trouver protégeant l'innocence,
« Au berceau balancé d'un enfant endormi,
« Rafraîchissant sa lèvre avec un souffle ami;
« Ou bien comme un rideau développant ton aile,
« Et gardant contre moi, timide sentinelle,
« Le sommeil de la Vierge aux côtés de sa sœur,
« Qui, rêvant, sur son sein la presse avec douceur.
« Mais seul je retournai sous ma belle demeure,
« J'y pleurai comme ici, j'y gémis, jusqu'à l'heure
« Où le son de ton vol m'émut, me fit trembler
« Comme un prêtre qui sent que son Dieu va parler. »

Il disait; et bientôt comme une jeune Reine
Qui rougit de plaisir au nom de souveraine,
Et fait à ses sujets un geste gracieux,
Ou donne à leurs transports un regard de ses yeux,
Eloa, soulevant le voile de sa tête,
Avec un doux sourire à lui parler s'apprête,
Descend plus près de lui, se penche, et mollement
Contemple avec orgueil son immortel amant.
Son beau sein, comme un flot qui sur la rive expire,
Pour la première fois se soulève et soupire;
Son bras, comme un lys blanc sur le lac suspendu,
S'approche sans effroi lentement étendu;
Sa bouche parfumée en s'ouvrant semble éclore
Comme la jeune rose aux faveurs de l'aurore,
Quand le matin lui verse une fraîche liqueur,
Et qu'un rayon du jour entre jusqu'à son cœur.
Elle parle, et sa voix dans un beau son rassemble
Ce que les plus doux bruits auraient de grâce ensemble;
Et la lyre accordée aux flûtes dans les bois,
Et l'oiseau qui se plaint pour la première fois,
Et la mer quand ses flots apportent sur la grève
Les chants du soir aux pieds du voyageur qui rêve,
Et le vent qui se joue aux cloches des hameaux,
Ou fait gémir les joncs de la fuite des eaux :

« Puisque vous êtes beau, vous êtes bon, sans doute;
« Car sitôt que des Cieux une âme prend la route,
« Comme un saint vêtement, nous voyons sa bonté
« Lui donner en entrant l'éternelle beauté.
« Mais pourquoi vos discours m'inspirent-ils la crainte ?
« Pourquoi sur votre front tant de douleur empreinte ?
« Comment avez-vous pu descendre du saint lieu ?
« Et comment m'aimez-vous, si vous n'aimez pas Dieu ? »

Le trouble des regards, grâce de la décence,
Accompagnait ces mots, forts comme l'innocence;
Ils tombaient de sa bouche, aussi doux, aussi purs,
Que la neige en hiver sur les coteaux obscurs;

Et comme, tout nourris de l'essence première,
Les Anges ont au cœur des sources de lumière,
Tandis qu'elle parlait, ses ailes à l'entour,
Et son sein et son bras répandirent le jour :
Ainsi le diamant luit au milieu des ombres.
L'Archange s'en effraie, et sous ses cheveux sombres
Cherche un épais refuge à ses yeux éblouis;
Il pense qu'à la fin des Temps évanouis,
Il lui faudra de même envisager son maître,
Et qu'un regard de Dieu le brisera peut-être;
Il se rappelle aussi tout ce qu'il a souffert
Après avoir tenté Jésus dans le désert.
Il tremble; sur son cœur où l'Enfer recommence,
Comme un sombre manteau jette son aile immense,
Et veut fuir. La terreur réveillait tous ses maux.

Sur la neige des monts, couronne des hameaux,
L'Espagnol a blessé l'aigle des Asturies,
Dont le vol menaçait ses blanches bergeries;
Hérissé, l'oiseau part et fait pleuvoir le sang,
Monte aussi vite au ciel que l'éclair en descend,
Regarde son Soleil, d'un bec ouvert l'aspire,
Croit reprendre la vie au flamboyant empire;
Dans un fluide d'or il nage puissamment,
Et parmi les rayons se balance un moment :
Mais l'homme l'a frappé d'une atteinte trop sûre;
Il sent le plomb chasseur fondre dans sa blessure;
Son aile se dépouille, et son royal manteau
Vole comme un duvet qu'arrache le couteau.
Dépossédé des airs, son poids le précipite;
Dans la neige du mont il s'enfonce et palpite,
Et la glace terrestre a d'un pesant sommeil
Fermé cet œil puissant respecté du Soleil.

Tel retrouvant ses maux au fond de sa mémoire,
L'Ange maudit pencha sa chevelure noire
Et se dit, pénétré d'un chagrin infernal :
« Triste amour du péché! sombres désirs du mal!
« De l'orgueil, du savoir gigantesques pensées!
« Comment ai-je connu vos ardeurs insensées ?

« Maudit soit le moment où j'ai mesuré Dieu!
« Simplicité du cœur! à qui j'ai dit adieu,
« Je tremble devant toi, mais pourtant je t'adore;
« Je suis moins criminel puisque je t'aime encore;
« Mais dans mon sein flétri tu ne reviendras pas!
« Loin de ce que j'étais, quoi! j'ai fait tant de pas!
« Et de moi-même à moi si grande est la distance,
« Que je ne comprends plus ce que dit l'innocence;
« Je souffre, et mon esprit par le mal abattu
« Ne peut plus remonter jusqu'à tant de vertu.

« Qu'êtes-vous devenus, jours de paix, jours célestes ?
« Quand j'allais, le premier de ces Anges modestes,
« Prier à deux genoux devant l'antique loi,
« Et ne pensais jamais au-delà de la foi ?
« L'éternité pour moi s'ouvrait comme une fête;
« Et des fleurs dans mes mains, des rayons sur ma tête,
« Je souriais, j'étais... J'aurais peut-être aimé! »

Le Tentateur lui-même était presque charmé,
Il avait oublié son art et sa victime,
Et son cœur un moment se reposa du crime.
Il répétait tout bas, et le front dans ses mains :
« Si je vous connaissais, ô larmes des humains! »

Ah! si dans ce moment la Vierge eût pu l'entendre,
Si sa céleste main qu'elle eût osé lui tendre
L'eût saisi repentant, docile à remonter...
Qui sait ? le mal peut-être eût cessé d'exister.
Mais sitôt qu'elle eut sur sa tête pensive
De l'Enfer décelé la douleur convulsive,
Etonnée et tremblante, elle éleva ses yeux,
Plus forte, elle parut se souvenir des Cieux,
Et souleva deux fois ses ailes argentées,
Entr'ouvrant pour gémir ses lèvres enchantées;
Ainsi, qu'un jeune enfant, s'attachant aux roseaux,
Tente de faibles cris étouffés sous les eaux.
Il la vit prête à fuir vers les cieux de lumière.
Comme un tigre éveillé bondit dans la poussière,
Aussitôt en lui-même, et plus fort désormais,
Retrouvant cet esprit qui ne fléchit jamais,

Ce noir esprit du mal qu'irrite l'innocence,
Il rougit d'avoir pu douter de sa puissance,
Il rétablit la paix sur son front radieux,
Rallume tout à coup l'audace de ses yeux,
Et longtemps en silence il regarde et contemple
La victime du Ciel qu'il destine à son temple;
Comme pour lui montrer qu'elle résiste en vain,
Et s'endurcir lui-même à ce regard divin.
Sans amour, sans remords, au fond d'un cœur de glace,
Des coups qu'il va porter il médite la place,
Et pareil au guerrier qui, tranquille à dessein,
Dans les défauts du fer cherche à frapper le sein,
Il compose ses traits sur les désirs de l'Ange;
Son air, sa voix, son geste et son maintien, tout change,
Sans venir de son cœur, des pleurs fallacieux
Paraissent tout à coup sur le bord de ses yeux.
La Vierge dans le Ciel n'avait pas vu de larmes,
Et s'arrête; un soupir augmente ses alarmes.
Il pleure amèrement comme un homme exilé,
Comme une veuve auprès de son fils immolé;
Ses cheveux dénoués sont épars; rien n'arrête
Les sanglots de son sein qui soulèvent sa tête.
Eloa vient et pleure; ils se parlent ainsi :

« Que vous ai-je donc fait ? Qu'avez-vous ? me voici.
— Tu cherches à me fuir, et pour toujours peut-être.
Combien tu me punis de m'être fait connaître!
— J'aimerais mieux rester; mais le Seigneur m'attend.
Je veux parler pour vous, souvent il nous entend.
— Il ne peut rien sur moi, jamais mon sort ne change,
Et toi seule es le Dieu qui peut sauver un Ange.
— Que puis-je faire ? hélas! dites, faut-il rester ?
— Oui, descends jusqu'à moi, car je ne puis monter.
— Mais quel don voulez-vous ? — Le plus beau, c'est [nous-mêmes.
Viens. — M'exiler du Ciel ? — Qu'importe, si tu [m'aimes ?
Touche ma main. Bientôt dans un mépris égal
Se confondront pour nous et le bien et le mal.
Tu n'as jamais compris ce qu'on trouve de charmes
A présenter son sein pour y cacher des larmes.
Viens, il est un bonheur que moi seul t'apprendrai;
Tu m'ouvriras ton âme, et je l'y répandrai.

Comme l'aube et la lune au couchant reposée
Confondent leurs rayons, ou comme la rosée
Dans une perle seule unit deux de ses pleurs
Pour s'empreindre du baume exhalé par les fleurs,
Comme un double flambeau réunit ses deux flammes,
Non moins étroitement nous unirons nos âmes.
— Je t'aime et je descends. Mais que diront les Cieux ? »

En ce moment passa dans l'air, loin de leurs yeux,
Un des célestes chœurs où, parmi les louanges,
On entendit ces mots que répétaient des Anges :
« Gloire dans l'Univers, dans les Temps, à celui
« Qui s'immole à jamais pour le salut d'autrui. »
Les Cieux semblaient parler. C'en était trop pour elle.

Deux fois encor levant sa paupière infidèle,
Promenant des regards encore irrésolus,
Elle chercha ses Cieux qu'elle ne voyait plus.

Des Anges au Chaos allaient puiser des mondes.
Passant avec terreur dans ses plaines profondes,
Tandis qu'ils remplissaient les messages de Dieu,
Ils ont tous vu tomber un nuage de feu.
Des plaintes de douleur, des réponses cruelles,
Se mêlaient dans la flamme au battement des ailes.

Où me conduisez-vous, bel Ange ? — Viens toujours.
— Que votre voix est triste, et quel sombre discours !
N'est-ce pas Eloa qui soulève ta chaîne ?
J'ai cru t'avoir sauvé. — Non, c'est moi qui t'entraîne.
— Si nous sommes unis, peu m'importe en quel lieu !
Nomme-moi donc encore ou ta Sœur ou ton Dieu !
— J'enlève mon esclave et je tiens ma victime.
— Tu paraissais si bon ! Oh ! qu'ai-je fait ? — Un crime.
— Seras-tu plus heureux, du moins, es-tu content ?
— Plus triste que jamais. — Qui donc es-tu ? — Satan.

Ecrit en 1823, dans les Vosges.

LE DÉLUGE

Mystère

Serait-il dit que vous fassiez mourir le Juste avec le méchant?
Genèse.

I

La Terre était riante et dans sa fleur première;
Le jour avait encor cette même lumière
Qui du Ciel embelli couronna les hauteurs
Quand Dieu la fit tomber de ses doigts créateurs.
Rien n'avait dans sa forme altéré la nature,
Et des monts réguliers l'immense architecture
S'élevait jusqu'aux Cieux par ses degrés égaux,
Sans que rien de leur chaîne eût brisé les anneaux.
La forêt, plus féconde, ombrageait, sous ses dômes,
Des plaines et des fleurs les gracieux royaumes
Et des fleuves aux mers le cours était réglé
Dans un ordre parfait qui n'était pas troublé.
Jamais un voyageur n'aurait, sous le feuillage,
Rencontré, loin des flots, l'émail du coquillage,
Et la perle habitait son palais de cristal :
Chaque trésor restait dans l'élément natal,
Sans enfreindre jamais la céleste défense;
Et la beauté du monde attestait son enfance;
Tout suivait sa loi douce et son premier penchant,
Tout était pur encor. Mais l'homme était méchant.

Les peuples déjà vieux, les races déjà mûres,
Avaient vu jusqu'au fond des sciences obscures;

Les mortels savaient tout, et tout les affligeait;
Le prince était sans joie ainsi que le sujet;
Trente religions avaient eu leurs prophètes,
Leurs martyrs, leurs combats, leurs gloires, leurs défaites,
Leur temps d'indifférence et leur siècle d'oubli;
Chaque peuple, à son tour dans l'ombre enseveli,
Chantait languissamment ses grandeurs effacées :
La mort régnait déjà dans les âmes glacées.
Même plus haut que l'homme atteignaient ses [malheurs :
D'autres êtres cherchaient ses plaisirs et ses pleurs.
Souvent, fruit inconnu d'un orgueilleux mélange,
Au sein d'une mortelle on vit le fils d'un Ange [1].
Le crime universel s'élevait jusqu'aux cieux.
Dieu s'attrista lui-même et détourna les yeux.

Et cependant, un jour, au sommet solitaire
Du mont sacré d'Arar, le plus haut de la Terre,
Apparut une vierge et près d'elle un pasteur :
Tous deux nés dans les champs, loin d'un peuple [imposteur,
Leur langage était doux, leurs mains étaient unies
Comme au jour fortuné des unions bénies;
Ils semblaient, en passant sur ces monts inconnus,
Retourner vers le Ciel dont ils étaient venus;
Et, sans l'air de douleur, signe que Dieu nous laisse,
Rien n'eût de leur nature indiqué la faiblesse,
Tant les traits primitifs et leur simple beauté
Avaient sur leur visage empreint de majesté.

Quand du mont orageux ils touchèrent la cime,
La campagne à leurs pieds s'ouvrit comme un abîme.
C'était l'heure où la nuit laisse le Ciel au jour :
Les constellations pâlissaient tour à tour;
Et, jetant à la Terre un regard triste encore,
Couraient vers l'Orient se perdre dans l'aurore,

1. Les enfants de Dieu, voyant que les filles des hommes étaient belles, prirent pour femmes celles qui leur avaient plu. (*Genèse*, chap. VI, v. 2.)

Comme si pour toujours elles quittaient les yeux
Qui lisaient leur destin sur elles dans les Cieux.
Le Soleil, dévoilant sa figure agrandie,
S'éleva sur les bois comme un vaste incendie;
Et la Terre aussitôt, s'agitant longuement,
Salua son retour par un gémissement.
Réunis sur les monts, d'immobiles nuages
Semblaient y préparer l'arsenal des orages;
Et sur leurs fronts noircis qui partageaient les Cieux
Luisait incessamment l'éclair silencieux.
Tous les oiseaux, poussés par quelque instinct funeste,
S'unissaient dans leur vol en un cercle céleste;
Comme des exilés qui se plaignent entre eux,
Ils poussaient dans les airs de longs cris douloureux.

La Terre cependant montrait ses lignes sombres
Au jour pâle et sanglant qui faisait fuir les ombres;
Mais si l'homme y passait, on ne pouvait le voir :
Chaque cité semblait comme un point vague et noir,
Tant le mont s'élevait à des hauteurs immenses!
Et des fleuves lointains les faibles apparences
Ressemblaient au dessin par le vent effacé
Que le doigt d'un enfant sur le sable a tracé.

Ce fut là que deux voix, dans le désert perdues,
Dans les hauteurs de l'air avec peine entendues,
Osèrent un moment prononcer tour à tour
Ce dernier entretien d'innocence et d'amour :

— « Comme la Terre est belle en sa rondeur immense!
La vois-tu qui s'étend jusqu'où le Ciel commence ?
La vois-tu s'embellir de toutes ses couleurs ?
Respire un jour encor le parfum de ses fleurs
Que le vent matinal apporte à nos montagnes.
On dirait aujourd'hui que les vastes campagnes
Elèvent leur encens, étalent leur beauté,
Pour toucher, s'il se peut, le Seigneur irrité.
Mais les vapeurs du Ciel, comme de noirs fantômes,
Amènent tous ces bruits, ces lugubres symptômes

Qui devaient, sans manquer au moment attendu,
Annoncer l'agonie à l'Univers perdu.
Viens, tandis que l'horreur partout nous environne,
Et qu'une vaste nuit lentement nous couronne,
Viens, ô ma bien-aimée! et, fermant tes beaux yeux
Qu'épouvante l'aspect du désordre des Cieux,
Sur mon sein, sous mes bras repose encor ta tête,
Comme l'oiseau qui dort au sein de la tempête;
Je te dirai l'instant où le Ciel sourira,
Et durant le péril ma voix te parlera. »

La vierge sur son cœur pencha sa tête blonde,
Un bruit régnait au loin, pareil au bruit de l'onde :
Mais tout était paisible et tout dormait dans l'air;
Rien ne semblait vivant, rien, excepté l'éclair.
Le pasteur poursuivit d'une voix solennelle :
« Adieu, Monde sans borne, ô Terre maternelle!
Formes de l'horizon, ombrages des forêts,
Antres de la montagne, embaumés et secrets;
Gazons verts, belles fleurs de l'Oasis chérie,
Arbres, rochers connus, aspects de la patrie!
Adieu! tout va finir, tout doit être effacé,
Le temps qu'a reçu l'homme est aujourd'hui passé,
Demain rien ne sera. Ce n'est point par l'épée,
Postérité d'Adam, que tu seras frappée,
Ni par les maux du corps ou les chagrins du cœur;
Non, c'est un élément qui sera ton vainqueur.
La Terre va mourir sous des eaux éternelles,
Et l'Ange en la cherchant fatiguera ses ailes.
Toujours succédera, dans l'Univers sans bruits,
Au silence des jours le silence des nuits.
L'inutile Soleil, si le matin l'amène,
N'entendra plus la voix et la parole humaine;
Et quand sur un flot mort sa flamme aura relui,
Le stérile rayon remontera vers lui.
Oh! pourquoi de mes yeux a-t-on levé les voiles ?
Comment ai-je connu le secret des étoiles ?
Science du désert, annales des pasteurs!
Cette nuit, parcourant vos divines hauteurs
Dont l'Egypte et Dieu seul connaissent le mystère,
Je cherchais dans le Ciel l'avenir de la Terre;
Ma houlette savante, orgueil de nos bergers,
Traçait l'ordre éternel sur les sables légers,

Comparant, pour fixer l'heure où l'étoile passe,
Les cailloux de la plaine aux lueurs de l'espace.

Mais un Ange a paru dans la nuit sans sommeil;
Il avait de son front quitté l'éclat vermeil.
Il pleurait, et disait dans sa douleur amère :
« Que n'ai-je pu mourir lorsque mourut ta mère!
« J'ai failli, je l'aimais, Dieu punit cet amour.
« Elle fut enlevée en te laissant au jour;
« Le nom d'Emmanuel que la Terre te donne,
« C'est mon nom. J'ai prié pour que Dieu te pardonne;
« Va seul au mont Arar, prends ses rocs pour autels,
« Prie, et seul, sans songer au destin des mortels,
« Tiens toujours tes regards plus haut que sur la Terre;
« La mort de l'Innocence est pour l'homme un mystère,
« Ne t'en étonne pas, n'y porte pas les yeux;
« La pitié du mortel n'est point celle des Cieux.
« Dieu ne fait point de pacte avec la race humaine :
« Qui créa sans amour fera périr sans haine.
« Sois seul, si Dieu m'entend, je viens. » Il m'a quitté;
Avec combien de pleurs, hélas! l'ai-je écouté!
J'ai monté sur l'Arar, mais avec une femme. »

Sara lui dit : « Ton âme est semblable à mon âme,
Car un mortel m'a dit : « Venez sur Gelboë,
« Je me nomme Japhet, et mon père est Noë.
« Devenez mon épouse, et vous serez sa fille;
« Tout va périr demain, si ce n'est ma famille. »
Et moi, je l'ai quitté sans avoir répondu,
De peur qu'Emmanuel n'eût longtemps attendu. »
Puis tous deux embrassés, ils se dirent ensemble :
« Ah! louons l'Eternel, il punit, mais rassemble! »
Le tonnerre grondait; et tous deux à genoux
S'écrièrent alors : « O Seigneur, jugez-nous! »

II

Tous les vents mugissaient, les montagnes tremblèrent,
Des fleuves arrêtés les vagues reculèrent,

Et du sombre horizon dépassant la hauteur,
Des vengeances de Dieu l'immense exécuteur,
L'Océan apparut. Bouillonnant et superbe,
Entraînant les forêts comme le sable et l'herbe,
De la plaine inondée envahissant le fond,
Il se couche en vainqueur dans le désert profond,
Apportant avec lui comme de grands trophées
Les débris inconnus des villes étouffées,
Et là, bientôt plus calme en son accroissement,
Semble, dans ses travaux, s'arrêter un moment,
Et se plaire à mêler, à briser sur son onde
Les membres arrachés au cadavre du Monde.

Ce fut alors qu'on vit des hôtes inconnus
Sur des bords étrangers tout à coup survenus;
Le cèdre jusqu'au Nord vint écraser le saule;
Les ours noyés, flottant sur les glaçons du pôle,
Heurtèrent l'éléphant près du Nil endormi,
Et le monstre, que l'eau soulevait à demi,
S'étonna d'écraser, dans sa lutte contre elle,
Une vague où nageaient le tigre et la gazelle.
En vain des larges flots repoussant les premiers,
Sa trompe tournoyante arracha les palmiers;
Il fut roulé comme eux dans les plaines torrides,
Regrettant ses roseaux et ses sables arides,
Et de ses hauts bambous le lit flexible et vert,
Et jusqu'au vent de flamme exilé du désert.

Dans l'effroi général de toute créature,
La plus féroce même oubliait sa nature;
Les animaux n'osaient ni ramper ni courir :
Chacun d'eux, résigné, se coucha pour mourir.
En vain, fuyant aux Cieux l'eau sur ses rocs venue.
L'aigle tomba des airs, repoussé par la nue.
Le péril confondit tous les êtres tremblants.
L'homme seul se livrait à des projets sanglants.
Quelques rares vaisseaux, qui se faisaient la guerre,
Se disputaient longtemps les restes de la Terre;
Mais pendant leurs combats, les flots non ralentis
Effaçaient à leurs yeux ces restes engloutis.

Alors un ennemi plus terrible que l'onde
Vint achever partout la défaite du Monde :
La faim de tous les cœurs chassa les passions;
Les malheureux, vivant après leurs nations,
N'avaient qu'une pensée, effroyable torture,
L'approche de la mort, la mort sans sépulture.
On vit sur un esquif, de mers en mers jeté,
L'œil affamé du fort sur le faible arrêté;
Des femmes, à grands cris insultant la nature,
Y réclamaient du sort leur humaine pâture;
L'athée, épouvanté de voir Dieu triomphant,
Puisait un jour de vie aux veines d'un enfant;
Des derniers réprouvés telle fut l'agonie.
L'amour survivait seul à la bonté bannie;
Ceux qu'unissaient entre eux des serments mutuels,
Et que persécutait la haine des mortels,
S'offraient ensemble à l'onde avec un front tranquille,
Et contre leurs douleurs trouvaient un même asile.

Mais sur le mont Arar, encor loin du trépas,
Pour sauver ses enfants l'Ange ne venait pas;
En vain le cherchaient-ils, les vents et les orages
N'apportaient sur leurs fronts que de sombres nuages.

Cependant sous les flots montés également
Tout avait par degrés disparu lentement,
Les cités n'étaient plus, rien ne vivait, et l'onde
Ne donnait qu'un aspect à la face du monde.
Seulement quelquefois sur l'élément profond
Un palais englouti montrait l'or de son front;
Quelques dômes, pareils à de magiques îles,
Restaient pour attester la splendeur de leurs villes.
Là parurent encore un moment deux mortels :
L'un la honte d'un trône, et l'autre des autels;
L'un se tenant au bras de sa propre statue,
L'autre au temple élevé d'une idole abattue.
Tous deux jusqu'à la mort s'accusèrent en vain
De l'avoir attirée avec le flot divin.
Plus loin, et contemplant la solitude humide,
Mourait un autre roi, seul sur sa pyramide.

Dans l'immense tombeau s'était d'abord sauvé
Tout son peuple ouvrier qui l'avait élevé;
Mais la mer implacable, en fouillant dans les tombes,
Avait tout arraché du fond des catacombes :
Les mourants et leurs Dieux, les spectres immortels,
Et la race embaumée, et le sphinx des autels,
Et ce roi fut jeté sur les sombres momies
Qui dans leurs lits flottants se heurtaient endormies.
Expirant, il gémit de voir à son côté
Passer ces demi-Dieux sans immortalité,
Dérobés à la mort, mais reconquis par elle
Sous les palais profonds de leur tombe éternelle;
Il eut le temps encor de penser une fois
Que nul ne saurait plus le nom de tant de rois,
Qu'un seul jour désormais comprendrait leur histoire,
Car la postérité mourait avec leur gloire.

L'arche de Dieu passa comme un palais errant.
Le voyant assiégé par les flots du courant,
Le dernier des enfants de la famille élue
Lui tendit en secret sa main irrésolue,
Mais d'un dernier effort : « Va-t'en, lui cria-t-il,
De ton lâche salut je refuse l'exil;
Va, sur quelques rochers qu'aura dédaignés l'onde,
Construire tes cités sur le tombeau du monde;
Mon peuple mort est là, sous la mer je suis roi.
Moins coupables que ceux qui descendront de toi,
Pour étonner tes fils sous ces plaines humides,
Mes géants [1] glorieux laissent les pyramides;
Et sur le haut des monts leurs vastes ossements,
De ces rivaux du Ciel terribles monuments,
Trouvés dans les débris de la Terre inondée,
Viendront humilier ta race dégradée. »
Il disait, s'essayant par le geste et la voix,
A l'air impérieux des hommes qui sont rois,
Quand, roulé sur la pierre et touché par la foudre,
Sur sa tombe immobile, il fut réduit en poudre.

---

1. Or, il y avait des géants sur la terre. Car depuis que les fils de Dieu eurent épousé les filles des hommes, il en sortit des enfants fameux et puissants dans le siècle. (*Genèse*, chap. VI, v. 4.)

Mais sur le mont Arar l'Ange ne venait pas;
L'eau faisait sur les rocs de gigantesques pas.
Et ses flots rugissants vers le mont solitaire
Apportaient avec eux tous les bruits du tonnerre.

Enfin le fléau lent qui frappait les humains
Couvrit le dernier point des œuvres de leurs mains;
Les montagnes, bientôt par l'onde escaladées,
Cachèrent dans son sein leurs têtes inondées.
Le volcan s'éteignit, et le feu périssant
Voulut en vain y rendre un combat impuissant;
A l'élément vainqueur il céda le cratère,
Et sortit en fumant des veines de la Terre.

III

Rien ne se voyait plus, pas même des débris;
L'univers écrasé ne jetait plus ses cris.
Quand la mer eut des monts chassé tous les nuages,
On vit se disperser l'épaisseur des orages;
Et les rayons du jour, dévoilant leur trésor,
Lançaient jusqu'à la mer des jets d'opale et d'or;
La vague était paisible, et molle et cadencée,
En berceaux de cristal mollement balancée;
Les vents, sans résistance, étaient silencieux;
La foudre, sans échos, expirait dans les cieux;
Les cieux devenaient purs, et, réfléchis dans l'onde,
Teignaient d'un azur clair l'immensité profonde.

Tout s'était englouti sous les flots triomphants,
Déplorable spectacle! excepté deux enfants.
Sur le sommet d'Arar tous deux étaient encore,
Mais par l'onde et les vents battus depuis l'aurore.
Sous les lambeaux mouillés des tuniques de lin,
La vierge était tombée aux bras de l'orphelin;
Et lui, gardant toujours sa tête évanouie,
Mêlait ses pleurs sur elle aux gouttes de la pluie.
Cependant, lorsqu'enfin le soleil renaissant
Fit tomber un rayon sur son front innocent,

Par la beauté du jour un moment abusée,
Comme un lys abattu, secouant la rosée,
Elle entr'ouvrit les yeux et dit : « Emmanuel!
Avons-nous obtenu la clémence du Ciel?
J'aperçois dans l'azur la colombe qui passe,
Elle porte un rameau; Dieu nous a-t-il fait grâce ?
— La colombe est passée et ne vient pas à nous.
— Emmanuel, la mer a touché mes genoux.
— Dieu nous attend ailleurs à l'abri des tempêtes.
— Vois-tu l'eau sur nos pieds ? — Vois le ciel sur nos têtes.
— Ton père ne vient pas; nous serons donc punis ?
— Sans doute après la mort nous serons réunis.
— Venez, Ange du ciel, et prêtez-lui vos ailes!
— Recevez-la, mon père, aux voûtes éternelles! »

Ce fut le dernier cri du dernier des humains.
Longtemps sur l'eau croissante élevant ses deux mains,
Il soutenait Sara par les flots poursuivie;
Mais quand il eut perdu sa force avec la vie,
Par le ciel et la mer le monde fut rempli,
Et l'arc-en-ciel brilla, tout étant accompli.

Ecrit à Oloron, dans les Pyrénées, en 1823.

LIVRE ANTIQUE

ANTIQUITÉ BIBLIQUE

LA FILLE DE JEPHTÉ

Poème

Et de là vient la coutume qui s'est toujours observée depuis en Israël, Que toutes les filles d'Israël s'assemblent une fois l'année, pour pleurer la fille de Jephté de Galaad pendant quatre jours.

Juges, ch. XI, v. 39 et 40.

Voilà ce qu'ont chanté les filles d'Israël,
Et leurs pleurs ont coulé sur l'herbe du Carmel :

— Jephté de Galaad a ravagé trois villes;
Abel! la flamme a lui sur tes vignes fertiles!
Aroër sous la cendre éteignit ses chansons,
Et Mennith s'est assise en pleurant ses moissons!

Tous les guerriers d'Ammon sont détruits, et leur terre
Du Seigneur notre Dieu reste la tributaire.
Israël est vainqueur, et par ses cris perçants
Reconnaît du Très-Haut les secours tout-puissants.

A l'hymne universel que le désert répète
Se mêle en longs éclats le son de la trompette
Et l'armée, en marchant vers les tours de Maspha,
Leur raconte de loin que Jephté triompha.

Le peuple tout entier tressaille de la fête.
— Mais le sombre vainqueur marche en baissant la tête;
Sourd à ce bruit de gloire, et seul, silencieux
Tout à coup il s'arrête, il a fermé ses yeux.

Il a fermé ses yeux, car au loin, de la ville,
Les vierges, en chantant, d'un pas lent et tranquille,

Venaient; il entrevoit le chœur religieux,
C'est pourquoi, plein de crainte, il a fermé ses yeux.

Il entend le concert qui s'approche et l'honore :
La harpe harmonieuse et le tambour sonore,
Et la lyre aux dix voix, et le Kinnor léger,
Et les sons argentins du Nebel étranger,

Puis, de plus près, les chants, leurs paroles pieuses,
Et les pas mesurés en des danses joyeuses,
Et, par des bruits flatteurs, les mains frappant les mains,
Et de rameaux fleuris parfumant les chemins [1*].

Ses genoux ont tremblé sous le poids de ses armes;
Sa paupière s'entr'ouvre à ses premières larmes :
C'est que, parmi les voix, le père a reconnu
La voix la plus aimée à ce chant ingénu :

— « O vierges d'Israël! ma couronne s'apprête
« La première à parer les cheveux de sa tête;
« C'est mon père, et jamais un autre enfant que moi
« N'augmenta la famille heureuse sous sa loi. »

Et ses bras à Jephté donnés avec tendresse,
Suspendant à son col leur pieuse caresse :
« Mon père, embrassez-moi! D'où naissent vos retards ?
« Je ne vois que vos pleurs et non pas vos regards.

« Je n'ai point oublié l'encens du sacrifice :
« J'offrais pour vous hier la naissante génisse.
« Qui peut vous affliger ? Le Seigneur n'a-t-il pas
« Renversé les cités au seul bruit de vos pas ? »

— « C'est vous, hélas! c'est vous, ma fille bien-aimée ? »
Dit le père en rouvrant sa paupière enflammée;
« Faut-il que ce soit vous! ô douleur des douleurs!
« Que vos embrassements feront couler de pleurs!

« Seigneur, vous êtes bien le Dieu de la vengeance,
« En échange du crime il vous faut l'innocence.
« C'est la vapeur du sang qui plaît au Dieu jaloux!
« Je lui dois une hostie, ô ma fille! et c'est vous! »

* Voir *notes*, p. 103.

— « Moi! » dit-elle. Et ses yeux se remplirent de larmes.
Elle était jeune et belle, et la vie a des charmes.
Puis elle répondit : « Oh! si votre serment
« Dispose de mes jours, permettez seulement

« Qu'emmenant avec moi les vierges, mes compagnes,
« J'aille, deux mois entiers, sur le haut des montagnes,
« Pour la dernière fois, errante en liberté,
« Pleurer sur ma jeunesse et ma virginité!

« Car je n'aurai jamais, de mes mains orgueilleuses,
« Purifié mon fils sous les eaux merveilleuses;
« Vous n'aurez pas béni sa venue, et mes pleurs
« Et mes chants n'auront pas endormi ses douleurs;

« Et le jour de ma mort, nulle vierge jalouse
« Ne viendra demander de qui je fus l'épouse,
« Quel guerrier prend pour moi le cilice et le deuil :
« Et seul vous pleurerez autour de mon cercueil. »

Après ces mots, l'armée assise tout entière
Pleurait, et sur son front répandait la poussière.
Jephté sous un manteau tenait ses pleurs voilés;
Mais, parmi les sanglots, on entendit : « Allez. »

Elle inclina la tête et partit. Ses compagnes,
Comme nous la pleurons, pleuraient sur les montagnes.
Puis elle vint s'offrir au couteau paternel.
— Voilà ce qu'ont chanté les filles d'Israël.

Ecrit en 1820.

1. On n'entend pas des rameaux fleuris; on les voit. Le nominatif de la phrase est toujours *il :* c'est Jephté qui entend le concert, et tous les instruments, et les chants et les danses, et les bruits flatteurs et les mains frappant les mains. Mais il ne peut entendre ces rameaux fleuris; il ne peut même les voir puisqu'il a fermé les yeux : je changerais ce dernier vers *(Mme de Vigny.)*

LA FEMME ADULTÈRE

Poème

> *L'adultère attend le soir, et se dit : Aucun œil ne me verra ; et il se cache le visage, car la lumière est pour lui comme la mort.*
>
> *Job*, ch. XXIV, v. 15-17.

I

« Mon lit est parfumé d'aloès et de myrrhe;
« L'odorant cinnamome et le nard de Palmyre
« Ont chez moi de l'Egypte embaumé les tapis.
« J'ai placé sur mon front et l'or et le lapis;
« Venez, mon bien-aimé, m'enivrer de délices
« Jusqu'à l'heure où le jour appelle aux sacrifices :
« Aujourd'hui que l'époux n'est plus dans la cité,
« Au nocturne bonheur soyez donc invité;
« Il est allé bien loin. » — C'était ainsi, dans l'ombre,
Sur les toits aplanis et sous l'oranger sombre, [1*]
Qu'une femme parlait, et son bras abaissé
Montrait la porte étroite à l'amant empressé.
Il a franchi le seuil où le cèdre s'entr'ouvre,
Et qu'un verrou secret rapidement recouvre;
Puis ces mots ont frappé le cyprès des lambris :
« Voilà ces yeux si purs dont mes yeux sont épris!
« Votre front est semblable au lys de la vallée,
« De vos lèvres toujours la rose est exhalée :
« Que votre voix est douce et douces vos amours!
« Oh! quittez ces colliers et ces brillants atours! »
— Non; ma main veut tarir cette humide rosée
Que l'air sur vos cheveux a longtemps déposée :
C'est pour moi que ce front s'est glacé sous la nuit!
« — Mais ce cœur est brûlant, et l'amour l'a conduit.

* Voir *notes*, p. 108.

« Me voici devant vous, ô belle entre les belles!
« Qu'importent les dangers ? que sont les nuits cruelles
« Quand du palmier d'amour le fruit va se cueillir,
« Quand sous mes doigts tremblants je le sens [tressaillir ? »
— Oui... Mais d'où vient ce cri, puis ces pas sur la [pierre ?[2]
« — C'est un des fils d'Aaron qui sonne la prière.
« Et quoi! vous pâlissez! Que le feu du baiser
« Consume nos amours qu'il peut seul apaiser,
« Qu'il vienne remplacer cette crainte farouche[3]
« Et fermer au refus la pourpre de ta bouche!... »
On n'entendit plus rien, et les feux abrégés
Dans les lampes d'airain moururent négligés.

II

Quand le soleil levant embrasa la campagne
Et les verts oliviers de la sainte montagne,
A cette heure paisible où les chameaux poudreux
Apportent du désert leur tribut aux Hébreux;
Tandis que de sa tente ouvrant la blanche toile,
Le pasteur qui de l'aube a vu pâlir l'étoile
Appelle sa famille au lever solennel
Et salue en ses chants le jour et l'Eternel;
Le séducteur, content du succès de son crime,
Fuit l'ennui des plaisirs et sa jeune victime.
Seule, elle reste assise, et son front sans couleur
Du remords qui s'approche a déjà la pâleur;[4]
Elle veut retenir cette nuit, sa complice,
Et la première aurore est son premier supplice :
Elle vit tout ensemble et la faute et le lieu,
S'étonna d'elle-même et douta de son Dieu.
Elle joignit les mains, immobile et muette,
Ses yeux toujours fixés sur la porte secrète;
Et semblable à la mort, seulement quelques pleurs
Montraient encor sa vie en montrant ses douleurs.
Telle Sodome a vu cette femme imprudente
Frappée au jour où Dieu versa la pluie ardente,
Et brûlant d'un seul feu deux peuples détestés,
Eteignit leurs palais dans des flots empestés :
Elle voulut, bravant la céleste défense,
Voir une fois encor les lieux de son enfance,

Ou peut-être, écoutant un cœur ambitieux,
Surprendre d'un regard le grand secret des cieux;
Mais son pied tout à coup, à la fuite inhabile,
Se fixe, elle pâlit sous un sel immobile,
Et le juste vieillard, en marchant vers Ségor,
N'entendit plus ses pas qu'il écoutait encor.

Tel est le front glacé de la Juive infidèle,
Mais quel est cet enfant qui paraît auprès d'elle ?
Il voit des pleurs, il pleure, et, d'un geste incertain,
Demande, comme hier, le baiser du matin.
Sur ses pieds chancelants il s'avance, et, timide,
De sa mère ose enfin presser la joue humide.
Qu'un baiser serait doux! elle veut l'essayer;
Mais l'époux, dans le fils, la revient effrayer;
Devant ce lit, ces murs et ces voûtes sacrées,
Du secret conjugal encore pénétrées,
Où vient de retentir un amour criminel,
Hélas! elle rougit de l'amour maternel,
Et tremble de poser, dans cette chambre austère,
Sur une bouche pure une lèvre adultère.
Elle voulut parler, mais les sons de sa voix,
Sourds et demi-formés, moururent à la fois,
Et sa parole éteinte et vaine fut suivie
D'un soupir qui sembla le dernier de sa vie.
Elle repousse alors son enfant étonné,
Tant la honte a rempli son cœur désordonné!
Elle entr'ouvre le seuil, mais là tombe abattue,
Telle que de sa base une blanche statue.

III

Ce jour-là, des remparts, on voyait revenir
Un voyageur parti pour la ville de Tyr.
Sa suite et ses chevaux montraient son opulence;
Guidés nonchalamment par le fer d'une lance,
Fléchissaient sous leur poids, et l'onagre rayé,
Et l'indolent chameau, par son guide effrayé;
Et douze serviteurs, suivant l'étroite voie,
Courbaient leurs fronts brûlés sous la pourpre et la soie;

Et le maître disait : « Maintenant Sephora
Cherche dans l'horizon si l'époux reviendra;
Elle pleure, elle dit : « Il est bien loin encore!
« Des feux du jour pourtant le désert se colore!
« Et du côté de Tyr je ne l'aperçois pas. »
Mais elle va courir au-devant de mes pas;
Et je dirai : « Tenez, livrez-vous à la joie!
« Ces présents sont pour vous, et la pourpre et la soie,
« Et les moelleux tapis, et l'ambre précieux,
« Et l'acier des miroirs que souhaitaient vos yeux. »
Voilà ce qu'il disait, et de Sion la sainte
Traversait à grands pas la tortueuse enceinte.

IV

Tout Juda cependant, aux fêtes introduit,
Vers le temple, en courant, se pressait à grand bruit :
Les vieillards, les enfants, les femmes affligées,
Dans les longs repentirs et les larmes plongées,
Et celles que frappait un mal secret et lent,
Et l'aveugle aux longs cris, et le boiteux tremblant,
Et le lépreux impur, le dégoût de la terre,
Tous, de leurs maux guéris racontant le mystère,
Aux pieds de leur Sauveur l'adoraient prosternés.
Lui, né dans les douleurs, roi des infortunés,
D'une féconde main prodiguait les miracles,
Et de sa voix sortait une source d'oracles :
De la vie avec l'homme il partageait l'ennui,
Venait trouver le pauvre et s'égalait à lui.
Quelques hommes, formés à sa divine école,
Nés simples et grossiers, mais forts de sa parole,
Le suivaient lentement, et son front sérieux
Portait les feux divins en bandeau glorieux.

Par ses cheveux épars une femme entraînée,
Qu'entoure avec clameur la foule déchaînée,
Paraît : ses yeux brûlants au Ciel sont dirigés,
Ses yeux, car de longs fers ses bras nus sont chargés.
Devant le Fils de l'Homme on l'amène en tumulte,
Puis, provoquant l'erreur et méditant l'insulte,

Les Scribes assemblés s'avancent, et l'un d'eux :
« Maître, dit-il, jugez de ce péché hideux;
« Cette femme adultère est coupable et surprise :
« Que doit faire Israël de la loi de Moïse ? »
Et l'épouse infidèle attendait, et ses yeux
Semblaient chercher encor quelque autre dans ces lieux;
Et, la pierre à la main, la foule sanguinaire
S'appelait, la montrait : « C'est la femme adultère!
« Lapidez-la : déjà le séducteur est mort! »
Et la femme pleura. — Mais le juge d'abord :
« Qu'un homme d'entre vous, dit-il, jette une pierre
« S'il se croit sans péché, qu'il jette la première. »
Il dit, et s'écartant des mobiles Hébreux,
Apaisés par ces mots et déjà moins nombreux,
Son doigt mystérieux, sur l'arène légère,
Ecrivait une langue aux hommes étrangère,
En caractères saints dans le Ciel retracés...
Quand il se releva, tous s'étaient dispersés.

Ecrit en 1819.

1. Elle est donc sur les toits, comme une chatte ? Cela lui convient à merveille *(Mme de Vigny.)*

2. Ce ouï est plaisant et nullement tendre. Elle a l'air de dire tout cela est bel et bon, mais j'entends du bruit, et nous allons être surpris. *(Ibid).*

3. Elle n'est pas trop farouche; si elle pâlit, c'est de peur. *(Ibid.)*

4. Et d'où vient ce remords si vif dans une femme qui était de si bonne volonté un instant avant ? Il ne peut être attribué qu'au mépris de son amant qui la quitte malgré elle. Sans doute il l'a injuriée : elle le mérite bien, car elle a fait toutes les avances. *(Ibid.)*

LE BAIN

Fragment d'un poème de Suzanne

. . . .
. . . .

C'était près d'une source à l'onde pure et sombre.
Le large sycomore y répandait son ombre :
Là, Suzanne, cachée aux cieux déjà brûlants,
Suspend sa rêverie et ses pas indolents,
Sur une jeune enfant, que son amour protège,
S'appuie, et sa voix douce appelle le cortège
Des filles de Juda, de Gad et de Ruben
Qui doivent la servir et la descendre au bain;
Et toutes à l'envi, rivales attentives,
Détachent sa parure entre leurs mains actives.
L'une ôte la tiare où brille le saphir
Dans l'éclat arrondi de l'or poli d'Ophir;
Aux cheveux parfumés dérobe leurs longs voiles,
Et la gaze brodée en tremblantes étoiles;
La perle, sur son front enlacée en bandeau,
Ou pendante à l'oreille en mobile fardeau;
Les colliers de rubis, et, par des bandelettes,
L'ambre au cou suspendu dans l'or des cassolettes.
L'autre fait succéder les tapis préparés
Aux cothurnes étroits dont ses pieds sont parés;
Et, puisant l'eau du bain, d'avance elle en arrose
Leurs doigts encore empreints de santal et de rose.
Puis, tandis que Suzanne enlève lentement
Les anneaux de ses mains, son plus cher ornement,
Libres des nœuds dorés dont sa poitrine est ceinte,
Dégagés des lacets, le manteau d'hyacinthe,
Et le lin pur et blanc comme la fleur du lys,
Jusqu'à ses chastes pieds laissent couler leurs plis.
Qu'elle fut belle alors! Une rougeur errante
Anima de son front la blancheur transparente,

Car, sous l'arbre où du jour vient s'éteindre l'ardeur,
Un œil accoutumé blesse encor sa pudeur;
Mais, soutenue enfin par une esclave noire,
Dans un cristal liquide on croirait que l'ivoire
Se plonge, quand son corps, sous l'eau même éclairé,
Du ruisseau pur et frais touche le fond doré.

Ecrit en 1821.

ANTIQUITÉ HOMÉRIQUE

A M. Soumet,
auteur de CLYTEMNESTRE *et de* SAÜL

LE SOMNAMBULE

Poème

"Ορα δὲ πληγὰς τάσδε καρδίᾳ σέθεν
εὕδουσα γὰρ φρὴν ὄμμασιν λαμπρύνεται,
ἐν ἡμέρᾳ δὲ μοῖρ' ἀπρόσκοπος βροτῶν.

Αἰσχύλος.

Voyez, en esprit, ces blessures :
l'esprit, quand on dort, a des yeux,
et quand on veille, il est aveugle.

ESCHYLE.

« Déjà, mon jeune époux ? Quoi ! l'aube paraît-elle ?
Non ; la lumière, au fond de l'albâtre, étincelle
Blanche et pure, et suspend son jour mystérieux ;
La nuit règne profonde et noire dans les cieux.
Vois, la clepsydre encor n'a pas versé trois heures :
Dors près de ta Néra, sous nos chastes demeures ;
Viens, dors près de mon sein. » Mais lui, furtif et lent,
Descend du lit d'ivoire et d'or étincelant.
Il va, d'un pied prudent, chercher la lampe errante,[1]
Dont il garde les feux dans sa main transparente,
Son corps blanc est sans voile, il marche pas à pas,
L'œil ouvert, immobile, et murmurant tout bas :

« Je la vois, la parjure !... interrompez vos fêtes,
Aux Mânes un autel... des cyprès sur vos têtes...
Ouvrez, ouvrez la tombe... Allons... Qui descendra ? »

1. Il semblerait que c'est la lampe qui est errante. Elle ne l'est que quand il la porte en marchant. *(Mme de Vigny.)*

Cependant, à genoux et tremblante, Néra,
Ses blonds cheveux épars, se traîne. « Arrête, écoute,
Arrête, ami; les Dieux te poursuivent, sans doute;
Au nom de la pitié, tourne tes yeux sur moi;
Vois, c'est moi, ton épouse en larmes devant toi;
Mais tu fuis; par tes cris ma voix est étouffée!
Phœbé, pardonne-lui; pardonne-lui, Morphée. »

— « J'irai... je frapperai... le glaive est dans ma main :
Tous les deux... Pollion... c'est un jeune Romain...
Il ne résiste pas. Dieux! qu'il est faible encore!
D'un blond duvet sa joue à peine se décore,
L'amour a couronné ce luxe éblouissant...
Ecartez ce manteau, je ne vois pas le sang. »

Mais elle : « O mon amant! compagnon de ma vie!
Des foyers maternels si ton char m'a ravie,
Tremblante, mais complice, et si nos vœux sacrés
Ont fait luire à l'Hymen des feux prématurés,
Par cette sainte amour nouvellement jurée,
Par l'antique Vesta, par l'immortelle Rhée
Dont j'embrasse l'autel, jamais nulle autre ardeur
De mes pieux serments n'altéra la candeur :
Non, jamais Pénélope, à l'aiguille pudique,
Plus chaste n'a vécu sous la foi domestique.
Pollion, quel est-il ? » — « Je tiens tes longs cheveux...
Je dédaigne tes pleurs et tes tardifs aveux,
Corinne, tu mourras... » — « Ce n'est pas moi! Ma mère,
Il ne m'a point aimée! Oh! ta sainte colère
A comme un Dieu vengeur poursuivi nos amours!
Que n'ai-je cru ma mère et ses prudents discours ?
Je ne détourne plus ta sacrilège épée;
Tiens, frappe, j'ai vécu puisque tu m'as trompée...
... Ah! cruel!... mon sang coule!... Ah! reçois mes adieux;
Puisses-tu ne jamais t'éveiller! » — « Justes Dieux! »

Ecrit en 1819.

LA DRYADE

Idylle
dans le goût de Théocrite

Πρῶτον μὲν εὐχῇ τῇδε πρεσβεύω θεῶν
τὴν πρωτόμαντιν Γαῖαν...
Σέβω δὲ Νύμφας

Αἰσχύλος.

Honorons d'abord la Terre, qui, la première entre les Dieux, rendit ici les oracles...
J'adore aussi les Nymphes...

ESCHYLE.

Vois-tu ce vieux tronc d'arbre aux immenses racines ?
Jadis il s'anima de paroles divines;
Mais par les noirs hivers le chêne fut vaincu,
Et la Dryade aussi, comme l'arbre, a vécu.
(Car, tu le sais, berger, ces Déesses fragiles,
Envieuses des jeux et des danses agiles,
Sous l'écorce d'un bois où les fixa le sort,
Reçoivent avec lui la naissance et la mort.)
Celle dont la présence enflamma ces bocages
Répondait aux pasteurs du sein des verts feuillages,
Et par des bruits secrets, mélodieux et sourds,
Donnait le prix du chant ou jugeait les amours.
Bathylle aux blonds cheveux, Ménalque aux noires [tresses,
Un jour lui racontaient leurs rivales tendresses.
L'un parait son front blanc de myrte et de lotus;
L'autre, ses cheveux bruns de pampres revêtus,
Offrait à la Dryade une coupe d'argile;
Et les roseaux chantants enchaînés par Bathylle,
Ainsi que le dieu Pan l'enseignait aux mortels,
S'agitaient, suspendus aux verdoyants autels.
J'entendis leur prière, et de leur simple histoire
Les Muses et le temps m'ont laissé la mémoire.

MÉNALQUE

O Déesse propice! écoute, écoute-moi!
Les Faunes, les Sylvains dansent autour de toi,
Quand Bacchus a reçu leur bruyant sacrifice;
Ombrage mes amours, ô Déesse propice!

BATHYLLE

Dryade du vieux chêne, écoute mes aveux!
Les vierges, le matin, dénouant leurs cheveux,
Quand du brûlant amour la saison est prochaine,
T'adorent; je t'adore, ô Dryade du chêne!

MÉNALQUE

Que Liber protecteur, père des longs festins,
Entoure de ses dons tes champêtres destins,
Et qu'en écharpe d'or la vigne tortueuse
Serpente autour de toi, fraîche et voluptueuse.

BATHYLLE

Que Vénus te protège et t'épargne ses maux,
Qu'elle anime, au printemps, tes superbes rameaux;
Et si de quelque amour, pour nous mystérieuse,
Le charme te liait à quelque jeune yeuse,
Que ses bras délicats et ses feuillages verts
A tes bras amoureux se mêlent dans les airs.

MÉNALQUE

Ida! j'adore Ida, la légère bacchante :
Ses cheveux noirs, mêlés de grappes et d'acanthe,
Sur le tigre, attaché par une griffe d'or,
Roulent abandonnés; sa bouche rit encor
En chantant Evoë; sa démarche chancelle;
Ses pieds nuds, ses genoux que la robe décèle,
S'élancent, et son œil, de feux étincelant,
Brille comme Phébus sous le signe brûlant.

BATHYLLE

C'est toi que je préfère, ô toi, vierge nouvelle,
Que l'heure du matin à nos désirs révèle!

Quand la lune au front pur, reine des nuits d'été,
Verse au gazon bleuâtre un regard argenté,
Elle est moins belle encor que ta paupière blonde,
Qu'un rayon chaste et doux sous son long voile inonde.

MÉNALQUE

Si le fier léopard, que les jeunes Sylvains
Attachent rugissant au char du Dieu des vins,
Voit amener au loin l'inquiète tigresse
Que les Faunes, troublés par la joyeuse ivresse,
N'ont pas su dérober à ses regards brûlants,
Il s'arrête, il s'agite, et de ses cris roulants
Les bois sont ébranlés; de sa gueule béante
L'écume coule à flots sur une langue ardente;
Furieux, il bondit, il brise ses liens,
Et le collier d'ivoire et les jougs phrygiens :
Il part, et, dans les champs qu'écrasent ses caresses,
Prodigue à ses amours de fougueuses tendresses.
Ainsi, quand tu descends des cimes de nos bois,
Ida! lorsque j'entends ta voix, ta jeune voix,
Annoncer par des chants la fête bacchanale,
Je laisse les troupeaux, la bêche matinale,
Et la vigne et la gerbe où mes jours sont liés :
Je pars, je cours, je tombe et je brûle à tes pieds.

BATHYLLE

Quand la vive hirondelle est enfin réveillée,
Elle sort de l'étang, encor toute mouillée,
Et, se montrant au jour avec un cri joyeux,
Au charme d'un beau ciel, craintive, ouvre les yeux;
Puis, sur le pâle saule, avec lenteur voltige,
Interroge avec soin le bouton et la tige;
Et sûre du printemps, alors, et de l'amour,
Par des cris triomphants célèbre leur retour.
Elle chante sa joie aux rochers, aux campagnes,
Et, du fond des roseaux excitant ses compagnes :
« Venez! dit-elle; allons! paraissez, il est temps!
Car voici la chaleur, et voici le printemps. »
Ainsi, quand je te vois, ô modeste bergère!
Fouler de tes pieds nuds la riante fougère,
J'appelle autour de moi les pâtres nonchalants,
A quitter le gazon, selon mes vœux, trop lents,
Et crie, en te suivant dans ta course rebelle :
Venez! oh! venez voir comme Glycère est belle!

MÉNALQUE

Un jour, jour de Bacchus, loin des jeux égaré,
Seule je la surpris au fond du bois sacré :
Le soleil et les vents, dans ces bocages sombres,
Des feuilles sur ses traits faisaient flotter les ombres;
Lascive, elle dormait sur le thyrse brisé;
Une molle sueur, sur son front épuisé,
Brillait comme la perle en gouttes transparentes,
Et ses mains, autour d'elle, et sous le lin errantes,
Touchant la coupe vide et son sein tour à tour,
Redemandaient encore et Bacchus et l'Amour. [1]

BATHYLLE

Je vous adjure ici, Nymphes de la Sicile,
Dont les doigts, sous des fleurs, guident l'onde docile;
Vous reçûtes ses dons, alors que sous nos bois,
Rougissante, elle vint pour la première fois.
Ses bras blancs soutenaient sur sa tête inclinée
L'amphore, œuvre divine aux fêtes destinée,
Qu'emplit la molle poire, et le raisin doré,
Et la pêche au duvet de pourpre coloré;
Des pasteurs empressés l'attention jalouse
L'entourait, murmurant le nom sacré d'épouse;
Mais en vain : nul regard ne flatta leur ardeur;
Elle fut toute aux Dieux et toute à la pudeur.

Ici je vis rouler la coupe aux flancs d'argile;
Le chêne ému tremblait, la flûte de Bathylle
Brilla d'un feu divin; la Dryade, un moment
Joyeuse, fit entendre un long frémissement,
Doux comme les échos dont la voix incertaine
Murmure la chanson d'une flûte lointaine.

Ecrit en 1815.

1. Je sais que les poètes grecs et latins étaient fort peu délicats dans leurs expressions. Ce n'est pas une raison pour nous de les imiter. Ces dix vers présentent non seulement une image dégoûtante, mais l'expression soulignée (v. 95-97) ne sera jamais employée par un auteur délicat. Ceux qui peuvent admirer ces vers ressemblent aux médecins, ou aux peintres familiarisés avec toutes les nudités, qui les nomment par leur nom sans s'en apercevoir. *(Mme de Vigny.)*.

A Pichald,
auteur de LÉONIDAS *et de* GUILLAUME TELL.

SYMÉTHA

Elégie

« Navire aux larges flancs de guirlandes ornés,
Aux Dieux d'ivoire, aux mâts de roses couronnés!
Oh! qu'Eole, du moins, soit facile [1] à tes voiles!
Montrez vos feux amis, fraternelles étoiles!
Jusqu'au port de Lesbos guidez le nautonier,
Et de mes vœux pour elle exaucez le dernier :
Je vais mourir, hélas! Symétha s'est fiée
Aux flots profonds; l'Attique est par elle oubliée.
Insensée! elle fuit nos bords mélodieux,
Et les bois odorants, berceaux des demi-Dieux,
Et les chœurs cadencés dans les molles prairies,
Et, sous les marbres frais, les saintes Théories.
Nous ne la verrons plus, au pied du Parthénon,
Invoquer Athénée en répétant son nom;
Et, d'une main timide, à nos rites fidèle,
Ses longs cheveux dorés couronnés d'asphodèle,
Consacrer ou le voile, ou le vase d'argent,
Ou la pourpre attachée au fuseau diligent.
O vierge de Lesbos! que ton île abhorrée
S'engloutisse dans l'onde à jamais [2] ignorée,
Avant que ton navire ait pu toucher ses bords!
Qu'y vas-tu faire ? Hélas! quel palais, quels trésors
Te vaudront notre amour ? Vierge, qu'y vas-tu faire ?
N'es-tu pas, Lesbienne, à Lesbos étrangère ?
Athène a vu longtemps s'accroître ta beauté,

1. Je dirais : Propice *(Mme de Vigny.)*
2. Pour jamais. *(Ibid.)*

Et, depuis que trois fois t'éclaira son été,
Ton front s'est élevé jusqu'au front de ta mère;
Ici, loin des chagrins de ton enfance amère,
Les Muses t'ont souri. Les doux chants de ta voix
Sont nés Athéniens; c'est ici, sous nos bois,
Que l'amour t'enseigna le joug que tu m'imposes;
Pour toi mon seuil joyeux s'est revêtu de roses.

« Tu pars; et cependant m'as-tu toujours haï,
Symétha ? Non, ton cœur quelquefois s'est trahi;
Car, lorsqu'un mot flatteur abordait ton oreille,
La pudeur souriait sur ta lèvre vermeille :
Je l'ai vu, ton sourire aussi beau que le jour;
Et l'heure du sourire est l'heure de l'amour.
Mais le flot sur le flot en mugissant s'élève,
Et voile à ma douleur le vaisseau qui t'enlève.
C'en est fait, et mes pieds déjà sont chez les morts;
Va, que Vénus du moins t'épargne le remords!
Lie un nouvel hymen! va; pour moi, je succombe;
Un jour, d'un pied ingrat tu fouleras ma tombe,
Si le destin vengeur te ramène en ces lieux
Ornés du monument de tes cruels adieux. »

— Dans le port du Pirée, un jour fut entendue
Cette plainte innocente, et cependant perdue;
Car la vierge enfantine, auprès des matelots,
Admirait et la rame, et l'écume des flots;
Puis, sur la haute poupe accourue et couchée,
Saluait, dans la mer, son image penchée,
Et lui jetait des fleurs et des rameaux flottants,
Et riait de leur chute et les suivait longtemps;
Puis, tout à coup rêveuse, écoutait le Zéphire,
Qui, d'une aile invisible, avait ému sa lyre.

Ecrit en 1815.

LE BAIN

D'UNE DAME ROMAINE

Une Esclave d'Egypte, au teint luisant et noir,
Lui présente, à genoux, l'acier pur du miroir;
Pour nouer ses cheveux, une Vierge de Grèce
Dans le compas d'Isis unit leur double tresse;
Sa tunique est livrée aux Femmes de Milet,
Et ses pieds sont lavés dans un vase de lait.
Dans l'ovale d'un marbre aux veines purpurines
L'eau rose la reçoit; puis les Filles latines,
Sur ses bras indolents versant de doux parfums,
Voilent d'un jour trop vif les rayons importuns,
Et sous les plis épais de la robe onctueuse
La lumière descend molle et voluptueuse :
Quelques-unes, brisant des couronnes de fleurs,
D'une hâtive main dispersent leurs couleurs,
Et, les jetant en pluie aux eaux de la fontaine,
De débris embaumés couvrent leur souveraine,
Qui, de ses doigts distraits touchant la lyre d'or,
Pense au jeune Consul, et, rêveuse, s'endort.

Le 20 mai 1817.

LIVRE MODERNE

DOLORIDA

Poème

Yo amo mas a tu amor que a tu vida

PROV. ESPAGNOL.

J'aime mieux ton amour que ta vie.

Est-ce la Volupté qui, pour ses doux mystères,
Furtive, a rallumé ces lampes solitaires ?
La gaze et le cristal sont leur pâle prison.
Aux souffles purs d'un soir de l'ardente saison
S'ouvre sur le balcon la moresque fenêtre;
Une aurore imprévue à minuit semble naître,
Quand la lune apparaît, quand ses gerbes d'argent
Font pâlir les lueurs du feu rose et changeant;
Les deux clartés à l'œil offrent partout leurs pièges,
Caressent mollement le velours bleu des sièges,
La soyeuse ottomane où le livre est encor,
La pendule mobile entre deux vases d'or,
La Madone d'argent, sous des roses cachée,
Et sur un lit d'azur une beauté couchée.

Oh! jamais dans Madrid un noble Cavalier
Ne verra tant de grâce à plus d'art s'allier;
Jamais pour plus d'attraits, lorsque la nuit commence,
N'a frémi la guitare et langui la romance;
Jamais, dans nulle Eglise, on ne vit plus beaux yeux
Des grains du chapelet se tourner vers les cieux;
Sur les mille degrés du vaste amphithéâtre
On n'admira jamais plus belles mains d'albâtre,

Sous la mantille noire et ses paillettes d'or,
Applaudissant, de loin, l'adroit Toréador.

Mais, ô vous qu'en secret nulle œillade attentive
Dans ses rayons brillants ne chercha pour captive,
Jeune foule d'amants, Espagnols à l'œil noir,
Si, sous la perle et l'or, vous l'adoriez le soir,
Qui de vous ne voudrait (dût la dague andalouse
Le frapper au retour de sa pointe jalouse)
Prosterner ses baisers sur ces pieds découverts,
Ce col, ce sein d'albâtre, à l'air nocturne ouverts,
Et ces longs cheveux noirs tombant sur son épaule,
Comme tombe à ses pieds le vêtement du saule ?

Dolorida n'a plus que ce voile incertain,
Le premier que revêt le pudique matin
Et le dernier rempart que, dans sa nuit fôlâtre,
L'amour ose enlever d'une main idolâtre.
Ses bras nuds à sa tête offrent un mol appui,
Mais ses yeux sont ouverts, et bien du temps a fui
Depuis que, sur l'émail, dans ses douze demeures,
Ils suivent ce compas qui tourne avec les heures.
Que fait-il donc, celui que sa douleur attend ?
Sans doute il n'aime pas, celui qu'elle aime tant.
A peine chaque jour l'épouse délaissée
Voit un baiser distrait sur sa lèvre empressée
Tomber seul, sans l'amour; son amour cependant
S'accroît par les dédains et souffre plus ardent.

Près d'un constant époux, peut-être, ô jeune femme!
Quelque infidèle espoir eût égaré ton âme;
Car l'amour d'une femme est semblable à l'enfant
Qui, las de ses jouets, les brise triomphant,
Foule d'un pied volage une rose immobile,
Et suit l'insecte ailé qui fuit sa main débile.

Pourquoi Dolorida seule en ce grand palais,
Où l'on n'entend, ce soir, ni le pied des valets,

Ni, dans la galerie et les corridors tristes,
Les enfantines voix des vives caméristes ?

Trois heures cependant ont lentement sonné;
La voix du temps est triste au cœur abandonné;
Ses coups y réveillaient la douleur de l'absence,
Et la lampe luttait; sa flamme sans puissance
Décroissait inégale, et semblait un mourant
Qui sur la vie encor jette un regard errant.
A ses yeux fatigués tout se montre plus sombre,
Le crucifix penché semble agiter son ombre;
Un grand froid la saisit, mais les fortes douleurs
Ignorent les sanglots, les soupirs et les pleurs :
Elle reste immobile, et, sous un air paisible
Mord, d'une dent jalouse, une main insensible.

Que le silence est long! Mais on entend des pas;
La porte s'ouvre, il entre : elle ne tremble pas!
Elle ne tremble pas, à sa pâle figure
Qui de quelque malheur semble traîner l'augure;
Elle voit sans effroi son jeune époux, si beau,
Marcher jusqu'à son lit comme on marche au tombeau.
Sous les plis du manteau se courbe sa faiblesse;
Même sa longue épée est un poids qui le blesse.
Tombé sur ses genoux, il parle à demi-voix :
« — Je viens te dire adieu; je me meurs, tu le vois,
Dolorida, je meurs! une flamme inconnue,
Errante, est dans mon sang jusqu'au cœur parvenue.
Mes pieds sont froids et lourds, mon œil est obscurci;
Je suis tombé trois fois en revenant ici.
Mais je voulais te voir; mais, quand l'ardente fièvre
Par des frissons brûlants a fait trembler ma lèvre,
J'ai dit : Je vais mourir; que la fin de mes jours
Lui fasse au moins savoir qu'absent j'aimais toujours.
Alors je suis parti, ne demandant qu'une heure
Et qu'un peu de soutien pour trouver ta demeure.
Je me sens plus vivant à genoux devant toi.

— Pourquoi mourir ici, quand vous viviez sans moi ?

— O cœur inexorable! oui, tu fus offensée!
Mais écoute mon souffle, et sens ma main glacée;
Viens toucher sur mon front cette froide sueur,
Du trépas dans mes yeux vois la terne lueur;
Donne, ô donne une main; dis mon nom. Fais entendre
Quelque mot consolant, s'il ne peut être tendre.
Des jours qui m'étaient dus je n'ai pas la moitié :
Laisse en aller mon âme en rêvant ta pitié!
Hélas! devant la mort montre un peu d'indulgence!

— La mort n'est que la mort et n'est pas la vengeance.

— O Dieux! si jeune encor! tout son cœur endurci!
Qu'il t'a fallu souffrir pour devenir ainsi!
Tout mon crime est empreint au fond de ton langage,
Faible amie, et ta force horrible est mon ouvrage.
Mais viens, écoute-moi, viens, je mérite et veux
Que ton âme apaisée entende mes aveux.
Je jure, et tu le vois, en expirant, ma bouche
Jure devant ce Christ qui domine ta couche,
Et si par leur faiblesse ils n'étaient pas liés,
Je lèverais mes bras jusqu'au sang de ses pieds;
Je jure que jamais mon amour égarée
N'oublia loin de toi ton image adorée;
L'infidélité même était pleine de toi,
Je te voyais partout entre ma faute et moi,
Et sur un autre cœur mon cœur rêvait tes charmes
Plus touchants par mon crime et plus beaux par tes
[larmes.
Séduit par ces plaisirs qui durent peu de temps,
Je fus bien criminel; mais, hélas! j'ai vingt ans.

T'a-t-elle vu pâlir ce soir dans tes souffrances ?

— J'ai vu son désespoir passer tes espérances.
Oui, sois heureuse, elle a sa part dans nos douleurs;
Quand j'ai crié ton nom, elle a versé des pleurs;

Car je ne sais quel mal circule dans mes veines;
Mais je t'invoquais seule avec des plaintes vaines.
J'ai cru d'abord mourir et n'avoir pas le temps
D'appeler ton pardon sur mes derniers instants.
Oh! parle; mon cœur fuit; quitte ce dur langage;

Qu'un regard... Mais quel est ce blanchâtre breuvage
Que tu bois à longs traits et d'un air insensé ?

— Le reste du poison qu'hier je t'ai versé. »

Ecrit en 1823, dans les Pyrénées.

LE MALHEUR

Suivi du Suicide impie,
A travers les pâles cités,
Le Malheur rôde, il nous épie,
Près de nos seuils épouvantés.
Alors il demande sa proie;
La jeunesse, au sein de la joie,
L'entend, soupire et se flétrit;
Comme au temps où la feuille tombe,
Le vieillard descend dans la tombe,
Privé du feu qui le nourrit.

Où fuir ? Sur le seuil de ma porte
Le Malheur, un jour, s'est assis;
Et depuis ce jour je l'emporte
A travers mes jours obscurcis.
Au soleil et dans les ténèbres,
En tous lieux ses ailes funèbres
Me couvrent comme un noir manteau;
De mes douleurs ses bras avides
M'enlacent; et ses mains livides
Sur mon cœur tiennent le couteau.

J'ai jeté ma vie aux délices,
Je souris à la volupté;
Et les insensés, mes complices
Admirent ma félicité.
Moi-même, crédule à ma joie,
J'enivre mon cœur, je me noie
Aux torrents d'un riant orgueil;
Mais le Malheur devant ma face
A passé : le rire s'efface,
Et mon front a repris son deuil.

En vain je redemande aux fêtes
Leurs premiers éblouissements,
De mon cœur les molles défaites
Et les vagues enchantements :
Le spectre se mêle à la danse;
Retombant avec la cadence,
Il tache le sol de ses pleurs,
Et de mes yeux trompant l'attente,
Passe sa tête dégoûtante
Parmi les fronts ornés de fleurs.

Il me parle dans le silence,
Et mes nuits entendent sa voix;
Dans les arbres il se balance
Quand je cherche la paix des bois.
Près de mon oreille il soupire;
On dirait qu'un mortel expire :
Mon cœur se serre épouvanté.
Vers les astres mon œil se lève,
Mais il y voit pendre le glaive
De l'antique fatalité.

Sur mes mains ma tête penchée
Croit trouver l'innocent sommeil.
Mais, hélas! elle m'est cachée,
Sa fleur au calice vermeil.
Pour toujours elle m'est ravie,
La douce absence de la vie;
Ce bain qui rafraîchit les jours;
Cette mort de l'âme affligée,
Chaque nuit à tous partagée,
Le sommeil m'a fui pour toujours.

Ah! puisqu'une éternelle veille
Brûle mes yeux toujours ouverts,
Viens, ô Gloire! ai-je dit; réveille
Ma sombre vie au bruit des vers.
Fais qu'au moins mon pied périssable
Laisse une empreinte sur le sable.
La Gloire a dit : « Fils de douleur,
« Où veux-tu que je te conduise ?
« Tremble; si je t'immortalise,
« J'immortalise le Malheur. »

Malheur! oh! quel jour favorable
De ta rage sera vainqueur ?
Quelle main forte et secourable
Pourra t'arracher de mon cœur,
Et dans cette fournaise ardente,
Pour moi noblement imprudente,
N'hésitant pas à se plonger,
Osera chercher dans la flamme,
Avec force y saisir mon âme,
Et l'emporter loin du danger ?

Ecrit en 1820.

LA PRISON

Poème

XVIIe SIÈCLE

« Oh! ne vous jouez plus d'un vieillard et d'un prêtre!
« Etranger dans ces lieux, comment les reconnaître ?
« Depuis une heure au moins cet importun bandeau
« Presse mes yeux souffrants de son épais fardeau.
« Soin stérile et cruel! car de ces édifices
« Ils n'ont jamais tenté les sombres artifices.
« Soldats! vous outragez le ministre et le Dieu,
« Dieu même que mes mains apportent dans ce lieu. »
Il parle; mais en vain sa crainte les prononce :
Ces mots et d'autres cris se taisent sans réponse.
On l'entraîne toujours en des détours savants :
Tantôt crie à ses pieds le bois des ponts mouvants;
Tantôt sa voix s'éteint à de courts intervalles,
Tantôt fait retentir l'écho des vastes salles;
Dans l'escalier tournant on dirige ses pas;
Il monte à la prison que lui seul ne voit pas,
Et, les bras étendus, le vieux prêtre timide
Tâte les murs épais du corridor humide.
On s'arrête; il entend le bruit des pas mourir,
Sous de bruyantes clefs des gonds de fer s'ouvrir.
Il descend trois degrés sur la pierre glissante,
Et, privé du secours de sa vue impuissante,
La chaleur l'avertit qu'on éclaire ces lieux;
Enfin, de leur bandeau l'on délivre ses yeux.
Dans un étroit cachot dont les torches funèbres
Ont peine à dissiper les épaisses ténèbres,
Un vieillard expirant attendait ses secours :
Du moins ce fut ainsi qu'en un brusque discours

Ses sombres conducteurs le lui firent entendre.
Un instant, en silence, on le pria d'attendre.
« Mon Prince, dit quelqu'un, le saint homme est venu.
« — Eh! que m'importe à moi ? » soupira l'inconnu.
Cependant, vers le lit que deux lourdes tentures
Voilent du luxe ancien de leurs pâles peintures,
Le prêtre s'avança lentement, et, sans voir
Le malade caché, se mit à son devoir.

LE PRÊTRE

Ecoutez-moi, mon fils.

LE MOURANT

Hélas, malgré ma haine,
J'écoute votre voix, c'est une voix humaine :
J'étais né pour l'entendre, et je ne sais pourquoi
Ceux qui m'ont fait du mal ont tant d'attraits pour moi.
Jamais je ne connus cette rare parole
Qu'on appelle amitié, qui, dit-on, vous console;
Et les chants maternels qui charment vos berceaux
N'ont jamais résonné sous mes tristes arceaux;
Et pourtant, lorsqu'un mot m'arriva moins sévère,
Il ne fut pas perdu pour mon cœur solitaire.
Mais puisque vous m'aimez, ô vieillard inconnu!
Pourquoi jusqu'à ce jour n'êtes-vous pas venu ?

LE PRÊTRE

O qui que vous soyez! vous que tant de mystère,
Avant le temps prescrit, sépara de la terre,
Vous n'aurez plus de fers dans l'asile des morts;
Si vous avez failli, rappelez les remords,
Versez-les dans le sein du Dieu qui vous écoute,
Ma main du repentir vous montrera la route.
Entrevoyez le Ciel par vos maux acheté :
Je suis prêtre, et vous porte ici la liberté.
De la confession j'accomplis l'œuvre sainte,
Le tribunal divin siège dans cette enceinte.
Répondez, le pardon déjà vous est offert;
Dieu même...

LE MOURANT

Il est un Dieu ? J'ai pourtant bien souffert!

LE PRÊTRE

Vous avez moins souffert qu'il ne l'a fait lui-même.
Votre dernier soupir sera-t-il un blasphème ?
Et quel droit avez-vous de plaindre vos malheurs,
Lorsque le sang du Christ tomba dans les douleurs ?
O mon fils, c'est pour nous, tout ingrats que nous [sommes,
Qu'il a daigné descendre aux misères des hommes;
A la vie, en son nom, dites un mâle adieu.

LE MOURANT

J'étais peut-être Roi.

LE PRÊTRE

Le Sauveur était Dieu;
Mais, sans nous élever jusqu'à ce divin Maître,
Si j'osais, après lui, nommer encor le prêtre,
Je vous dirais : Et moi, pour combattre l'enfer,
J'ai resserré mon sein dans un corset de fer;
Mon corps a revêtu l'inflexible cilice,
Où chacun de mes pas trouve un nouveau supplice.
Au cloître est un pavé que, durant quarante ans,
Ont usé chaque jour mes genoux pénitents,
Et c'est encor trop peu que de tant de souffrance
Pour acheter du Ciel l'ineffable espérance.
Au creuset douloureux il faut être épuré
Pour conquérir son rang dans le séjour sacré.
Le temps nous presse; au nom de vos douleurs passées,
Dites-moi vos erreurs pour les voir effacées;
Et devant cette Croix où Dieu monta pour nous,
Souhaitez avec moi de tomber à genoux.
— Sur le front du vieux moine une rougeur légère
Fit renaître une ardeur à son âge étrangère;
Les pleurs qu'il retenait coulèrent un moment;
Au chevet du captif il tomba pesamment;
Et ses mains présentaient le crucifix d'ébène,
Et tremblaient en l'offrant, et le tenaient à peine.
Pour le cœur du Chrétien demandant des remords,
Il murmurait tout bas la prière des morts.
Et sur le lit, sa tête, avec douleur penchée,
Cherchait du prisonnier la figure cachée.
Un flambeau la révèle entière : ce n'est pas
Un front décoloré par un prochain trépas,

Ce n'est pas l'agonie et son dernier ravage;
Ce qu'il voit est sans traits, et sans vie, et sans âge :
Un fantôme immobile à ses yeux est offert,
Et les feux ont relui sur un masque de fer.

Plein d'horreur à l'aspect de ce sombre mystère,
Le prêtre se souvint que, dans le monastère,
Une fois, en tremblant, on se parla tout bas
D'un prisonnier d'Etat que l'on ne nommait pas;
Qu'on racontait de lui des choses merveilleuses,
De berceau dérobé, de craintes orgueilleuses,
De royale naissance, et de droits arrachés,
Et de ses jours captifs sous un masque cachés.
Quelques pères disaient qu'à sa descente en France,
De secouer ses fers il conçut l'espérance;
Qu'aux geôliers un instant il s'était dérobé,
Et, quoique entre leurs mains aisément retombé,
L'on avait vu ses traits; et qu'une Provençale,
Arrivée au couvent de Saint-François de Sale
Pour y prendre le voile, avait dit, en pleurant,
Qu'elle prenait la Vierge et son Fils pour garant
Que le masque de Fer avait vécu sans crime,
Et que son jugement était illégitime;
Qu'il tenait des discours pleins de grâce et de foi,
Qu'il était jeune et beau, qu'il ressemblait au Roi,
Qu'il avait dans la voix une douceur étrange,
Et que c'était un prince ou que c'était un ange.
Il se souvint encor qu'un vieux Bénédictin
S'étant acheminé vers la tour, un matin,
Pour rendre un vase d'or tombé sur son passage,
N'était pas revenu de ce triste voyage;
Sur quoi, l'abbé du lieu pour toujours défendit
Les entretiens touchant le prisonnier maudit!
« Nul ne devait sonder la récente aventure;
« Le ciel avait puni la coupable lecture
« Des mystères gravés sur le vase indiscret. »
Le temps fit oublier ce dangereux secret.

Le prêtre regardait le malheureux célèbre;
Mais ce cachot tout plein d'un appareil funèbre,

Et cette mort voilée, et ces longs cheveux blancs,
Nés captifs et jetés sur des membres tremblants,
L'arrêtèrent longtemps en un sombre silence.
Il va parler enfin; mais tandis qu'il balance,
L'agonisant du lit se soulève et lui dit :
« Vieillard, vous abaissez votre front interdit,
Je n'entends plus le bruit de vos conseils frivoles,
L'aspect de mon malheur arrête vos paroles.
Oui, regardez-moi bien, et puis dites après
Qu'un Dieu de l'innocent défend les intérêts;
Des péchés tant proscrits, où toujours l'on succombe,
Aucun n'a séparé mon berceau de ma tombe;
Seul, toujours seul, par l'âge et la douleur vaincu,
Je meurs tout chargé d'ans, et je n'ai pas vécu.
Du récit de mes maux vous êtes bien avide :
Pourquoi venir fouiller dans ma mémoire vide,
Où, stérile de jours, le temps dort effacé ?
Je n'eus point d'avenir et n'ai point de passé;
J'ai tenté d'en avoir; dans mes longues journées,
Je traçai sur les murs mes lugubres années;
Mais je ne pus les suivre en leur douloureux cours.
Les murs étaient remplis et je vivais toujours.
Tout me devint alors obscurité profonde;
Je n'étais rien pour lui, qu'était pour moi le monde ?
Que m'importaient des temps où je ne comptais pas ?
L'heure que j'invoquais, c'est l'heure du trépas.
Ecoutez, écoutez : quand je tiendrais la vie
De l'homme qui toujours tint la mienne asservie,
J'hésiterais, je crois, à le frapper des maux
Qui rongèrent mes jours, brûlèrent mon repos;
Quand le règne inconnu d'une impuissante ivresse
Saisit mon cœur oisif d'une vague tendresse,
J'appelais le bonheur, et ces êtres amis
Qu'à mon âge brûlant un songe avait promis.
Mes larmes ont rouillé mon masque de torture,
J'arrosais de mes pleurs ma noire nourriture,
Je déchirais mon sein par mes gémissements,
J'effrayais mes geôliers de mes longs hurlements;
Des nuits, par mes soupirs, je mesurais l'espace;
Aux hiboux des créneaux je disputais leur place,
Et, pendant aux barreaux où s'arrêtaient mes pas,
Je vivais hors des murs d'où je ne sortais pas. »

Ici tomba sa voix. Comme après le tonnerre
De tristes sons encore épouvantent la terre,
Et, dans l'antre sauvage où l'effroi l'a placé,
Retiennent en grondant le voyageur glacé,
Longtemps on entendit ses larmes retenues
Suivre encore une fois des routes bien connues;
Les sanglots murmuraient dans ce cœur expirant.
Le vieux prêtre toujours priait en soupirant,
Lorsqu'un des noirs geôliers se pencha pour lui dire
Qu'il fallait se hâter, qu'il craignait le délire.
Un nouveau zèle alors ralluma ses discours :
« O mon fils! criait-il, votre vie eut son cours;
« Heureux, trois fois heureux, celui que Dieu corrige!
« Gardons de repousser les peines qu'il inflige :
« Voici l'heure où vos maux vous seront précieux,
« Il vous a préparé lui-même pour les cieux.
« Oubliez votre corps, ne pensez qu'à votre âme;
« Dieu lui-même l'a dit : L'homme né de la femme
« Ne vit que peu de temps, et c'est dans les douleurs.
« Ce monde n'est que vide et ne vaut pas des pleurs.
« Qu'aisément de ses biens notre âme est assouvie!
« Me voilà, comme vous, au bout de cette vie :
« J'ai passé bien des jours, et ma mémoire en deuil
« De leur peu de bonheur n'est plus que le cercueil.
« C'est à moi d'envier votre longue souffrance,
« Qui d'un monde plus beau vous donne l'espérance;
« Les anges à vos pas ouvriront le saint lieu :
« Pourvu que vous disiez un mot à votre Dieu,
« Il sera satisfait . » Ainsi, dans sa parole,
Mêlant les saints propos du livre qui console,
Le vieux prêtre engageait le mourant à prier,
Mais en vain : tout à coup on l'entendit crier,
D'une voix qu'animait la fièvre du délire,
Ces rêves du passé : Mais enfin je respire!
O bords de la Provence! ô lointain horizon!
Sable jaune où des eaux murmure le doux son!
Ma prison s'est ouverte. Oh! que la mer est grande!
Est-il vrai qu'un vaisseau jusque là-bas se rende ?
Dieu! qu'on doit être heureux parmi les matelots!
Que je voudrais nager dans la fraîcheur des flots!
La terre vient, nos pieds à marcher se disposent,
Sur nos mâts arrêtés les voiles se reposent.
Ah! j'ai fui les soldats; en vain ils m'ont cherché;
Je suis libre, je cours, le masque est arraché;

De l'air dans mes cheveux j'ai senti le passage,
Et le soleil un jour éclaira mon visage.
— Oh! pourquoi fuyez-vous ? restez sur vos gazons,
Vierges! continuez vos pas et vos chansons;
Pourquoi vous retirer aux cabanes prochaines ?
Le monde autant que moi déteste donc les chaînes ?
Une seule s'arrête et m'attend sans terreur :
Quoi! du Masque de Fer elle n'a pas horreur!
Non, j'ai vu la pitié sur ses lèvres si belles,
Et de ses yeux en pleurs les douces étincelles.
Soldats! que voulez-vous ? quel lugubre appareil!
J'ai mes droits à l'amour et ma part au soleil;
Laissez-nous fuir ensemble. Oh! voyez-la! c'est elle
Avec qui je veux vivre, elle est là qui m'appelle;
Je ne fais pas le mal; allez, dites au Roi
Qu'aucun homme jamais ne se plaindra de moi;
Que je serai content si, près de ma compagne,
Je puis errer longtemps de montagne en montagne,
Sans jamais arrêter nos loisirs voyageurs!
Que je ne chercherai ni parents ni vengeurs;
Et, si l'on me demande où j'ai passé ma vie,
Je saurai déguiser ma liberté ravie :
Votre crime est bien grand, mais je le cacherai.
Ah! laissez-moi le Ciel, je vous pardonnerai.
Non... toujours des cachots... Je suis né votre proie...
Mais je vois mon tombeau, je m'y couche avec joie.
Car vous ne m'aurez plus, et je n'entendrai plus
Les verrous se fermer sur l'éternel reclus.
Que me veut donc cet homme avec ses habits sombres ?
Captifs morts dans ces murs, est-ce une de vos ombres ?
Il pleure. Ah! malheureux, est-ce ta liberté ?

LE PRÊTRE

Non, mon fils, c'est sur vous : voici l'éternité.

LE MOURANT

A moi! je n'en veux pas; j'y trouverais des chaînes.

LE PRÊTRE

Non, vous n'y trouverez que des faveurs prochaines.
Un mot de repentir, un mot de votre foi,
Le Seigneur vous pardonne.

LE MOURANT

O prêtre! laissez-moi!

LE PRÊTRE

Dites : Je crois en Dieu. La mort vous est ravie.

LE MOURANT

Laissez en paix ma mort, on y laissa ma vie.
— Et d'un dernier effort l'esclave délirant
Au mur de la prison brise son bras mourant.
« Mon Dieu! venez vous-même au secours de cette [âme! »
Dit le prêtre, animé d'une pieuse flamme.
Au fond d'un vase d'or, ses doigts saints ont cherché
Le pain mystérieux où Dieu même est caché :
Tout se prosterne alors en un morne silence.
La clarté d'un flambeau sur le lit se balance;
Le chevet sur deux bras s'avance supporté,
Mais en vain : le captif était en liberté.

Resté seul au cachot, durant la nuit entière,
Le vieux religieux récita la prière;
Auprès du lit funèbre il fut toujours assis.
Quelques larmes, souvent, de ses yeux obscurcis,
Interrompant sa voix, tombaient sur le saint livre;
Et, lorsque la douleur l'empêchait de poursuivre,
Sa main jetait alors l'eau du rameau béni
Sur celui qui du Ciel peut-être était banni.
Et puis, sans se lasser, il reprenait encore,
De sa voix qui tremblait dans la prison sonore,
Le dernier chant de paix; il disait : « O Seigneur
« Ne brisez pas mon âme avec votre fureur;
« Ne m'enveloppez pas dans la mort de l'impie. »
Il ajoutait aussi : « Quand le méchant m'épie,
« Me ferez-vous tomber, Seigneur, entre ses mains ?
« C'est lui qui sous mes pas a rompu vos chemins;
« Ne me châtiez point, car mon crime est son crime.
« J'ai crié vers le Ciel du plus profond abîme.
« O mon Dieu! tirez-moi du milieu des méchants! »
Lorsqu'un rayon du jour eut mis fin à ses chants.

Il entendit monter vers les noires retraites,
Et des voix résonner sous les voûtes secrètes.
Un moment lui restait, il eût voulu du moins
Voir le mort qu'il pleurait sans ces cruels témoins;
Il s'approche, en tremblant, de ce fils du mystère
Qui vivait et mourait étranger à la terre;
Mais le Masque de Fer soulevait le linceul,
Et la captivité le suivit au cercueil.

Ecrit en 1821, à Vincennes.

A Monsieur Antony Deschamps.

MADAME DE SOUBISE

Poème du XVIe siècle

> *Le 24 du mesme mois s'exploita l'exécution tant souhaitée, qui delivra la chrestienté d'un certain nombre de pestes, au moyen desquelles le diable se faisoit fort de la destruire, attendu que deux ou trois qui en reschappèrent font encore tant de mal. Ce jour apporta merveilleux allegement et soulas à l'Eglise.*
>
> *Le vraye et entière histoire des troubles*, par Le Frère, de Laval.

I

« Arquebusiers ! chargez ma coulevrine !
Les lansquenets passent ! sur leur poitrine
Je vois enfin la croix rouge, la croix
Double, et tracée avec du sang, je crois !
Il est trop tard ; le bourdon Notre-Dame
Ne m'avait donc éveillé qu'à demi ?
Nous avons bu trop longtemps, sur mon âme !
Mais nous buvions à saint Barthélemi.

II

« Donnez une épée,
Et la mieux trempée,
Et mes pistolets,
Et mes chapelets.
Déjà le jour brille

Sur le Louvre noir;
On va tout savoir :
— Dites à ma fille
De venir tout voir. »

III

Le Baron parle ainsi par la fenêtre,
C'est bien sa voix qu'on ne peut méconnaître;
Courez, Varlets, Echansons, Ecuyers,
Suisses, Piqueux, Page, Arbalétriers!
Voici venir madame Marie-Anne;
Elle descend l'escalier de la tour,
Jusqu'au pavé baissez la pertuisane,
Et que chacun la salue à son tour.

IV

Une haquenée
Est seule amenée,
Tant elle a d'effroi
Du noir palefroi.
Mais son père monte
Le beau destrier,
Ferme à l'étrier :
— « N'avez-vous pas honte,
Dit-il, de crier!

V

« Vous descendez des hauts barons, ma mie;
Dans ma lignée, on note d'infamie
Femme qui pleure, et ce, par la raison
Qu'il en peut naître un lâche en ma maison.
Levez la tête et baissez votre voile :
Partons. Varlets, faites sonner le cor.
Sous ce brouillard la Seine me dévoile
Ses flots rougis... Je veux voir plus encor.

VI

« La voyez-vous croître
La tour du vieux cloître ?
Et le grand mur noir
Du royal manoir ?
Entrons dans le Louvre.
Vous tremblez, je croi,
Au son du beffroi ?
La fenêtre s'ouvre,
Saluez le Roi. »

VII

Le vieux Baron, en signant sa poitrine,
Va visiter la reine Catherine;
Sa fille reste, et dans la cour s'assied;
Mais sur un corps elle heurte son pied :
— « Je vis encor, je vis encor, madame;
Arrêtez-vous et donnez-moi la main;
En me sauvant, vous sauverez mon âme;
Car j'entendrai la messe dès demain. »

VIII

— « Huguenot profane
Lui dit Marie-Anne,
Sur ton corselet
Mets mon chapelet.
Tu prieras la Vierge,
Je prierai le Roi :
Prends ce palefroi.
Surtout prends un cierge,
Et viens avec moi. »

IX

Marie ordonne à tout son équipage
De l'emporter dans le manteau d'un page,

Lui fait ôter ses baudriers trop lourds,
Jette sur lui sa cape de velours,
Attache un voile avec une relique
Sur sa blessure, et dit, sans s'émouvoir :
« Ce gentilhomme est un bon catholique,
Et dans l'église il vous le fera voir. »

X

Murs de Saint-Eustache!
Quel peuple s'attache
A vos escaliers,
A vos noirs piliers,
Traînant sur la claie
Des morts sans cercueil,
La fureur dans l'œil,
Et formant la haie
De l'autel au seuil?

XI

Dieu fasse grâce à l'année où nous sommes!
Ce sont vraiment des femmes et des hommes;
Leur foule entonne un *Te Deum* en chœur,
Et dans le sang trempe et dévore un cœur,
Cœur d'Amiral arraché dans la rue,
Cœur gangrené du schisme de Calvin.
On boit, on mange, on rit, la foule accrue
Se l'offre et dit : C'est le Pain et le Vin.

XII

Un moine qui masque
Son front sous un casque
Lit au maître-autel
Le livre immortel;
Il chante au pupitre,
Et sa main trois fois,
En faisant la croix,
Jette sur l'épître
Le sang de ses doigts.

XIII

« Place ! dit-il; tenons notre promesse
D'épargner ceux qui viennent à la messe.
Place! Je vois arriver deux enfants :
Ne tuez pas encor, je le défends;
Tant qu'ils sont là, je les ai sous ma garde.
Saint Paul a dit : Le temple est fait pour tous;
Chacun son lot, le dedans me regarde;
Mais, une fois dehors, ils sont à vous. »

XIV

— « Je viens sans mon père,
Mais en vous j'espère
(Dit Anne deux fois,
D'une faible voix);
Il est chez la Reine;
Moi, j'accours ici
Demander merci
Pour ce capitaine
Qui vous prie aussi. »

XV

Le blessé dit : « Il n'est plus temps, madame,
Mon corps n'est pas sauvé, mais bien mon âme,
Si vous voulez; donnez-moi votre main,
Et je mourrai catholique et romain;
Epousez-moi, je suis duc de Soubise;
Vous n'aurez pas à vous en repentir :
C'est pour un jour. Hélas! dans votre église
Je suis entré, mais pour n'en plus sortir. »

XVI

« Je sens fuir mon âme!
Etes-vous ma femme ? »

— « Hélas! dit-elle, oui »,
Se baissant vers lui.
Un mot les marie.
Ses yeux, par l'effort
D'un dernier transport,
Regardent Marie,
Puis il tombe mort.

XVII

Ce fut ainsi qu'Anne devint duchesse;
Elle donna le fief et sa richesse
A l'ordre saint des frères de Jésus,
Et leur légua ses propres biens en sus.
Un faible corps qu'un esprit troublé ronge
Résiste un peu, mais ne vit pas longtemps :
Dans le couvent des nonnes, en Saintonge,
Elle mourut vierge et veuve à vingt ans.

Ecrit à la Briche, en Beauce, Mai 1828.

LA NEIGE

Poème

I

Qu'il est doux, qu'il est doux d'écouter des histoires,
Des histoires du temps passé,
Quand les branches d'arbres sont noires,
Quand la neige est épaisse et charge un sol glacé!
Quand seul dans un ciel pâle un peuplier s'élance,
Quand sous le manteau blanc qui vient de le cacher
L'immobile corbeau sur l'arbre se balance,
Comme la girouette au bout du long clocher!

Ils sont petits et seuls, ces deux pieds dans la neige.
Derrière les vitraux dont l'azur le protège,
Le Roi pourtant regarde et voudrait ne pas voir,
Car il craint sa colère et surtout son pouvoir.

De cheveux longs et gris son front brun s'environne,
Et porte en se ridant le fer de la couronne;
Sur l'habit dont la pourpre a peint l'ample velours
L'empereur a jeté la lourde peau d'un ours.

Avidement courbé, sur le sombre vitrage
Ses soupirs inquiets impriment un nuage.
Contre un marbre frappé d'un pied appesanti,
Sa sandale romaine a vingt fois retenti.

Est-ce vous, blanche Emma, princesse de la Gaule ?
Quel amoureux fardeau pèse à sa jeune épaule ?
C'est le page Eginard, qu'à ses genoux le jour
Surprit, ne dormant pas, dans la secrète tour.

Doucement son bras droit étreint un cou d'ivoire,
Doucement son baiser suit une tresse noire,
Et la joue inclinée, et ce dos où les lys
De l'hermine entourés sont plus blancs que ses plis.

Il retient dans son cœur une craintive haleine,
Et de sa dame ainsi pense alléger la peine,
Et gémit de son poids, et plaint ses faibles pieds
Qui, dans ses mains, ce soir, dormiront essuyés;

Lorsqu'arrêtée Emma vante sa marche sûre,
Lève un front caressant, sourit et le rassure,
D'un baiser mutuel implore le secours,
Puis repart chancelante et traverse les cours.

Mais les voix des soldats résonnent sous les voûtes,
Les hommes d'armes noirs en ont fermé les routes;
Eginard, échappant à ses jeunes liens,
Descend des bras d'Emma, qui tombe dans les siens.

II

Un grand trône, ombragé des drapeaux d'Allemagne,
De son dossier de pourpre entoure Charlemagne.
Les douze pairs debout sur ses larges degrés
Y font luire l'orgueil des lourds manteaux dorés.

Tous posent un bras fort sur une longue épée,
Dans le sang des Saxons neuf fois par eux trempée;
Par trois vives couleurs se peint sur leurs écus
La gothique devise autour des rois vaincus.

Sous les triples piliers des colonnes moresques,
En cercle sont placés des soldats gigantesques,
Dont le casque fermé, chargé de cimiers blancs,
Laisse à peine entrevoir les yeux étincelants.

Tous deux joignant les mains, à genoux sur la pierre,
L'un pour l'autre en leur cœur cherchant une prière,
Les beaux enfants tremblaient en abaissant leur front
Tantôt pâle de crainte ou rouge de l'affront.

D'un silence glacé régnait la paix profonde.
Bénissant en secret sa chevelure blonde,

Avec un lent effort, sous ce voile, Eginard
Tente vers sa maîtresse un timide regard.

Sous l'abri de ses mains Emma cache sa tête,
Et, pleurant, elle attend l'orage qui s'apprête :
Comme on se tait encore, elle donne à ses yeux
A travers ses beaux doigts un jour audacieux.

L'Empereur souriait en versant une larme
Qui donnait à ses traits un ineffable charme;
Il appela Turpin, l'évêque du palais,
Et d'une voix très douce il dit : Bénissez-les.

Qu'il est doux, qu'il est doux d'écouter des histoires,
    Des histoires du temps passé,
    Quand les branches d'arbres sont noires,
Quand la neige est épaisse et charge un sol glacé!

1820.

LE COR

Poème

I

J'aime le son du Cor, le soir, au fond des bois,
Soit qu'il chante les pleurs de la biche aux abois,
Ou l'adieu du chasseur que l'écho faible accueille,
Et que le vent du nord porte de feuille en feuille.

Que de fois, seul, dans l'ombre à minuit demeuré,
J'ai souri de l'entendre, et plus souvent pleuré!
Car je croyais ouïr de ces bruits prophétiques
Qui précédaient la mort des Paladins antiques.

O montagnes d'azur! ô pays adoré!
Rocs de la Frazona, cirque du Marboré,
Cascades qui tombez des neiges entraînées,
Sources, gaves, ruisseaux, torrents des Pyrénées;

Monts gelés et fleuris, trône des deux saisons,
Dont le front est de glace et le pied de gazons!
C'est là qu'il faut s'asseoir, c'est là qu'il faut entendre
Les airs lointains d'un Cor mélancolique et tendre.

Souvent un voyageur, lorsque l'air est sans bruit,
De cette voix d'airain fait retentir la nuit;
A ses chants cadencés autour de lui se mêle
L'harmonieux grelot du jeune agneau qui bêle.

Une biche attentive, au lieu de se cacher,
Se suspend immobile au sommet du rocher,
Et la cascade unit, dans une chute immense,
Son éternelle plainte aux chants de la romance.

Ames des chevaliers, revenez-vous encor ?
Est-ce vous qui parlez avec la voix du Cor ?
Roncevaux! Roncevaux! Dans ta sombre vallée
L'ombre du grand Roland n'est donc pas consolée!

II

Tous les preux étaient morts, mais aucun n'avait fui.
Il reste seul debout, Olivier près de lui,
L'Afrique sur les monts l'entoure et tremble encore.
« Roland, tu vas mourir, rends-toi, criait le More;

« Tous tes Pairs sont couchés dans les eaux des torrents. »
Il rugit comme un tigre, et dit : « Si je me rends,
« Africain, ce sera lorsque les Pyrénées
« Sur l'onde avec leurs corps rouleront entraînées. »

— « Rends-toi donc, répond-il, ou meurs, car les voilà. »
Et du plus haut des monts un grand rocher roula.
Il bondit, il roula jusqu'au fond de l'abîme,
Et de ses pins, dans l'onde, il vint briser la cime.

— « Merci, cria Roland, tu m'as fait un chemin. »
Et jusqu'au pied des monts le roulant d'une main,
Sur le roc affermi comme un géant s'élance,
Et, prête à fuir, l'armée à ce seul pas balance.

III

Tranquilles cependant, Charlemagne et ses preux
Descendaient la montagne et se parlaient entre eux.
A l'horizon déjà, par leurs eaux signalées,
De Luz et d'Argelès se montraient les vallées.

L'armée applaudissait. Le luth du troubadour
S'accordait pour chanter les saules de l'Adour;
Le vin français coulait dans la coupe étrangère;
Le soldat, en riant, parlait à la bergère.

Roland gardait les monts; tous passaient sans effroi.
Assis nonchalamment sur un noir palefroi
Qui marchait revêtu de housses violettes,
Turpin disait, tenant les saintes amulettes :

« Sire, on voit dans le ciel des nuages de feu;
« Suspendez votre marche; il ne faut tenter Dieu.
« Par monsieur saint Denis, certes ce sont des âmes
« Qui passent dans les airs sur ces vapeurs de flammes.

« Deux éclairs ont relui, puis deux autres encor. »
Ici l'on entendit le son lointain du Cor. —
L'Empereur étonné, se jetant en arrière,
Suspend du destrier la marche aventurière.

« Entendez-vous! dit-il. — Oui, ce sont des pasteurs
« Rappelant les troupeaux épars sur les hauteurs,
« Répondit l'archevêque, ou la voix étouffée
« Du nain vert Obéron qui parle avec sa Fée. »

Et l'Empereur poursuit; mais son front soucieux
Est plus sombre et plus noir que l'orage des cieux.
Il craint la trahison, et, tandis qu'il y songe,
Le Cor éclate et meurt, renaît et se prolonge.

« Malheur! c'est mon neveu! malheur! car si Roland
« Appelle à son secours, ce doit être en mourant.
« Arrière, chevaliers, repassons la montagne!
« Tremble encor sous nos pieds, sol trompeur de [l'Espagne! »

IV

Sur le plus haut des monts s'arrêtent les chevaux;
L'écume les blanchit; sous leurs pieds, Roncevaux
Des feux mourants du jour à peine se colore.
A l'horizon lointain fuit l'étendard du More.

— « Turpin, n'as-tu rien vu dans le fond du torrent ?
— « J'y vois deux chevaliers : l'un mort, l'autre expirant.
« Tous deux sont écrasés sous une roche noire;
« Le plus fort, dans sa main, élève un Cor d'ivoire,
« Son âme en s'exhalant nous appela deux fois. »

Dieu! que le son du Cor est triste au fond des bois!

Ecrit à Pau, en 1825.

LE BAL
Poème

La harpe tremble encore et la flûte soupire,
Car la Walse bondit dans son sphérique empire;
Des couples passagers éblouissent les yeux,
Volent entrelacés en cercle gracieux,
Suspendent des repos balancés en mesure,
Aux reflets d'une glace admirent leur parure,
Repartent; puis, troublés par leur groupe riant,
Dans leurs tours moins adroits se heurtent en criant.
La danseuse, enivrée aux transports de la fête,
Sème et foule en passant les bouquets de sa tête,
Au bras qui la soutient se livre, et, pâlissant,
Tourne, les yeux baissés sur un sein frémissant.

Courez, jeunes beautés, formez la double danse :
  Entendez-vous l'archet du bal joyeux,
Jeunes beautés ? Bientôt la légère cadence
Toutes va, tout à coup, vous mêler à mes yeux.

Dansez et couronnez de fleurs vos fronts d'albâtre;
Liez au blanc muguet l'hyacinthe bleuâtre,
Et que vos pas moelleux, délices d'un amant,
Sur le chêne poli glissent légèrement;
Dansez, car dès demain vos mères exigeantes
A vos jeunes travaux vous diront négligentes;
L'aiguille détestée aura fui de vos doigts,
Ou, de la mélodie interrompant les lois,

Sur l'instrument mobile, harmonieux ivoire,
Vos mains auront perdu la touche blanche et noire;
Demain, sous l'humble habit du jour laborieux,
Un livre, sans plaisir, fatiguera vos yeux...;
Ils chercheront en vain, sur la feuille indocile,
De ses simples discours le sens clair et facile;
Loin du papier noirci votre esprit égaré,
Partant, seul et léger, vers le Bal adoré,
Laissera de vos yeux l'indécise prunelle
Recommencer vingt fois une page éternelle.
Prolongez, s'il se peut, oh! prolongez la nuit
Qui d'un pas diligent plus que vos pas s'enfuit!

Le signal est donné, l'archet frémit encore :
Elancez-vous, liez ces pas nouveaux
Que l'Anglais inventa, nœuds chers à Terpsichore,
Qui d'une molle chaîne imitent les anneaux.

Dansez, un soir encore usez de votre vie :
L'étincelante nuit d'un long jour est suivie;
A l'orchestre brillant le silence fatal
Succède, et les dégoûts aux doux propos du bal.
Ah! reculez le jour où, surveillantes mères,
Vous saurez du berceau les angoisses amères :
Car, dès que de l'enfant le cri s'est élevé,
Adieu, plaisir, long voile à demi relevé,
Et parure éclatante, et beaux joyaux des fêtes,
Et le soir, en passant, les riantes conquêtes
Sous les ormes, le soir, aux heures de l'amour,
Quand les feux suspendus ont rallumé le jour.
Mais, aux yeux maternels, les veilles inquiètes
Ne manquèrent jamais, ni les peines muettes
Que dédaigne l'époux, que l'enfant méconnaît,
Et dont le souvenir dans les songes renaît.
Ainsi, toute au berceau qui la tient asservie,
La mère avec ses pleurs voit s'écouler sa vie.
Rappelez les plaisirs, ils fuiront votre voix,
Et leurs chaînes de fleurs se rompront sous vos doigts.

Ensemble, à pas légers, traversez la carrière;
Que votre main touche une heureuse main,
Et que vos pieds savants à leur place première
Reviennent, balancés dans leur double chemin.

Dansez : un jour, hélas! ô reines éphémères!
De votre jeune empire auront fui les chimères;
Rien n'occupera plus vos cœurs désenchantés,
Que des rêves d'amour, bien vite épouvantés,
Et le regret lointain de ces fraîches années
Qu'un souffle a fait mourir, en moins de temps fanées
Que la rose et l'œillet, l'honneur de votre front;
Et, du temps indompté lorsque viendra l'affront,
Quelles seront alors vos tardives alarmes ?
Un teint, déjà flétri, pâlira sous les larmes,
Les larmes à présent, doux trésor des amours,
Les larmes, contre l'âge inutile secours :
Car les ans maladifs, avec un doigt de glace,
Des chagrins dans vos cœurs auront marqué la place,
La morose vieillesse... O légères beautés!
Dansez, multipliez vos pas précipités,
Et dans les blanches mains les mains entrelacées,
Et les regards de feu, les guirlandes froissées,
Et le rire éclatant, cri des joyeux loisirs,
Et que la salle au loin tremble de vos plaisirs.

Paris, 1818.

« DOCUMENS SUR LES TRAPISTES D'ESPAGNE. (*sic*)

« C'est du couvent de Sainte-Suzanne, en Aragon, « qu'est sorti le Trapiste célèbre.

« Plusieurs fois (les religieux, ses frères, le racontent « ainsi) il fut averti par des songes, et vint trouver le vieil « abbé de la communauté, lui disant, comme autrefois « Samuel à Héli : *Me voici, car le Seigneur vient de* « *m'appeler*.

« Mais l'abbé croyait d'abord que c'était un souvenir « de son ancien métier des armes qui lui donnait ces « pensées de guerre durant la nuit, et lui disait aussi : « *Mon fils, retournez et dormez*.

« Cependant, comme il revint encore, disant toujours : « *Qu'il savait bien qu'on se battait pour le roi, et qu'il y* « *devait être*, l'abbé ne douta pas que ce ne fût, comme ils « le disent, *la sainte volonté de Dieu;* et sur les économies « du couvent, il lui fut acheté un cheval. Il partit comme « Bayard, *armé et aourné par sa famille, pour bien servir son* « *roi naturel*, et il a combattu comme lui.

« Ces détails, et ceux que je vais dire encore, on les peut « entendre de la bouche même de plusieurs de ces bons « pères, qui sont maintenant à Paris. Voici leur histoire « entière et comment ils y sont venus.

« Il arriva qu'en l'hiver de l'année 1796 une colonie de « Trapistes partit du monastère de la Val-Sainte, en « Suisse, que notre révolution avait comblé de malheureux, « et peut-être de pénitens. On les vit marcher deux à « deux et en silence à travers des peuples révoltés et des « armées, ne sachant pas bien où la providence les arrê- « terait, et passant parmi les nations comme Pierre « l'Ermite et sa croisade, sans autre guide que la croix. « *Partout on refusait le passage à nos fondateurs*, « m'écrivait un de ces religieux; *mais ayant recours à*

« *Dieu, partout il leur fut ouvert.* » En Savoie, comme ils « se présentèrent à une ville où il y avait [une] sentinelle, « elle leur dit : « Mes pères, quand vous seriez des anges « du ciel, vous ne passerez pas. » Et ils se trouvaient dans « un grand embarras, quand il se montra tout à coup, et « comme par miracle, un colonel qui avait été à la Trappe « de Mortagne, et reçu par le même supérieur de la « colonie qui parlait pour tous, et qu'il reconnut de suite. « Il se jeta à son cou, et le conduisit chez lui avec les « autres, leur fit mille amitiés, et leur donna le passage en « les accompagnant lui-même.

« Lorsqu'on leur interdisait l'entrée d'une ville, il « fallait passer la nuit exposés à un froid très cruel. Alors, « comme les cabanes étaient révolutionnaires et se « fermaient à des moines, ils se retiraient dans quelque « cimetière, demandant l'hospitalité et un abri sous leur « tombe, à ces morts auxquels ils étaient aussi semblables « par l'abandon et l'oubli du monde entier, que par leur « pâleur et ces longues robes blanches qui les faisaient « paraître comme des ombres errantes. Là, ils priaient et « se félicitaient dans leurs cœurs de ce que Dieu leur « donnait des misères plus grandes encore que celles qu'ils « avaient inventées pour eux-mêmes.

« Malgré tant de fatigues, la colonie silencieuse parvint « jusqu'au royaume d'Espagne, alors paisible. Le peuple- « moine baisa la robe des Trapistes; et le roi Charles IV, « se souvenant qu'un vêtement semblable avait en vain « tenté de contenir l'empereur Charles-Quint et pensant « que cette robe plus pesante l'eût pu faire, de peur qu'elle « ne manquât à quelqu'un de ses descendants, s'il savait « jeter le manteau royal, laissa vivre dans son royaume « ceux chez qui l'on va mourir, voulut être le patron de « leur maison, leur donna un peu de cette terre qu'il devait « quitter plus tôt qu'eux; et le souvenir de Saint-Just créa « Sainte-Suzanne.

« Là s'arrêtèrent enfin les bons religieux, quand on leur « eut dit, comme au peuple de Dieu : *Israël habitera sur « cette terre dans une pleine assurance, et y habitera seul.* Ils « reprirent avec joie leurs travaux douloureux. Un grand « nombre d'Espagnols vinrent chercher l'oubli de la vie et « la paix de l'âme dans ce continuel souvenir de la mort et « ces fatigues assidues du corps. Dom Gerasime d'Alcan- « tara remplit le premier cette dignité d'abbé, où l'on n'a « d'autre privilège (selon leurs expressions) *que de se lever « plus tôt et de se coucher plus tard*, c'est-à-dire quelques

« peines de plus. Tout en vivant dans les pratiques de la « régularité primitive, la république muette marchait à « son but de se suffire à elle-même. Les frères labouraient, « semaient et moissonnaient eux-mêmes, afin d'acquérir « de quoi donner l'hospitalité à des voyageurs, qui souvent « sont venus chercher dans leur cloître un aliment à de « lâches plaisanteries et à des récits ironiques et menson- « gers. Ce couvent, le seul de l'ordre qui fût en Espagne, y « inspirait cependant une admiration universelle. En 1808, « les troupes françaises, toujours généreuses quand on les « laisse à la pente naturelle de leur caractère, ont respecté « l'enceinte du monastère, et des soldats furent placés à « toutes les portes pour le garantir des insultes.

« Mais une invasion vaut mieux que la prudence d'une « révolution.

« Un décret des Cortès de 1821 a déclaré *utile* le « terrain que les Trapistes occupaient : des commissaires « aux portes, des clés saisies, les scellés de la *nation* « partout, et le bannissement, rien ne leur a manqué, pour « leur malheur, des sages mesures du *bien public;* et « maintenant les voilà qui se présentent au seuil de nos « maisons, pour demander un troisième tombeau, après « qu'on les a dépouillés des deux premiers.

« Heureux du moins sont les Français qui se trouvent « parmi eux, que leur bouche si long-temps muette ne se « soit ouverte que pour prononcer le langage de France. « Aucun mot étranger n'a séparé leur adieu à la patrie des « nouvelles paroles qu'ils lui viennent adresser; mais c'est « un langage bien douloureux qu'ils lui tiennent : « Comment se peut-il, viennent-ils nous dire, que des « vieillards ne puissent pas trouver un coin de terre pour « mourir sans qu'une révolution ne la vienne labourer ? « Hélas ! elle la dit plus féconde dans ses mains; mais elle « n'y sème que du sang, et nous y faisons germer de saints « exemples de repentir et de désintéressement. A notre « entrée à la Val-Sainte, notre oreille fut long-temps « poursuivie dans le silence du cloître par les gémissements « de vos guerres civiles : c'était la dernière voix de la terre « que nous eussions entendue, et elle nous avait paru « comme son dernier cri. Et cependant voilà que vingt ans « après, au sortir de Sainte-Suzanne, les premiers bruits « du monde que nous entendons sont tout semblables à « ces bruits; la même liberté fait couler les mêmes larmes « et le même sang. Vos révolutions n'ont donc pas cessé « leur cours ? Comment existe-t-il encore des peuples, et

« comment se trouve-t-il encore quelques rois à leur « jeter ? »

« Oh, que n'ai-je acquis plus de gloire! J'emploierais à « être utile à ces hommes vénérables le crédit miraculeux « qu'elle donne sur les âmes, et j'ajouterais mon nom à « leur éloge, comme pour le sceller de toute son autorité; « mais si je suis trop jeune pour avoir le droit de faire tant « de bien, j'ai du moins celui de rappeler pour eux l'intérêt « qu'un homme illustre leur a porté.

« La main qui nous a donné le *Génie du Christianisme* « n'a pas dédaigné de transcrire à la suite d'un si beau livre « les lettres naïves d'un Trapiste de Sainte-Suzanne, qui « forment comme une histoire complète, où l'on voit son « entrée au couvent, ses pieuses souffrances et sa fin.

« Une dernière lettre, qui annonce la *mort précieuse qu'il* « *a faite*, et engage son frère *à ne le point pleurer*, est du « révérend père Jean-Baptiste de Martres, prieur des « Trapistes d'Espagne, Français de naissance, et main- « tenant à Paris, où Monseigneur l'Archevêque l'a reçu « dans son palais.

« Ce religieux vieillard vient chercher quelques secours « pour ses frères qui ont repassé les Pyrénées avec lui.

« Il m'a fait l'honneur de me visiter, et je n'ai rien vu « dans toute sa personne qui ne fût digne de l'idée que l'on « se fait de ces austères cénobites : il unit la simplicité d'un « enfant aux traits souffrants d'un anachorète, et dit avec « naïveté de ces belles choses qui transportent d'admi- « ration dans les hautes productions du génie. Ces âmes « épurées vivent si loin du monde, que son langage « ordinaire n'est guère compris par elles, et que le sublime « est devenu la nature de leurs pensées.

« Puissent leurs prières faire sur beaucoup de cœurs « l'impression que fit sur le mien leur simple vue. Quant « à moi, voici sans doute la dernière fois qu'il m'est permis « d'élever ma voix en leur faveur. Destiné à prêter une « autre arme aux émigrés espagnols, je penserai du moins « que personne n'aura acquis sans leur avoir fait un peu « de bien, ce livre où je parlais de leur infortune. »

LE TRAPPISTE[1]

Poème

C'était une des nuits qui des feux de l'Espagne
Par des froids bienfaisants consolent la campagne :
L'ombre était transparente, et le lac argenté
Brillait à l'horizon sous un voile enchanté;
Une lune immobile éclairait les vallées,
Où des citronniers verts serpentent les allées;
Des milliers de soleils, sans offenser les yeux,
Tels qu'une poudre d'or, semaient l'azur des cieux,
Et les monts inclinés, verdoyante ceinture
Qu'en cercles inégaux enchaîna la nature,
De leurs dômes en fleurs étalaient la beauté,
Revêtus d'un manteau bleuâtre et velouté.
Mais aucun n'égalait, dans sa magnificence,
Le Mont Serrat, paré de toute sa puissance :
Quand des nuages blancs sur son dos arrondi
Roulaient leurs flots chassés par le vent du midi,
Les brisant de son front, comme un nageur habile,
Le géant semblait fuir sous ce rideau mobile;

1. On a proposé au roi de profiter du temps pour quitter Madrid avec une escorte sûre; mais l'infortuné prince n'a pu se résoudre à suivre ce conseil.

Le bruit s'étant répandu parmi les gardes que le roi était emmené hors du palais, prisonnier des cortès, l'ardeur de cette troupe fidèle ne pouvait plus se contenir. Elle résolut de pénétrer jusqu'au palais et de mettre le roi en liberté. Après une charge meurtrière, ils parvinrent sur la place du palais. Ils attendaient impatiemment des ordres; nul ordre ne fut donné de l'intérieur! Figurez-vous le palais du roi entouré de ses malheureux gardes, dix pièces de canon braquées contre les portes et les fenêtres, et dix mille personnes, tant miliciens que bandits, poussant des cris épouvantables... Ils ont combattu... Le nombre des gardes échappés (vers l'armée de la Foi) est d'environ trois cents... Le roi a paru au balcon et a salué le peuple,

Journal des Débats, 15 juillet 1822.

Tantôt un piton noir, seul dans le firmament,
Tel qu'un fantôme énorme, arrivait lentement;
Tantôt un bois riant, sur une roche agreste,
S'éclairait, suspendu comme une île céleste.
Puis enfin, des vapeurs délivrant ses contours,
Comme une forteresse au milieu de ses tours,
Sortait le pic immense : il semblait à ses plaines
Des vents frais de la nuit partager les haleines;
Et l'orage indécis, murmurant à ses pieds,
Pendait encor d'en haut sur les monts effrayés.

En spectacles pompeux la nature est féconde;
Mais l'homme a des pensers bien plus grands que le [monde.
Quelquefois tout un peuple endormi dans ses maux
S'éveille, et, saisissant le glaive des hameaux,
Maudissant la révolte impure et tortueuse,
Élève tout à coup sa voix majestueuse :
Il redemande à Dieu ses autels profanés,
Il appelle à grands cris ses Rois emprisonnés;
Comme un tigre, il arrache, il emporte sa chaîne;
Il s'élève, il grandit, il s'étend comme un chêne,
Et de ses mille bras il couvre en liberté
Les sillons paternels du sol qui l'a porté.
Ainsi, terre indocile, à ton Roi seul constante,
Vendée, où la chaumière est encore une tente,
Ainsi de ton Bocage aux détours meurtriers
Sortirent en priant les paysans guerriers :
Ainsi, se relevant l'infatigable Espagne
Fait sortir des héros du creux de la montagne.

Sur des rochers, non loin de ces antres sacrés,
Où Pélage appella les Goths désespérés,
D'où sort toujours la gloire, et qui gardent encore,
Hélas! les os français mêlés à ceux du More,
Au-dessus de la nue, au-dessus des torrents,
Viennent de s'assembler les montagnards errants.
La pourpre du réseau dont leur front s'environne
Forme autour des cheveux une mâle couronne,
Et la corde légère, avec des nœuds puissants,
S'est tressée en sandale à leurs pieds bondissants.

Le silence est profond dans la foule attentive;
Car la hache pesante, avec la flamme active,
D'un chêne que cent ans n'ont pas su protéger
Ont fait pour leur prière un autel passager.

Là ce chef dont le nom sème au loin l'épouvante
Dépose devant Dieu son oraison fervente;
Triomphateur sans pompe, il va d'une humble voix
Chanter le TE DEUM sous le dôme des bois.
Est-ce un guerrier farouche ? est-ce un pieux apôtre ?
Sous la robe de l'un il a les traits de l'autre :
Il est prêtre, et pourtant promptement irrité;
Il est soldat aussi, mais plein d'austérité;
Son front est triste et pâle, et son œil intrépide :
Son bras frappe et bénit, son langage est rapide,
Il passe dans la foule et ne s'y mêle pas;
Un pain noir et grossier compose ses repas;
Il parle, on obéit; on tremble s'il commande,
Et nul sur son destin ne tente une demande.
Le Trappiste est son nom : ce terrible inconnu,
Sorti jadis du monde, au monde est revenu;
Car, soulevant l'oubli dont ces couvents funèbres
A leurs moines muets imposent les ténèbres,
Il reparut au jour, dans une main la croix,
Dans l'autre, secouant, au nom des anciens Rois,
Ce fouet dont Jésus-Christ, de son bras pacifique,
Du haut des longs degrés du Temple magnifique,
Renversa les vendeurs qui souillaient le saint mur,
Dans les débris épars de leur trafic impur.
Soit que la main de Dieu le couvre ou se retire,
Le condamne à la gloire ou l'élève au martyre,
S'il vit, il reviendra sans plainte et sans orgueil,
D'un bras sanglant encore achever son cercueil,
Et reprendre, courbé, l'agriculture austère
Dont il s'est trop longtemps reposé dans la guerre.
Tel un mort, évoqué par de magiques voix,
Envoyé du sépulcre, apparaît pour les Rois,
Marche, prédit, menace, et retourne à sa tombe,
Dont la pierre éternelle en gémissant retombe.

Parmi les montagnards, ces robustes bergers,
Aventuriers hardis, chasseurs aux pieds légers,

Qui rangent sous sa loi leur troupe volontaire,
Nul n'a voulu savoir ce qu'il a voulu taire.
Dieu l'inspire et l'envoie, il le dit : c'est assez,
Pourvu que leurs combats leur soient toujours laissés.
Joyeux, ils voyaient donc, sanctifiant leur gloire,
Ce prêtre offrir à Dieu leur première victoire.
Pour lui, couvert de l'aube et de l'étole orné,
Devant l'autel agreste il s'était retourné.
Déjà, soldat du Christ, près d'entrer dans la lice,
Il remplissait son cœur des baumes du calice :
Mais des soupirs, des bruits s'élèvent; un grand cri
L'interrompt; il s'étonne, et, lui-même attendri,
Voit un jeune inconnu, dont la tête est sanglante,
Traînant jusqu'à l'autel sa marche faible et lente,
Montrant un fer brisé qui soutenait sa main,
Qui défendit sa fuite et fraya son chemin.
C'est un de ces guerriers dont la constante veille
Fait qu'en ses palais d'or la royauté sommeille.
Il tombe; mais il parle, et sa tremblante voix
S'efforce à ce discours entrecoupé trois fois :
« Pour qui donc cet autel au milieu des ténèbres ?
N'y chantez pas, ou bien dites des chants funèbres.
Quel Espagnol ne sait les hymnes du trépas ?
Les nouveaux noms des morts ne vous manqueront pas :
J'apporte sur vos monts de sanglantes nouvelles.
— Quoi ! le Roi n'est-il plus ? disaient les voix fidèles.
— Pleurez! — Il est donc mort ? — Pleurez, il est [vivant! »
Et le jeune martyr, sur un bras se levant,
Tel qu'un gladiateur dont la paupière errante
Cherche le sol qui tourne et fuit sa main mourante :
« Nos combats sont finis, dit-il, en un seul jour;
Nos taureaux ont quitté le cirque, et sans retour,
Puisque le spectateur à qui s'offrait la lutte
N'a pas daigné lui-même applaudir à leur chute.
Pour vous, si vous savez les secrets du devoir,
Partez, je vais mourir avant de les savoir.
Mais si vous rencontrez, non loin de ces montagnes,
Des soldats qui vont vite à travers les campagnes,
Qui portent sous leurs bras des fusils renversés,
Et passent en silence et leurs fronts abaissés,
Ne les engagez pas à cesser leur retraite;
Ils vous refuseraient en secouant la tête :
Car ils ont tous besoin, mon père, ainsi que moi,
De retremper leur âme aux sources de la foi.

Nul ne sait s'il succombe ou fidèle ou parjure,
Et si le dévoûment ne fut pas une injure.
Vous, habitant sacré du mont silencieux,
Instruit des saintes morts que préfèrent les Cieux,
Jugez-nous et parlez... Vous savez quelle proie
Le peuple osa vouloir dans sa féroce joie ?
Vous le savez, un Roi ne porte pas des fers
Sans que leur bruit s'entende au bout de l'univers.
Nous qui pensions encore, avant l'heure où nous sommes,
Qu'un serment prononcé devait lier les hommes,
Partant avec le jour, qui se levait sur nous
Brillant, mais dont le soir n'est pas venu pour tous,
Au palais, dont le peuple envahissait les portes,
En silence, à grands pas, marchaient nos trois cohortes :
Quand le balcon royal à nos yeux vint s'offrir,
Nous l'avons salué, car nous venions mourir.
Mais comme à notre voix il n'y paraît personne,
Aux cris des révoltés, à leur tocsin qui sonne,
A leur joie insultante, à leur nombre croissant,
Nous croyons le Roi mort, parce qu'il est absent;
Et, gémissant alors sur de fausses alarmes,
Accusant nos retards, nous répandions des larmes.
Mais un bruit les arrête, et, passé dans nos rangs,
Fait presque de leur mort repentir nos mourants.
Nous n'osons plus frapper, de peur qu'un plomb fidèle
N'aille blesser le Roi dans la foule rebelle.
Déjà, le fer levé, s'avancent ses amis,
Par nos bourreaux sanglants à nous tuer admis.
Nous recevons leurs coups longtemps avant d'y croire,
Et notre étonnement nous ôte la victoire.
En retirant vers vous nos rangs irrésolus,
Nous combattions toujours, mais nous ne pleurions plus. »

Il se tut. Il régna, de montagne en montagne,
Un bruit sourd qui semblait un soupir de l'Espagne.
Le Trappiste incliné mit sa main sur ses yeux.
On ne sait s'il pleura; car, tranquille et pieux,
Levant son front creusé par les rides antiques,
Sa voix grave apaisa les bataillons rustiques :
Comme au vent du midi la neige au loin se fond,
La rumeur s'éteignit dans un calme profond.
La lune alors plus belle écartait un nuage,
Et du moine héroïque éclairait le visage;

Troublé sur ses sommets et dans sa profondeur,
Le mont de tous ses bruits déployait la grandeur;
Aux mots entrecoupés du vainqueur catholique,
Se mêlaient d'un torrent la voix mélancolique,
Le froissement léger des mélèzes touffus,
D'un combat éloigné les coups longs et confus,
Et des loups affamés les hurlements funèbres,
Et le cri des vautours volant dans les ténèbres :

« Frères, il faut mourir : qu'importe le moment ?
Et si de notre mort le fatal instrument
Est cette main des Rois qui, jadis salutaire,
Touchait pour les guérir les peuples de la terre;
Quand même, nous brisant sous notre propre effort,
L'arche que nous portons nous donnerait la mort;
Quand même par nous seuls la couronne sauvée
Ecraserait un jour ceux qui l'ont relevée,
Seriez-vous étonnés, et vos fidèles bras
Seraient-ils moins ardents à servir les ingrats ?
Vous seriez-vous flattés qu'on trouvât sur la terre
La palme réservée au martyr volontaire ?
Hommes toujours déçus, j'en appelle à vous tous :
Interrogez vos cœurs, voyez autour de vous;
Rappelez vos liens, vos premières années,
Et d'un juste coup d'œil sondez nos destinées.
Amis, frères, amants, qui vous a donc appris
Qu'un dévoûment jamais dût recevoir son prix ?
Beaucoup semaient le bien d'une main vigilante,
Qui n'ont pu récolter qu'une moisson sanglante.
Si la couche est trompeuse et le foyer pervers,
Qu'avez-vous attendu des Rois de l'univers ?
O faiblesse mortelle, ô misère des hommes !
Plaignons notre nature et le siècle où nous sommes;
Gémissons en secret sur les fronts couronnés;
Mais servons-les pour Dieu qui nous les a donnés.
Notre cause est sacrée, et dans les cœurs subsiste.
En vain les Rois s'en vont : la Royauté résiste,
Son principe est en haut, en haut est son appui;
Car tout vient du Seigneur, et tout retourne à lui.
Dieu seul est juste, enfants; sans lui tout est mensonge,
Sans lui le mourant dit : « La vertu n'est qu'un songe. »
Nous allons le prier, et pour le Prince absent,
Et pour tous les martyrs dont coule encor le sang.

Je donne cette nuit à vos dernières larmes :
Demain nous chercherons, à la pointe des armes,
Pour le Roi la couronne, et des tombeaux pour nous. »

AMEN ! dit l'assemblée en tombant à genoux.

En 1822, à Courbevoie.

LA FRÉGATE LA SÉRIEUSE
OU
LA PLAINTE DU CAPITAINE

Poème

I

Qu'elle était belle, ma Frégate,
Lorsqu'elle voguait dans le vent!
Elle avait, au soleil levant,
Toutes les couleurs de l'agate;
Ses voiles luisaient le matin
Comme des ballons de satin;
Sa quille mince, longue et plate,
Portait deux bandes d'écarlate
Sur vingt-quatre canons cachés;
Ses mâts, en arrière penchés,
Paraissaient à demi couchés.
Dix fois plus vive qu'un pirate,
En cent jours du Havre à Surate
Elle nous emporta souvent.
— Qu'elle était belle, ma Frégate,
Lorsqu'elle voguait dans le vent!

II

BREST vante son beau port et cette rade insigne
Où peuvent manœuvrer trois cents vaisseaux de ligne;
BOULOGNE, sa cité haute et double, et CALAIS,
Sa citadelle assise en mer comme un palais;
DIEPPE a son vieux château soutenu par la dune,
Ses baigneuses cherchant la vague au clair de lune,
Et ses deux monts en vain par la mer insultés;
CHERBOURG a ses fanaux de bien loin consultés,

Et gronde en menaçant Guernsey la sentinelle
Debout près de Jersey, presque en France ainsi qu'elle.
LORIENT, dans sa rade au mouillage inégal,
Reçoit la poudre d'or des noirs du Sénégal;
SAINT-MALO dans son port tranquillement regarde
Mille rochers debout qui lui servent de garde;
LE HAVRE a pour parure ensemble et pour appui
Notre-Dame-de-Grâce et HONFLEUR devant lui;
BORDEAUX, de ses longs quais parés de maisons neuves,
Porte jusqu'à la mer ses vins sur deux grands fleuves;
Toute ville à MARSEILLE aurait droit d'envier
Sa ceinture de fruits, d'orange et d'olivier;
D'or et de fer BAYONNE en tout temps fut prodigue;
Du grand Cardinal-Duc LA ROCHELLE a la digue;
Tous nos ports ont leur gloire ou leur luxe à nommer :
Mais TOULON a lancé LA SÉRIEUSE en mer.

LA TRAVERSÉE

III

Quand la belle SÉRIEUSE
Pour l'Egypte appareilla,
Sa figure gracieuse
Avant le jour s'éveilla;
A la lueur des étoiles
Elle déploya ses voiles,
Leurs cordages et leurs toiles,
Comme de larges réseaux,
Avec ce long bruit qui tremble,
Qui se prolonge et ressemble
Aux bruits des ailes qu'ensemble
Ouvre une troupe d'oiseaux.

IV

Dès que l'ancre dégagée
Revient par son câble à bord,
La proue alors est changée,
Selon l'aiguille et le Nord.

LA SÉRIEUSE l'observe,
Elle passe la réserve,
Et puis marche de conserve
Avec le grand ORIENT :
Sa voilure toute blanche
Comme un sein gonflé se penche;
Chaque mât, comme une branche,
Touche la vague en pliant.

V

Avec sa démarche leste,
Elle glisse et prend le vent,
Laisse à l'arrière L'ALCESTE
Et marche seule à l'avant.
Par son pavillon conduite,
L'escadre n'est à sa suite
Que lorsque, arrêtant sa fuite,
Elle veut l'attendre enfin :
Mais, de bons marins pourvue,
Aussitôt qu'elle est en vue,
Par sa manœuvre imprévue,
Elle part comme un dauphin.

VI

Comme un dauphin elle saute,
Elle plonge comme lui
Dans la mer profonde et haute,
Où le feu Saint-Elme a lui.
Le feu serpente avec grâce;
Du gouvernail qu'il embrasse
Il marque longtemps la trace,
Et l'on dirait un éclair
Qui, n'ayant pu nous atteindre,
Dans les vagues va s'éteindre,
Mais ne cesse de les teindre
Du prisme enflammé de l'air.

VII

Ainsi qu'une forêt sombre
La flotte venait après,
Et de loin s'étendait l'ombre
De ses immenses agrès.
En voyant LE SPARTIATE
LE FRANKLIN et sa frégate,
Le bleu, le blanc, l'écarlate
De cent mâts nationaux,
L'armée, en convoi, remise
Comme en garde à L'ARTÉMISE,
Nous nous dîmes : « C'est Venise
Qui s'avance sur les eaux. »

VIII

Quel plaisir d'aller si vite
Et de voir son pavillon,
Loin des terres qu'il évite,
Tracer un noble sillon!
Au large on voit mieux le monde,
Et sa tête énorme et ronde
Qui se balance et qui gronde
Comme éprouvant un affront,
Parce que l'homme se joue
De sa force, et que la proue,
Ainsi qu'une lourde roue,
Fend sa route sur son front.

IX

Quel plaisir! et quel spectacle
Que l'élément triste et froid
Ouvert ainsi sans obstacle
Par un bois de chêne étroit!
Sur la plaine humide et sombre,
La nuit, reluisaient dans l'ombre
Des insectes en grand nombre,

De merveilleux vermisseaux,
Troupe brillante et frivole,
Comme un feu follet qui vole,
Ornant chaque banderole
Et chaque mât des vaisseaux.

X

Et surtout LA SÉRIEUSE
Etait belle nuit et jour;
La mer, douce et curieuse,
La portait avec amour,
Comme un vieux lion abaisse
Sa longue crinière épaisse,
Et, sans l'agiter, y laisse
Se jouer le lionceau;
Comme sur sa tête agile
Une femme tient l'argile,
Ou le jonc souple et fragile
D'un mystérieux berceau.

XI

Moi, de sa poupe hautaine
Je ne m'absentais jamais,
Car, étant son capitaine,
Comme un enfant je l'aimais;
J'aurais moins aimé peut-être
L'enfant que j'aurais vu naître.
De son cœur on n'est pas maître.
Moi, je suis un vrai marin;
Ma naissance est un mystère;
Sans famille, et solitaire,
Je ne connais pas la terre,
Et la vois avec chagrin.

XII

Mon banc de quart est mon trône,
J'y règne plus que les Rois;
Sainte Barbe est ma patronne;
Mon sceptre est mon porte-voix;

Ma couronne est ma cocarde;
Mes officiers sont ma garde;
A tous les vents je hasarde
Mon peuple de matelots,
Sans que personne demande
A quel bord je veux qu'il tende,
Et pourquoi je lui commande
D'être plus fort que les flots.

XIII

Voilà toute la famille
Qu'en mon temps il me fallait;
Ma Frégate était ma fille.
Va, lui disais-je. — Elle allait,
S'élançait dans la carrière,
Laissant l'écueil en arrière,
Comme un cheval sa barrière;
Et l'on m'a dit qu'une fois
(Quand je pris terre en Sicile)
Sa marche fut moins facile,
Elle parut indocile
Aux ordres d'une autre voix.

XIV

On l'aurait crue animée!
Toute l'Egypte la prit,
Si blanche et si bien formée,
Pour un gracieux Esprit
Des Français compatriote,
Lorsqu'en avant de la flotte,
Dont elle était le pilote,
Doublant une vieille Tour[1],
Elle entra, sans avarie,
Aux cris : Vive la patrie!
Dans le port d'Alexandrie,
Qu'on appelle Abou-Mandour.

1. La tour des Arabes, près d'Alexandrie.

LE REPOS

XV

Une fois, par malheur, si vous avez pris terre,
Peut-être qu'un de vous, sur un lac solitaire,
Aura vu, comme moi, quelque cygne endormi,
Qui se laissait au vent balancer à demi.
Sa tête nonchalante, en arrière appuyée,
Se cache dans la plume au soleil essuyée :
Son poitrail est lavé par le flot transparent,
Comme un écueil où l'eau se joue en expirant;
Le duvet qu'en passant l'air dérobe à sa plume
Autour de lui s'envole et se mêle à l'écume;
Une aile est son coussin, l'autre est son éventail;
Il dort, et de son pied le large gouvernail
Trouble encore, en ramant, l'eau tournoyante et douce,
Tandis que sur ses flancs se forme un lit de mousse,
De feuilles et de joncs, et d'herbages errants
Qu'apportent près de lui d'invisibles courants.

LE COMBAT

XVI

Ainsi près d'Aboukir reposait ma Frégate;
A l'ancre dans la rade, en avant des vaisseaux,
On voyait de bien loin son corset d'écarlate
Se mirer dans les eaux.

Ses canots l'entouraient, à leur place assignée.
Pas une voile ouverte, on était sans dangers.
Ses cordages semblaient des filets d'araignée,
Tant ils étaient légers.

Nous étions tous marins. Plus de soldats timides
Qui chancellent à bord ainsi que des enfants;
Ils marchaient sur leur sol, prenant des Pyramides,
Montant des éléphants.

Il faisait beau. — La mer, de sable environnée,
Brillait comme un bassin d'argent entouré d'or;
Un vaste soleil rouge annonça la journée
Du quinze Thermidor.

La Sérieuse alors s'ébranla sur sa quille :
Quand venait un combat, c'était toujours ainsi;
Je le reconnus bien, et je lui dis : Ma fille,
Je te comprends, merci.

J'avais une lunette exercée aux étoiles;
Je la pris, et la tins ferme sur l'horizon.
— Une, deux, trois — je vis treize et quatorze voiles :
Enfin, c'était Nelson.

Il courait contre nous en avant de la brise;
La Sérieuse à l'ancre, immobile s'offrant,
Reçut le rude abord sans en être surprise,
Comme un roc un torrent.

Tous passèrent près d'elle en lâchant leur bordée;
Fière, elle répondit aussi quatorze fois,
Et par tous les vaisseaux elle fut débordée,
Mais il en resta trois.

Trois vaisseaux de haut bord — combattre une frégate!
Est-ce l'art d'un marin ? le trait d'un amiral?
Un écumeur de mer, un forban, un pirate,
N'eût pas agi si mal!

N'importe! elle bondit, dans son repos troublée,
Elle tourna trois fois jetant vingt-quatre éclairs,
Et rendit tous les coups dont elle était criblée,
Feux pour feux, fers pour fers.

Ses boulets enchaînés fauchaient des mâts énormes,
Faisaient voler le sang, la poudre et le goudron,
S'enfonçaient dans le bois, comme au cœur des grands ormes
Le coin du bûcheron.

Un brouillard de fumée où la flamme étincelle
L'entourait; mais le corps brûlé, noir, écharpé,
Elle tournait, roulait, et se tordait sous elle,
Comme un serpent coupé.

Le soleil s'éclipsa dans l'air plein de bitume.
Ce jour entier passa dans le feu, dans le bruit;
Et lorsque la nuit vint, sous cette ardente brume
On ne vit pas la nuit.

Nous étions enfermés comme dans un orage :
Des deux flottes au loin le canon s'y mêlait;
On tirait en aveugle à travers le nuage :
Toute la mer brûlait.

Mais, quand le jour revint, chacun connut son œuvre.
Les trois vaisseaux flottaient dématés, et si las
Qu'ils n'avaient plus de force assez pour la manœuvre;
Mais ma Frégate, hélas!

Elle ne voulait plus obéir à son maître;
Mutilée, impuissante, elle allait au hasard;
Sans gouvernail, sans mât, on n'eût pu reconnaître
La merveille de l'art!

Engloutie à demi, son large pont à peine,
S'affaissant par degrés, se montrait sur les flots;
Et là ne restaient plus, avec moi capitaine,
Que douze matelots.

Je les fis mettre en mer à bord d'une chaloupe,
Hors de notre eau tournante et de son tourbillon;
Et je revins tout seul me coucher sur la poupe
Au pied du pavillon.

J'aperçus des Anglais les figures livides,
Faisant pour s'approcher un inutile effort
Sur leurs vaisseaux flottants comme des tonneaux vides,
Vaincus par notre mort.

La Sérieuse alors semblait à l'agonie :
L'eau dans ses cavités bouillonnait sourdement;
Elle, comme voyant sa carrière finie,
Gémit profondément.

Je me sentis pleurer, et ce fut un prodige,
Un mouvement honteux; mais bientôt l'étouffant :
Nous nous sommes conduits comme il fallait, lui dis-je;
Adieu donc, mon enfant.

Elle plongea d'abord sa poupe et puis sa proue;
Mon pavillon noyé se montrait en dessous;
Puis elle s'enfonça tournant comme une roue,
Et la mer vint sur nous.

XVII

Hélas! deux mousses d'Angleterre
Me sauvèrent alors, dit-on,
Et me voici sur un ponton; —
J'aimerais presque autant la terre!
Cependant je respire ici
L'odeur de la vague et des brises.
Vous êtes marins, Dieu merci!
Nous causons de combats, de prises,
Nous fumons, et nous prenons l'air
Qui vient aux sabords de la mer.
Votre voix m'anime et me flatte,
Aussi je vous dirai souvent :
— Qu'elle était belle, ma Frégate,
Lorsqu'elle voguait dans le vent!

A Dieppe, 1828.

LES AMANTS DE MONTMORENCY

Elévation

I

Etaient-ils malheureux, Esprits qui le savez!
Dans les trois derniers jours qu'ils s'étaient réservés ?
Vous les vîtes partir tous deux, l'un jeune et grave,
L'autre joyeuse et jeune. Insouciante esclave,
Suspendue au bras droit de son rêveur amant,
Comme à l'autel un vase attaché mollement,
Balancée en marchant sur sa flexible épaule
Comme la harpe juive à la branche du saule;
Riant, les yeux en l'air, et la main dans sa main,
Elle allait, en comptant les arbres du chemin,
Pour cueillir une fleur demeurait en arrière,
Puis revenait à lui, courant dans la poussière,
L'arrêtait par l'habit pour l'embrasser, posait
Un œillet sur sa tête, et chantait, et jasait
Sur les passants nombreux, sur la riche vallée
Comme un large tapis à ses pieds étalée;
Beau tapis de velours chatoyant et changeant,
Semé de clochers d'or et de maisons d'argent,
Tout pareils aux jouets qu'aux enfants on achète
Et qu'au hasard pour eux par la chambre l'on jette.
Ainsi, pour lui complaire, on avait sous ses pieds
Répandu des bijoux brillants, multipliés
En forme de troupeaux, de village aux toits roses
Ou bleus, d'arbres rangés, de fleurs sous l'onde écloses,
De murs blancs, de bosquets bien noirs, de lacs bien verts
Et de chênes tordus par la poitrine ouverts.
Elle voyait ainsi tout préparé pour elle :
Enfant, elle jouait, en marchant, toute belle,
Toute blonde, amoureuse et fière; et c'est ainsi
Qu'ils allèrent à pied jusqu'à Montmorency.

II

Ils passèrent deux jours d'amour et d'harmonie,
De chants et de baisers, de voix, de lèvre unie,
De regards confondus, de soupirs bienheureux,
Qui furent deux moments et deux siècles pour eux.
La nuit on entendait leurs chants; dans la journée
Leur sommeil; tant leur âme était abandonnée
Aux caprices divins du désir! Leurs repas
Etaient rares, distraits; ils ne les voyaient pas.
Ils allaient, ils allaient au hasard et sans heures,
Passant des champs aux bois, et des bois aux demeures,
Se regardant toujours, laissant les airs chantés
Mourir, et tout à coup restaient comme enchantés.
L'extase avait fini par éblouir leur âme,
Comme seraient nos yeux éblouis par la flamme.
Troublés, ils chancelaient, et le troisième soir,
Ils étaient enivrés jusques à ne rien voir
Que les feux mutuels de leurs yeux. La nature
Etalait vainement sa confuse peinture
Autour du front aimé, derrière les cheveux
Que leurs yeux noirs voyaient tracés dans leurs yeux
[bleus.
Ils tombèrent assis, sous des arbres; peut-être...
Ils ne le savaient pas. Le soleil allait naître
Ou s'éteindre... Ils voyaient seulement que le jour
Etait pâle, et l'air doux, et le monde en amour...
Un bourdonnement faible emplissait leur oreille
D'une musique vague, au bruit des mers pareille,
Et formant des propos tendres, légers, confus,
Que tous deux entendaient, et qu'on n'entendra plus.
Le vent léger disait de la voix la plus douce :
« Quand l'amour m'a troublé, je gémis sous la mousse. »
Les mélèzes touffus s'agitaient en disant :
« Secouons dans les airs le parfum séduisant
« Du soir, car le parfum est le secret langage
« Que l'amour enflammé fait sortir du feuillage. »
Le soleil incliné sur les monts dit encor :
« Par mes flots de lumière et par mes gerbes d'or
« Je réponds en élans aux élans de votre âme;
« Pour exprimer l'amour mon langage est la flamme. »
Et les fleurs exhalaient de suaves odeurs,
Autant que les rayons de suaves ardeurs;

Et l'on eût dit des voix timides et flûtées
Qui sortaient à la fois des feuilles veloutées;
Et, comme un seul accord d'accents harmonieux,
Tout semblait s'élever en chœur jusques aux cieux;
Et ces voix s'éloignaient, en rasant les campagnes,
Dans les enfoncements magiques des montagnes;
Et la terre, sous eux, palpitait mollement,
Comme le flot des mers ou le cœur d'un amant;
Et tout ce qui vivait, par un hymne suprême,
Accompagnait leurs voix qui se disaient : « Je t'aime. »

III

Or c'était pour mourir qu'ils étaient venus là.
Lequel des deux enfants le premier en parla ?
Comment dans leurs baisers vint la mort ? Quelle balle
Traversa les deux cœurs d'une atteinte inégale
Mais sûre ? Quels adieux leurs lèvres s'unissant
Laissèrent s'écouler avec l'âme et le sang ?
Qui le saurait ? Heureux celui dont l'agonie
Fut dans les bras chéris avant l'autre finie !
Heureux si nul des deux ne s'est plaint de souffrir !
Si nul des deux n'a dit : « *Qu'on a peine à mourir !* »
Si nul des deux n'a fait, pour se lever et vivre,
Quelque effort en fuyant celui qu'il devait suivre;
Et, reniant sa mort, par le mal égaré,
N'a repoussé du bras l'homicide adoré ?
Heureux l'homme surtout, s'il a rendu son âme,
Sans avoir entendu ces angoisses de femme,
Ces longs pleurs, ces sanglots, ces cris perçants et doux
Qu'on apaise en ses bras ou sur ses deux genoux,
Pour un chagrin; mais qui, si la mort les arrache,
Font que l'on tord ses bras, qu'on blasphème, qu'on
[cache
Dans ses mains son front pâle et son cœur plein de fiel,
Et qu'on se prend du sang pour le jeter au ciel. —

Mais qui saura leur fin ? —

Sur les pauvres murailles
D'une auberge où depuis on fit leurs funérailles,
Auberge où pour une heure ils vinrent se poser,
Ployant l'aile à l'abri pour toujours reposer,

Sur un vieux papier jaune, ordinaire tenture,
Nous avons lu des vers d'une double écriture,
Des vers de fou, sans rime et sans mesure. — Un mot
Qui n'avait pas de suite était tout seul en haut;
Demande sans réponse, énigme inextricable,
Question sur la mort. — Trois noms, sur une table,
Profondément gravés au couteau. — C'était d'eux
Tout ce qui demeurait... et le récit joyeux
D'une fille au bras rouge. « Ils n'avaient, disait-elle,
Rien oublié. » La bonne eut quelque bagatelle
Qu'elle montre en suivant leurs traces, pas à pas.
— Et Dieu ? — Tel est le siècle, ils n'y pensèrent pas.

Ecrit à Montmorency, 27 avril 1830.

PARIS

Elévation

— Prends ma main, Voyageur, et montons sur la tour. —
Regarde tout en bas, et regarde à l'entour.
Regarde jusqu'au bout de l'horizon, regarde
Du nord au sud. Partout où ton œil se hasarde,
Qu'il s'attache avec feu, comme l'œil du serpent
Qui pompe du regard ce qu'il suit en rampant,
Tourne sur le donjon qu'un parapet prolonge,
D'où la vue à loisir sur tous les points se plonge
Et règne, du zénith, sur un monde mouvant,
Comme l'éclair, l'oiseau, le nuage et le vent.
Que vois-tu dans la nuit, à nos pieds, dans l'espace,
Et partout où mon doigt tourne, passe et repasse ?

— « Je vois un cercle noir, si large et si profond
« Que je n'en aperçois ni le bout ni le fond.
« Des collines, au loin, me semblent sa ceinture,
« Et pourtant je ne vois nulle part la nature,
« Mais partout la main d'homme et l'angle que sa main
« Impose à la matière en tout travail humain.
« Je vois ces angles noirs et luisants qui, dans l'ombre,
« L'un sur l'autre entassés, sans ordre ni sans nombre
« Coupent des murs blanchis pareils à des tombeaux.
« — Je vois fumer, brûler, éclater des flambeaux,
« Brillant sur cet abîme où l'air pénètre à peine,
« Comme des diamants incrustés dans l'ébène.
« — Un fleuve y dort sans bruit, replié dans son cours,
« Comme, dans un buisson, la couleuvre aux cent tours.
« Des ombres de palais, de dômes et d'aiguilles,
« De tours et de donjons, de clochers, de bastilles,

« De châteaux forts, de kiosks et d'aigus minarets;
« Des formes de remparts, de jardins, de forêts,
« De spirales, d'arceaux, de parcs, de colonnades,
« D'obélisques, de ponts, de portes et d'arcades,
« Tout fourmille et grandit, se cramponne en montant,
« Se courbe, se replie, ou se creuse ou s'étend.
« — Dans un brouillard de feu je crois voir ce grand rêve.
« La tour où nous voilà dans le cercle s'élève.
« En le traçant jadis, c'est ici, n'est-ce-pas,
« Que Dieu même a posé le centre du compas ?
« Le vertige m'enivre, et sur mes yeux il pèse.
« Vois-je une Roue ardente, ou bien une Fournaise ? »

— Oui, c'est bien une Roue; et c'est la main de Dieu
Qui tient et fait mouvoir son invisible essieu.
Vers le but inconnu sans cesse elle s'avance.
On la nomme PARIS, le pivot de la France.
Quand la vivante Roue hésite dans ses tours,
Tout hésite et s'étonne, et recule en son cours.
Les rayons effrayés disent au cercle : Arrête.
Il le dit à son tour aux cercles dont la crête
S'enchâsse dans la sienne et tourne sous sa loi.
L'un le redit à l'autre; et l'impassible roi,
Paris, l'axe immortel, Paris, l'axe du monde,
Puise ses mouvements dans sa vigueur profonde,
Les communique à tous, les imprime à chacun,
Les impose de force, et n'en reçoit aucun.
Il se meut : tout s'ébranle, et tournoie et circule;
Le cœur du ressort bat, et pousse la bascule;
L'aiguille tremble et court à grands pas; le levier
Monte et baisse en sa ligne, et n'ose dévier.
Tous marchent leur chemin, et chacun d'eux écoute
Le pas régulateur qui leur creuse la route.
Il leur faut écouter et suivre; il le faut bien :
Car lorsqu'il arriva, dans un temps plus ancien,
Qu'un rouage isola son mouvement diurne,
Dans le bruit du travail demeura taciturne,
Et brisa, par orgueil, sa chaîne et son ressort,
Comme un bras que l'on coupe, il fut frappé de mort.
Car Paris l'éternel de leurs efforts se joue,
Et le moyeu divin tournerait sans la Roue;
Quand même tout voudrait revenir sur ses pas,
Seul il irait; lui seul ne s'arrêterait pas,

Et tu verrais la force et l'union ravie
Aux rayons qui partaient de son centre de vie.
— C'est donc bien, Voyageur, une Roue en effet.
Le vertige parfois est prophétique. — Il fait
Qu'une fournaise ardente éblouit ta paupière ?
C'est la Fournaise aussi que tu vois. — Sa lumière
Teint de rouge les bords du ciel noir et profond;
C'est un feu sous un dôme obscur, large et sans fond;
Là, dans les nuits d'hiver et d'été, quand les heures
Font du bruit en sonnant sur le toit des demeures,
Parce que l'homme y dort; là veillent des Esprits,
Grands ouvriers d'une œuvre et sans nom et sans prix.
La nuit leur lampe brûle, et le jour elle fume;
Le jour elle a fumé, le soir elle s'allume,
Et toujours et sans cesse alimente les feux
De la Fournaise d'or que nous voyons tous deux,
Et qui, se reflétant sur la sainte coupole,
Est du Globe endormi la céleste auréole.
Chacun d'eux courbe un front pâle, il prie, il écrit,
Il désespère, il pleure; il espère, il sourit;
Il arrache son sein et ses cheveux, s'enfonce
Dans l'énigme sans fin dont Dieu sait la réponse,
Et dont l'humanité, demandant son décret,
Tous les mille ans rejette et cherche le secret.
Chacun d'eux pousse un cri d'amour vers une idée.
L'un [1] soutient, en pleurant, la croix dépossédée,
S'assied près du sépulcre et seul, comme un banni,
Il se frappe en disant : *Lamma Sabacthani.*
Dans son sang, dans ses pleurs, il baigne, il noie, il
[plonge
La couronne d'épine et la lance et l'éponge,
Baise le corps du Christ, le soulève et lui dit :
« Reparais, Roi des Juifs, ainsi qu'il est prédit;
Viens, ressuscite encore aux yeux du seul apôtre.
L'Eglise meurt : renais dans sa cendre et la nôtre,
Règne, et sur les débris des schismes expiés,
Renverse tes gardiens des lueurs de tes pieds. »
— Rien. Le corps du Dieu ploie aux mains du dernier
[homme,
Prêtre pauvre et puissant pour Rome et malgré Rome.
Le cadavre adoré de ses clous immortels
Ne laisse plus tomber le sang pour ses autels.

1. M. l'abbé de Lamennais.

— Rien. Il n'ouvrira pas son oreille endormie
Aux lamentations du nouveau Jérémie,
Et le laissera seul, mais d'une habile main,
Retremper la tiare en l'alliage humain.
— Liberté! crie un autre [1], et soudain la tristesse
Comme un taureau le tue aux pieds de sa déesse,
Parce qu'ayant en vain quarante ans combattu,
Il ne peut rien construire où tout est abattu.
N'importe! Autour de lui des travailleurs sans nombre,
Aveugles inquiets, cherchent à travers l'ombre
Je ne sais quels chemins qu'ils ne connaissent pas,
Réglant et mesurant, sans règle et sans compas,
L'un sur l'autre semant des arbres sans racines,
Et mettant, au hasard, l'ordre dans les ruines.
Et comme il est écrit que chacun porte en soi
Le mal qui le tuera, regarde en bas, et voi.
Derrière eux s'est groupée une famille forte [2]
Qui les ronge et du pied pile leur œuvre morte,
Ecrase les débris qu'a faits la Liberté,
Y roule le niveau qu'on nomme Egalité
Et veut les mettre en cendre, afin que pour sa tête
L'homme n'ait d'autre abri que celui qu'elle apprête :
Et c'est un Temple. Un Temple immense, universel,
Où l'homme n'offrira ni l'encens, ni le sel,
Ni le sang, ni le pain, ni le vin, ni l'hostie;
Mais son temps et sa vie en œuvre convertie,
Mais son amour de tous, son abnégation
De lui, de l'héritage et de la nation;
Seul, sans père et sans fils, soumis à la parole,
L'union est son but et le travail son rôle,
Et, selon celui-là, qui parle après Jésus,
Tous seront appelés et tous seront élus.
— Ainsi tout est osé! Tu vois, pas de statue
D'homme, de roi, de Dieu, qui ne soit abattue,
Mutilée à la pierre et rayée au couteau,
Démembrée à la hache et broyée au marteau!
Or ou plomb, tout métal est plongé dans la braise
Et jeté pour refondre en l'ardente fournaise.
Tout brûle, craque, fume et coule; tout cela
Se tord, s'unit, se fend, tombe là, sort de là;
Cela siffle et murmure ou gémit; cela crie,
Cela chante, cela sonne, se parle et prie;

1. Benjamin Constant.
2. L'école saint-simonienne.

Cela reluit, cela flambe et glisse dans l'air,
Eclate en pluie ardente ou serpente en éclair.
Œuvre, ouvriers, tout brûle; au feu tout se féconde :
Salamandres partout! — Enfer! Eden du monde!
Paris! principe et fin! Paris! ombre et flambeau!
— Je ne sais si c'est mal, tout cela; mais c'est beau!
Mais c'est grand! mais on sent jusqu'au fond de son âme
Qu'un monde tout nouveau se forge à cette flamme;
Ou soleil, ou comète, on sent bien qu'il sera;
Qu'il brûle ou qu'il éclaire, on sent qu'il tournera,
Qu'il surgira brillant à travers la fumée,
Qu'il vêtira pour tous quelque forme animée,
Symbolique, imprévue et pure, on ne sait quoi,
Qui sera pour chacun le signe d'une foi,
Couvrira, devant Dieu, la terre comme un voile.
Ou de son avenir sera comme l'étoile,
Et, dans des flots d'amour et d'union, enfin
Guidera la famille humaine vers sa fin;
Mais que peut-être aussi, brûlant, pareil au glaive
Dont le feu dessécha les pleurs dans les yeux d'Ève,
Il ira labourant le globe comme un champ,
Et semant la douleur du levant au couchant;
Rasant l'œuvre de l'homme et des temps comme l'herbe
Dont un vaste incendie emporte chaque gerbe,
En laissant le désert, qui suit son large cours,
Comme un géant vainqueur, s'étendre pour toujours.
Peut-être que, partout où se verra sa flamme,
Dans tout corps s'éteindra le cœur, dans tout cœur l'âme,
Que rois et nations, se jetant à genoux,
Aux rochers ébranlés crieront : « Ecrasez-nous!
« Car voilà que Paris encore nous envoie
« Une perdition qui brise notre voie! »
— Que fais-tu donc, Paris, dans ton ardent foyer ?
Que jetteras-tu donc dans ton moule d'acier ?
Ton ouvrage est sans forme, et se pétrit encore
Sous la main ouvrière et le marteau sonore;
Il s'étend, se resserre, et s'engloutit souvent
Dans le jeu des ressorts et du travail savant,
Et voilà que déjà l'impatient esclave
Se meut dans la Fournaise, et, sous les flots de lave,
Il nous montre une tête énorme, et des regards
Portant l'ombre et le jour dans leurs rayons hagards.

Je cessai de parler, car, dans le grand silence,
Le sourd mugissement du centre de la France
Monta jusqu'à la Tour où nous étions placés,
Apporté par le vent des nuages glacés.
— Comme l'illusion de la raison se joue!
Je crus sentir mes pieds tourner avec la roue,
Et le feu du brasier qui montait vers les cieux
M'éblouit tellement que je fermai les yeux.

— « Ah! dit le Voyageur, la hauteur où nous sommes
« De corps et d'âme est trop pour la force des hommes!
« La tête a ses faux pas comme le pied les siens;
« Vous m'avez soutenu, c'est moi qui vous soutiens,
« Et je chancelle encor, n'osant plus sur la terre
« Contempler votre ville et son double mystère.
« Mais je crains bien pour elle et pour vous, car voilà
« Quelque chose de noir, de lourd, de vaste, là,
« Au plus haut point du ciel, où ne sauraient atteindre
« Les feux dont l'horizon ne cesse de se teindre;
« Et je crois entrevoir ce rocher ténébreux
« Qu'annoncèrent jadis les prophètes hébreux.
« *Lorsqu'une meule énorme*, ont-ils dit... — Il me semble
« La voir. — ... *apparaîtra sur la cité*... — Je tremble
« Que ce ne soit Paris. — ... *dont les enfants auront*
« *Effacé Jésus-Christ du cœur comme du front*... —
« Vous l'avez fait. — ... *alors que la ville enivrée*
« *D'elle-même, aux plaisirs du sang sera livrée*... —
« Qu'en pensez-vous ? — ... *alors l'Ange la rayera*
« *Du monde, et le rocher du ciel l'écrasera.* »

Je souris tristement : — Il se peut bien, lui dis-je,
Que cela nous arrive avec ou sans prodige;
Le ciel est noir sur nous; mais il faudrait alors
Qu'ailleurs pour l'avenir il fût d'autres trésors,
Et je n'en connais pas. Si la force divine
Est en ceux dont l'esprit sent, prévoit et devine,
Elle est ici. — Le Ciel la révère. — Et sur nous
L'ange exterminateur frapperait à genoux,
Et sa main, à la fois flamboyante et timide,
Tremblerait de commettre un second déicide.

Mais abaissons nos yeux, et n'allons pas chercher
Si ce que nous voyons est nuage ou rocher.
Descendons, et quittons cette imposante cime
D'où l'esprit voit un rêve et le corps un abîme.
— Je ne sais d'assurés, dans le chaos du sort,
Que deux points seulement, LA SOUFFRANCE ET LA MORT.
Tous les hommes y vont avec toutes les villes.
Mais les cendres, je crois, ne sont jamais stériles.
Si celles de Paris un jour sur ton chemin
Se trouvent, pèse-les, et prends-nous dans ta main,
Et, voyant à la place une rase campagne,
Dis : Le volcan a fait éclater sa montagne!
Pense au triple labeur que je t'ai révélé,
Et songe qu'au-dessus de ceux dont j'ai parlé
Il en fut de meilleurs et de plus purs encore,
Rares parmi tous ceux dont leur temps se décore,
Que la foule admirait et blâmait à moitié,
Des hommes pleins d'amour, de doute et de pitié,
Qui disaient : *Je ne sais*, des choses de la vie,
Dont le pouvoir ou l'or ne fut jamais l'envie,
Et qui, par dévoûment, sans détourner les yeux,
Burent jusqu'à la lie un calice odieux.
— Ensuite, Voyageur, tu quitteras l'enceinte,
Tu jetteras au vent cette poussière éteinte,
Puis, levant seul ta voix dans le désert sans bruit,
Tu crieras : *Pour longtemps le monde est dans la nuit!*

Ecrit le 16 janvier 1831, à Paris.

FIN

———

Œuvres posthumes

POÈMES PHILOSOPHIQUES

LES DESTINÉES

C'était écrit !

LES DESTINÉES

C'était écrit!

Depuis le premier jour de la création,
Les pieds lourds et puissants de chaque Destinée
Pesaient sur chaque tête et sur toute action.

Chaque front se courbait et traçait sa journée,
Comme le front d'un bœuf creuse un sillon profond
Sans dépasser la pierre où sa ligne est bornée.

Ces froides déités liaient le joug de plomb
Sur le crâne et les yeux des Hommes leurs esclaves,
Tous errant, sans étoile, en un désert sans fond;

Levant avec effort leurs pieds chargés d'entraves;
Suivant le doigt d'airain dans le cercle fatal,
Le doigt des Volontés inflexibles et graves.

Tristes divinités du monde Oriental,
Femmes au voile blanc, immuables statues,
Elles nous écrasaient de leur poids colossal.

Comme un vol de vautours sur le sol abattues,
Dans un ordre éternel, toujours en nombre égal
Aux têtes des mortels sur la terre épandues,

Elles avaient posé leur ongle sans pitié
Sur les cheveux dressés des races éperdues,
Traînant la femme en pleurs et l'homme humilié.

Un soir, il arriva que l'antique planète
Secoua sa poussière. — Il se fit un grand cri :
« Le Sauveur est venu, voici le jeune athlète,

« Il a le front sanglant et le côté meurtri,
« Mais la Fatalité meurt au pied du Prophète,
« La Croix monte et s'étend sur nous comme un abri ! »

Avant l'heure où, jadis, ces choses arrivèrent,
Tout Homme était courbé, le front pâle et flétri.
Quand ce cri fut jeté, tous ils se relevèrent.

Détachant les nœuds lourds du joug de plomb du Sort,
Toutes les Nations à la fois s'écrièrent :
« O Seigneur ! est-il vrai ? le Destin est-il mort ? »

Et l'on vit remonter vers le ciel, par volées,
Les filles du Destin, ouvrant avec effort
Leurs ongles qui pressaient nos races désolées ;

Sous leur robe aux longs plis voilant leurs pieds d'airain,
Leur main inexorable et leur face inflexible ;
Montant avec lenteur en innombrable essaim,

D'un vol inaperçu, sans ailes, insensible,
Comme apparaît, au soir, vers l'horizon lointain,
D'un nuage orageux l'ascension paisible.

— Un soupir de bonheur sortit du cœur humain.
La terre frissonna dans son orbite immense,
Comme un cheval frémit délivré de son frein.

Tous les astres émus restèrent en silence,
Attendant avec l'Homme, en la même stupeur,
Le suprême décret de la Toute-Puissance,

Quand ces filles du Ciel retournant au Seigneur,
Comme ayant retrouvé leurs régions natales,
Autour de Jéhovah se rangèrent en chœur,

D'un mouvement pareil levant leurs mains fatales,
Puis chantant d'une voix leur hymne de douleur
Et baissant à la fois leurs fronts calmes et pâles :

« Nous venons demander la Loi de l'avenir.
« Nous sommes, ô Seigneur, les froides Destinées
« Dont l'antique pouvoir ne devait point faillir.

« Nous roulions sous nos doigts les jours et les années;
« Devons-nous vivre encore ou devons-nous finir,
« Des Puissances du ciel, nous, les fortes aînées ?

« Vous détruisez d'un coup le grand piège du Sort
« Où tombaient tour à tour les races consternées,
« Faut-il combler la fosse et briser le ressort ?

« Ne mènerons-nous plus ce troupeau faible et morne,
« Ces hommes d'un moment, ces condamnés à mort
« Jusqu'au bout du chemin dont nous posions la borne ?

« Le moule de la vie était creusé par nous.
« Toutes les passions y répandaient leur lave,
« Et les événements venaient s'y fondre tous.

« Sur les tables d'airain où notre loi se grave,
« Vous effacez le nom de la FATALITÉ,
« Vous déliez les pieds de l'Homme notre esclave.

« Qui va porter le poids dont s'est épouvanté
« Tout ce qui fut créé ? ce poids sur la pensée,
« Dont le nom est en bas : RESPONSABILITÉ ? »

Il se fit un silence, et la terre affaissée
S'arrêta comme fait la barque sans rameurs
Sur les flots orageux, dans la nuit balancée.

Une voix descendit, venant de ces hauteurs
Où s'engendrent, sans fin, les mondes dans l'espace;
Cette voix, de la terre emplit les profondeurs :

« Retournez en mon nom, reines, je suis la Grâce.
« L'homme sera toujours un nageur incertain
« Dans les ondes du temps qui se mesure et passe.

« Vous toucherez son front, ô filles du Destin!
« Son bras ouvrira l'eau, qu'elle soit haute ou basse,
« Voulant trouver sa place et deviner sa fin.

« Il sera plus heureux, se croyant maître et libre.
« Et luttant contre vous dans un combat mauvais
« Où moi seule, d'en haut, je tiendrai l'équilibre.

« De moi naîtra son souffle et sa force à jamais.
« Son mérite est le mien, sa loi perpétuelle :
« Faire ce que je veux pour venir OÙ JE SAIS. »

Et le chœur descendit vers sa proie éternelle
Afin d'y ressaisir sa domination
Sur la race timide, incomplète et rebelle.

On entendit venir la sombre Légion
Et retomber les pieds des femmes inflexibles,
Comme sur nos caveaux tombe un cercueil de plomb.

Chacune prit chaque homme en ses mains invisibles.
— Mais, plus forte à présent, dans ce sombre duel,
Notre âme en deuil combat ces Esprits impassibles.

Nous soulevons parfois leur doigt faux et cruel.
La volonté transporte à des hauteurs sublimes
Notre front éclairé par un rayon du ciel.

Cependant sur nos caps, sur nos rocs, sur nos cimes,
Leur doigt rude et fatal se pose devant nous,
Et, d'un coup, nous renverse au fond des noirs abîmes.

Oh! dans quel désespoir nous sommes encor tous!
Vous avez élargi le COLLIER qui nous lie,
Mais qui donc tient la chaîne? — Ah! Dieu juste, [est-ce vous?

Arbitre libre et fier des actes de sa vie,
Si notre cœur s'entr'ouvre au parfum des vertus,
S'il s'embrase à l'amour, s'il s'élève au génie,

Que l'ombre des Destins, Seigneur, n'oppose plus
A nos belles ardeurs une immuable entrave,
A nos efforts sans fin des coups inattendus!

O sujet d'épouvante à troubler le plus brave!
Question sans réponse où vos Saints se sont tus!
O mystère! ô tourment de l'âme forte et grave!

Notre mot éternel est-il : C'ÉTAIT ÉCRIT ?
— SUR LE LIVRE DE DIEU, dit l'Orient esclave;
Et l'Occident répond : — SUR LE LIVRE DU CHRIST.

Ecrit au Maine-Giraud (Charente),
27 août 1849.

LA MAISON DU BERGER

A ÉVA

I

Si ton cœur, gémissant du poids de notre vie,
Se traîne et se débat comme un aigle blessé,
Portant comme le mien, sur son aile asservie,
Tout un monde fatal, écrasant et glacé;
S'il ne bat qu'en saignant par sa plaie immortelle,
S'il ne voit plus l'Amour, son étoile fidèle,
Eclairer pour lui seul l'horizon effacé;

Si ton âme enchaînée, ainsi que l'est mon âme,
Lasse de son boulet et de son pain amer,
Sur sa galère en deuil laisse tomber la rame,
Penche sa tête pâle et pleure sur la mer,
Et, cherchant dans les flots une route inconnue,
Y voit, en frissonnant, sur son épaule nue
La lettre sociale écrite avec le fer;

Si ton corps, frémissant des passions secrètes,
S'indigne des regards, timide et palpitant;
S'il cherche à sa beauté de profondes retraites
Pour la mieux dérober au profane insultant;
Si ta lèvre se sèche au poison des mensonges,
Si ton beau front rougit de passer dans les songes
D'un impur inconnu qui te voit et t'entend,

Pars courageusement, laisse toutes les villes;
Ne ternis plus tes pieds aux poudres du chemin;
Du haut de nos pensers vois les cités serviles
Comme les rocs fatals de l'esclavage humain.
Les grands bois et les champs sont de vastes asiles,
Libres comme la mer autour des sombres îles.
Marche à travers les champs une fleur à la main.

La Nature t'attend dans un silence austère;
L'herbe élève à tes pieds son nuage des soirs,
Et le soupir d'adieu du soleil à la terre
Balance les beaux lys comme des encensoirs.
La forêt a voilé ses colonnes profondes,
La montagne se cache, et sur les pâles ondes
Le saule a suspendu ses chastes reposoirs.

Le crépuscule ami s'endort dans la vallée,
Sur l'herbe d'émeraude et sur l'or du gazon,
Sous les timides joncs de la source isolée
Et sous le bois rêveur qui tremble à l'horizon,
Se balance en fuyant dans les grappes sauvages,
Jette son manteau gris sur le bord des rivages,
Et des fleurs de la nuit entr'ouvre la prison.

Il est sur ma montagne une épaisse bruyère
Où les pas du chasseur ont peine à se plonger,
Qui plus haut que nos fronts lève sa tête altière,
Et garde dans la nuit le pâtre et l'étranger.
Viens y cacher l'amour et ta divine faute;
Si l'herbe est agitée ou n'est pas assez haute,
J'y roulerai pour toi la Maison du Berger.

Elle va doucement avec ses quatre roues,
Son toit n'est pas plus haut que ton front et tes yeux;
La couleur du corail et celle de tes joues
Teignent le char nocturne et ses muets essieux.
Le seuil est parfumé, l'alcôve est large et sombre,
Et là, parmi les fleurs, nous trouverons dans l'ombre,
Pour nos cheveux unis, un lit silencieux.

Je verrai, si tu veux, les pays de la neige,
Ceux où l'astre amoureux dévore et resplendit,
Ceux que heurtent les vents, ceux que la mer assiège,
Ceux où le pôle obscur sous sa glace est maudit.
Nous suivrons du hasard la course vagabonde.
Que m'importe le jour ? que m'importe le monde ?
Je dirai qu'ils sont beaux quand tes yeux l'auront dit.

Que Dieu guide à son but la vapeur foudroyante
Sur le fer des chemins qui traversent les monts,
Qu'un Ange soit debout sur sa forge bruyante,
Quand elle va sous terre ou fait trembler les ponts

Et, de ses dents de feu, dévorant ses chaudières,
Transperce les cités et saute les rivières,
Plus vite que le cerf dans l'ardeur de ses bonds!

Oui, si l'Ange aux yeux bleus ne veille sur sa route,
Et le glaive à la main ne plane et la défend,
S'il n'a compté les coups du levier, s'il n'écoute
Chaque tour de la roue en son cours triomphant,
S'il n'a l'œil sur les eaux et la main sur la braise :
Pour jeter en éclats la magique fournaise,
Il suffira toujours du caillou d'un enfant.

Sur le taureau de fer qui fume, souffle et beugle,
L'homme a monté trop tôt. Nul ne connaît encor
Quels orages en lui porte ce rude aveugle,
Et le gai voyageur lui livre son trésor;
Son vieux père et ses fils, il les jette en otage
Dans le ventre brûlant du taureau de Carthage,
Qui les rejette en cendre aux pieds du Dieu de l'or.

Mais il faut triompher du temps et de l'espace,
Arriver ou mourir. Les marchands sont jaloux.
L'or pleut sous les charbons de la vapeur qui passe,
Le moment et le but sont l'univers pour nous.
Tous se sont dit : « Allons! » Mais aucun n'est le maître
Du dragon mugissant qu'un savant a fait naître;
Nous nous sommes joués à plus fort que nous tous.

Eh bien, que tout circule et que les grandes causes
Sur des ailes de feu lancent les actions,
Pourvu qu'ouverts toujours aux généreuses choses,
Les chemins du vendeur servent les passions.
Béni soit le commerce au hardi caducée,
Si l'Amour que tourmente une sombre pensée
Peut franchir en un jour deux grandes nations.

Mais, à moins qu'un ami menacé dans sa vie
Ne jette, en appelant, le cri du désespoir,
Ou qu'avec son clairon la France nous convie
Aux fêtes du combat, aux luttes du savoir;
A moins qu'au lit de mort une mère éplorée
Ne veuille encore poser sur sa race adorée
Ces yeux tristes et doux qu'on ne doit plus revoir,

Evitons ces chemins. — Leur voyage est sans grâces,
Puisqu'il est aussi prompt, sur ses lignes de fer,
Que la flèche lancée à travers les espaces
Qui va de l'arc au but en faisant siffler l'air.
Ainsi jetée au loin, l'humaine créature
Ne respire et ne voit, dans toute la nature,
Qu'un brouillard étouffant que traverse un éclair.

On n'entendra jamais piaffer sur une route
Le pied vif du cheval sur les pavés en feu;
Adieu, voyages lents, bruits lointains qu'on écoute,
Le rire du passant, les retards de l'essieu,
Les détours imprévus des pentes variées,
Un ami rencontré, les heures oubliées,
L'espoir d'arriver tard dans un sauvage lieu.

La distance et le temps sont vaincus. La science
Trace autour de la terre un chemin triste et droit.
Le Monde est rétréci par notre expérience
Et l'équateur n'est plus qu'un anneau trop étroit.
Plus de hasard. Chacun glissera sur sa ligne,
Immobile au seul rang que le départ assigne,
Plongé dans un calcul silencieux et froid.

Jamais la Rêverie amoureuse et paisible
N'y verra sans horreur son pied blanc attaché;
Car il faut que ses yeux sur chaque objet visible
Versent un long regard, comme un fleuve épanché;
Qu'elle interroge tout avec inquiétude,
Et, des secrets divins se faisant une étude,
Marche, s'arrête et marche avec le col penché.

II

Poésie! ô trésor! perle de la pensée!
Les tumultes du cœur, comme ceux de la mer,
Ne sauraient empêcher ta robe nuancée
D'amasser les couleurs qui doivent te former.
Mais, sitôt qu'il te voit briller sur un front mâle,
Troublé de ta lueur mystérieuse et pâle,
Le vulgaire effrayé commence à blasphémer.

Le pur enthousiasme est craint des faibles âmes
Qui ne sauraient porter son ardeur ni son poids.
Pourquoi le fuir ? — La vie est double dans les flammes.
D'autres flambeaux divins nous brûlent quelquefois :

C'est le Soleil du ciel, c'est l'Amour, c'est la Vie;
Mais qui de les éteindre a jamais eu l'envie ?
Tout en les maudissant, on les chérit tous trois.

La Muse a mérité les insolents sourires
Et les soupçons moqueurs qu'éveille son aspect.
Dès que son œil chercha le regard des Satyres,
Sa parole trembla, son serment fut suspect,
Il lui fut interdit d'enseigner la sagesse.
Au passant du chemin elle criait : Largesse!
Le passant lui donna sans crainte et sans respect.

Ah! fille sans pudeur! fille du Saint Orphée,
Que n'as-tu conservé ta belle gravité!
Tu n'irais pas ainsi, d'une voix étouffée,
Chanter aux carrefours impurs de la cité,
Tu n'aurais pas collé sur le coin de ta bouche
Le coquet madrigal, piquant comme une mouche,
Et, près de ton œil bleu, l'équivoque effronté.

Tu tombas dès l'enfance, et, dans la folle Grèce,
Un vieillard, t'enivrant de son baiser jaloux,
Releva le premier ta robe de prêtresse,
Et, parmi les garçons, t'assit sur ses genoux.
De ce baiser mordant ton front porte la trace;
Tu chantas en buvant dans les banquets d'Horace,
Et Voltaire à la cour te traîna devant nous.

Vestale aux feux éteints! les hommes les plus graves
Ne posent qu'à demi ta couronne à leur front;
Ils se croient arrêtés, marchant dans tes entraves,
Et n'être que poète est pour eux un affront.
Ils jettent leurs pensers aux vents de la tribune,
Et ces vents, aveuglés comme l'est la Fortune,
Les rouleront comme elle et les emporteront.

Ils sont fiers et hautains dans leur fausse attitude;
Mais le sol tremble aux pieds de ces tribuns romains.
Leurs discours passagers flattent avec étude
La foule qui les presse et qui leur bat des mains;
Toujours renouvelé sous ses étroits portiques,
Ce parterre ne jette aux acteurs politiques
Que des fleurs sans parfums, souvent sans lendemains.

Ils ont pour horizon leur salle de spectacle;
La chambre où ces élus donnent leurs faux combats
Jette en vain, dans son temple, un incertain oracle,
Le peuple entend de loin le bruit de leur débats;
Mais il regarde encor le jeu des assemblées
De l'œil dont ses enfants et ses femmes troublées
Voient le terrible essai des vapeurs aux cent bras.

L'ombrageux paysan gronde à voir qu'on dételle,
Et que pour le scrutin on quitte le labour.
Cependant le dédain de la chose immortelle
Tient jusqu'au fond du cœur quelque avocat d'un jour.
Lui qui doute de l'âme, il croit à ses paroles.
Poésie, il se rit de tes graves symboles.
O toi des vrais penseurs impérissable amour!

Comment se garderaient les profondes pensées
Sans rassembler leurs feux dans ton diamant pur
Qui conserve si bien leurs splendeurs condensées ?
Ce fin miroir solide, étincelant et dur;
Reste des nations mortes, durable pierre
Qu'on trouve sous ses pieds lorsque dans la poussière
On cherche les cités sans en voir un seul mur.

Diamant sans rival, que tes feux illuminent
Les pas lents et tardifs de l'humaine raison!
Il faut, pour voir de loin les Peuples qui cheminent,
Que le Berger t'enchâsse au toit de sa Maison.
Le jour n'est pas levé. — Nous en sommes encore
Au premier rayon blanc qui précède l'aurore
Et dessine la terre aux bords de l'horizon.

Les peuples tout enfants à peine se découvrent
Par-dessus les buissons nés pendant leur sommeil,
Et leur main, à travers les ronces qu'ils entr'ouvrent,
Met aux coups mutuels le premier appareil.
La barbarie encor tient nos pieds dans sa gaîne.
Le marbre des vieux temps jusqu'aux reins nous [enchaîne,
Et tout homme énergique au dieu Terme est pareil.

Mais notre esprit rapide en mouvements abonde,
Ouvrons tout l'arsenal de ses puissants ressorts.
L'invisible est réel. Les âmes ont leur monde
Où sont accumulés d'impalpables trésors.

Le Seigneur contient tout dans ses deux bras immenses,
Son Verbe est le séjour de nos intelligences,
Comme ici-bas l'espace est celui de nos corps.

III

Eva, qui donc es-tu ? Sais-tu bien ta nature ?
Sais-tu quel est ici ton but et ton devoir ?
Sais-tu que, pour punir l'Homme, sa créature,
D'avoir porté la main sur l'arbre du savoir,
Dieu permit qu'avant tout, de l'amour de soi-même
En tout temps, à tout âge, il fît son bien suprême,
Tourmenté de s'aimer tourmenté de se voir ?

Mais, si Dieu près de lui t'a voulu mettre, ô femme!
Compagne délicate ! Eva ! Sais-tu pourquoi ?
C'est pour qu'il se regarde au miroir d'une autre âme,
Qu'il entende ce chant qui ne vient que de toi :
— L'enthousiasme pur dans une voix suave. —
C'est afin que tu sois son juge et son esclave
Et règnes sur sa vie en vivant sous sa loi.

Ta parole joyeuse a des mots despotiques;
Tes yeux sont si puissants, ton aspect est si fort,
Que les rois d'Orient ont dit dans leurs cantiques
Ton regard redoutable à l'égal de la mort;
Chacun cherche à fléchir tes jugements rapides...
— Mais ton cœur, qui dément tes formes intrépides,
Cède sans coup férir aux rudesses du sort.

Ta pensée a des bonds comme ceux des gazelles,
Mais ne saurait marcher sans guide et sans appui.
Le sol meurtrit ses pieds, l'air fatigue ses ailes,
Son œil se ferme au jour dès que le jour a lui;
Parfois, sur les hauts lieux d'un seul élan posée,
Troublée au bruit des vents, ta mobile pensée
Ne peut seule y veiller sans crainte et sans ennui.

Mais aussi tu n'as rien de nos lâches prudences,
Ton cœur vibre et résonne au cri de l'opprimé,
Comme dans une église aux austères silences
L'orgue entend un soupir et soupire alarmé.
Tes paroles de feu meuvent les multitudes,
Tes pleurs lavent l'injure et les ingratitudes,
Tu pousses par le bras l'homme; il se lève armé.

C'est à toi qu'il convient d'ouïr les grandes plaintes
Que l'humanité triste exhale sourdement.
Quand le cœur est gonflé d'indignations saintes,
L'air des cités l'étouffe à chaque battement.
Mais de loin les soupirs des tourmentes civiles,
S'unissant au-dessus du charbon noir des villes,
Ne forment qu'un grand mot qu'on entend clairement.

Viens donc, le ciel pour moi n'est plus qu'une auréole
Qui t'entoure d'azur, t'éclaire et te défend;
La montagne est ton temple et le bois sa coupole;
L'oiseau n'est sur la fleur balancé par le vent,
Et la fleur ne parfume et l'oiseau ne soupire
Que pour mieux enchanter l'air que ton sein respire;
La terre est le tapis de tes beaux pieds d'enfant.

Eva! j'aimerai tout dans les choses créées,
Je les contemplerai dans ton regard rêveur
Qui partout répandra ses flammes colorées,
Son repos gracieux, sa magique saveur :
Sur mon cœur déchiré viens poser ta main pure,
Ne me laisse jamais seul avec la Nature;
Car je la connais trop pour n'en pas avoir peur.

Elle me dit : « Je suis l'impassible théâtre
Que ne peut remuer le pied de ses acteurs;
Mes marches d'émeraude et mes parvis d'albâtre,
Mes colonnes de marbre ont les dieux pour sculpteurs.
Je n'entends ni vos cris ni vos soupirs; à peine
Je sens passer sur moi la comédie humaine
Qui cherche en vain au ciel ses muets spectateurs.

« Je roule avec dédain, sans voir et sans entendre,
A côté des fourmis les populations;
Je ne distingue pas leur terrier de leur cendre,
J'ignore en les portant les noms des nations.
On me dit une mère et je suis une tombe.
Mon hiver prend vos morts comme son hécatombe,
Mon printemps ne sent pas vos adorations.

« Avant vous j'étais belle et toujours parfumée,
J'abandonnais au vent mes cheveux tout entiers,
Je suivais dans les cieux ma route accoutumée,
Sur l'axe harmonieux des divins balanciers.

Après vous, traversant l'espace où tout s'élance,
J'irai seule et sereine, en un chaste silence
Je fendrai l'air du front et de mes seins altiers. »

C'est là ce que me dit sa voix triste et superbe,
Et dans mon cœur alors je la hais, et je vois
Notre sang dans son onde et nos morts sous son herbe,
Nourrissant de leurs sucs la racine des bois.
Et je dis à mes yeux qui lui trouvaient des charmes :
— Ailleurs tous vos regards, ailleurs toutes vos larmes,
Aimez ce que jamais on ne verra deux fois.

Oh! qui verra deux fois ta grâce et ta tendresse,
Ange doux et plaintif qui parle en soupirant ?
Qui naîtra comme toi portant une caresse
Dans chaque éclair tombé de ton regard mourant,
Dans les balancements de ta tête penchée,
Dans ta taille indolente et mollement couchée,
Et dans ton pur sourire amoureux et souffrant ?

Vivez, froide Nature, et revivez sans cesse
Sous nos pieds, sur nos fronts, puisque c'est votre loi;
Vivez, et dédaignez, si vous êtes déesse,
L'homme, humble passager, qui dut vous être un roi;
Plus que tout votre règne et que ses splendeurs vaines,
J'aime la majesté des souffrances humaines;
Vous ne recevrez pas un cri d'amour de moi.

Mais toi, ne veux-tu pas, voyageuse indolente,
Rêver sur mon épaule, en y posant ton front ?
Viens du paisible seuil de la maison roulante
Voir ceux qui sont passés et ceux qui passeront.
Tous les tableaux humains qu'un Esprit pur m'apporte
S'animeront pour toi, quand, devant notre porte,
Les grands pays muets longuement s'étendront.

Nous marcherons ainsi ne laissant que notre ombre
Sur cette terre ingrate où les morts ont passé;
Nous nous parlerons d'eux à l'heure où tout est sombre,
Où tu te plais à suivre un chemin effacé,
A rêver, appuyée aux branches incertaines,
Pleurant, comme Diane au bord de ses fontaines,
Ton amour taciturne et toujours menacé.

———

LES ORACLES

DESTINÉE D'UN ROI

I

Ainsi je t'appelais au port et, sur la terre,
Fille de l'Océan, je te montrais mes bois.
J'y roulais la maison errante et solitaire.
— Des dogues révoltés j'entendais les abois.
— Je voyais, au sommet des longues galeries,
L'anonyme drapeau des vieilles Tuileries
Déchiré sur le front du dernier des vieux Rois.

II

L'Oracle est à présent dans l'air et dans la rue.
Le Passant au Passant, montre au ciel tout point noir.
Nous-même en mon désert nous lisions dans la nue,
Quatre ans avant l'éclair fatal. — Mais le Pouvoir
S'enferme en sa Doctrine, et, dans l'ombre, il calcule
Les problèmes sournois du jeu de sa bascule,
N'entend rien, ne sait rien et ne veut rien savoir.

III

C'était l'an du Seigneur où les songes livides
Ecrivaient sur les murs les trois mots flamboyants;
Et l'heure où les sultans, seuls sur leurs trônes vides,
Disent au ciel muet : « Où sont mes vrais Croyants ? »
— Le temps était venu des sept maigres génisses.
Mais en vain tous les yeux lisaient dans les auspices,
L'aveugle Pharaon dédaignait les Voyants.

IV

Ulysse avait connu les hommes et les villes,
Sondé le lac de sang des Révolutions,
Des Saints et des Héros les cœurs faux et serviles,
Et le sable mouvant des Constitutions.
— Et pourtant, un matin, des royales demeures,
Comme un autre en trois jours, il tombait en trois heures,
Sous le vent empesté des Déclamations.

V

Les Parlements jouaient aux tréteaux populaires,
A l'assaut du Pouvoir par l'applaudissement.
Leur Tribune savait, par de feintes colères,
Terrasser la Raison sous le Raisonnement.
Mais leurs coups secouaient la poutre et le cordage,
Et le frêle tréteau de leur échafaudage
Un jour vint à crier et croula lourdement.

VI

Les Doctrines croisaient leurs glaives de Chimères
Devant des spectateurs gravement assoupis;
Quand les lambris tombaient sur eux, ces gens austères
Ferraillaient comme Hamlet, sous la table accroupis;
Poursuivant, comme un rat, l'Argument en détresse,
Ces Fous, qui distillaient et vendaient la sagesse,
Tuaient Polonius à travers le tapis.

VII

O de tous les grands cœurs Déesses souveraines,
Qu'avez-vous dit alors ? ô Justice ! ô Raison !
Quand, par ce long travail des ruses souterraines,
Sur le maître étonné s'effondra la maison,
Sous le trône écrasant le Divan Doctrinaire
Et l'écu d'Orléans, qu'on croyait Populaire
Parce qu'il n'avait plus Fleur-de-lys ni blason ?

VIII

Reines de mes pensers! ô Raison! ô Justice!
Vous avez déployé vos balances d'acier
Pour peser ces Esprits d'audace et d'artifice
Que le Destin venait enfin d'humilier,
Quand son glaive, en coupant le fuseau des intrigues
Trancha le nœud Gordien des tortueuses ligues
Que leurs ongles savaient lier et délier.

IX

Vous avez dit alors, de votre voix sévère :
« — Malheur à vos amis, comme à vos alliés,
Sophistes qui parlez d'un ton de Sermonnaire!
— Il a croulé, *ce sol qui tremblait sous vos pieds.*
Mais tomber est trop doux pour l'homme à tous funeste,
De la punition vous subirez le reste,
Corrupteurs! vos délits furent mal expiés.

X

« Maîtres en longs discours à flots inépuisables!
Vous qui tout enseignez, n'aviez-vous rien appris ?
Toute Démocratie est un désert de sables,
Il y fallait bâtir si vous l'eussiez compris.
Ce n'était pas assez d'y dresser quelques tentes
Pour un Tournoi d'intrigue et de manœuvres lentes
Que le souffle de flamme un matin a surpris.

XI

« Vous avez conservé vos Vanités, vos Haines,
Au fond du grand abîme où vous êtes couchés,
Comme les corps trouvés sous les cendres Romaines
Debout, sous les caveaux de Pompéia cachés,
L'œil fixe, lèvre ouverte et la main étendue
Cherchant encor dans l'air leur parole perdue
Et s'évanouissant sitôt qu'ils sont touchés.

XII

« Partout où vous irez, froids, importants et fourbes,
Vous porterez le trouble, en des sentiers étroits
Des Coalitions suivant les lignes courbes,
Traçant de faux Devoirs et frappant de vrais Droits,
Gonflés d'Orgueil mondain et d'ambitions folles,
Imposant par le poids de vos âpres paroles
A l'Humble courageux la plus lourde des croix.

XIII

« Peuple et Rois ont connu quels conseillers vous êtes,
Quand, sous votre ombre en vain votre Prince abrité,
Aux murs du grand banquet et des funestes fêtes
Cherchant quelque lumière en votre obscurité,
Lut ces mots que nos mains gravèrent sur la pierre,
Comme autrefois Cromwell sur sa rouge bannière :
Et nunc, Reges mundi, nunc intelligite! ».

24 février 1862.

POST-SCRIPTUM

I

Mais pourquoi de leur cendre évoquer ces journées
Que les dédains publics effacent en passant ?
Entre elles et ce jour ont marché douze années;
Oublions et la Faute et la Fuite et le Sang,
Et les corruptions des pâles adversaires.
— Non. Dans l'Histoire il est de noirs anniversaires
Dont le spectre revient pour troubler le Présent.

II

Il revient quand l'Orgueil des obstinés Coupables
Sort du limon confus des Révolutions
Où pêle-mêle on voit tomber les Incapables,
Pour nous montrer encor ses vieilles passions
Et hurler à grands cris quelque sombre horoscope.
— En observant la vase aux feux d'un microscope,
On voit dans les serpents ces agitations.

III

S'agiter et blesser est l'instinct des vipères;
L'Homme ainsi contre l'Homme a son instinct fatal :
Il retourne ses dards et nourrit ses colères
Au réservoir caché de son poison natal.
Dans quelque cercle obscur qu'on les ait vus descendre,
Homme ou serpent, blottis sous le verre ou la cendre,
Mordront le diamant ou mordront le cristal.

IV

Le cristal, c'est la vue et la clarté du JUSTE,
Du principe éternel de toute vérité,
L'examen de soi-même au tribunal auguste
Où la Raison, l'Honneur, la Bonté, l'Equité,
La Prévoyance à l'œil rapide et la Science
Délibèrent en paix devant la Conscience
Qui, jugeant l'action, régit la Liberté.

V

Toujours, sur ce cristal, rempart des grandes âmes
La langue du Sophiste ira heurter son dard.
Qu'il se morde lui-même, en ses détours infâmes
Qu'il rampe, aveugle et sourd, dans l'éternel brouillard.
Oublié, méprisé, qu'il conspire et se torde;
Ignorant le vrai Beau, qu'il le souille et qu'il morde
Ce diamant que cherche en vain son faux regard.

VI

Le DIAMANT ? c'est l'art des choses idéales,
Et ses rayons d'argent, d'or, de pourpre et d'azur
Ne cessent de lancer les deux lueurs égales
Des pensers les plus beaux, de l'amour le plus pur.
Il porte du génie et transmet les empreintes.
Oui, de ce qui survit aux Nations éteintes
C'est lui le plus brillant trésor et le plus dur.

28 mars 1862.

LA SAUVAGE

I

Solitudes que Dieu fit pour le Nouveau Monde,
Forêts, vierges encor, dont la voûte profonde
A d'éternelles nuits que les brûlants soleils
N'éclairent qu'en tremblant par deux rayons vermeils
(Car le couchant peut seul et seule peut l'aurore
Glisser obliquement aux pieds du sycomore),
Pour qui, dans l'abandon, soupirent vos cyprès ?
Pour qui sont épaissis ces joncs luisants et frais ?
Quels pas attendez-vous pour fouler vos prairies ?
De quels Peuples éteints étiez-vous les Patries ?
Les pieds de vos grands Pins, si jeunes et si forts,
Sont-ils entrelacés sur la tête des morts ?
Et vos gémissements sortent-ils de ces urnes
Que trouve l'Indien sous ses pas taciturnes ?
Et ces bruits du désert, dans la plaine entendus,
Est-ce un soupir dernier des royaumes perdus ?
Votre nuit est bien sombre et le vent seul murmure.
— Une peur inconnue accable la nature.
Les oiseaux sont cachés dans le creux des pins noirs,
Et tous les animaux ferment leurs reposoirs
Sous l'écorce, ou la mousse, ou parmi les racines,
Ou dans le creux profond des vieux troncs en ruines.
— L'orage sonne au loin, le bois va se courber,
De larges gouttes d'eau commencent à tomber;
Le combat se prépare et l'immense ravage
Entre la nue ardente et la forêt sauvage.

II

— Qui donc cherche sa route en ces bois ténébreux ?
Une pauvre Indienne au visage fiévreux,
Pâle et portant au sein un faible enfant qui pleure.
Sur un sapin tombé, pont tremblant qu'elle effleure,
Elle passe, et sa main tient sur l'épaule un poids
Qu'elle baise; autre enfant pendu comme un carquois.
Malgré sa volonté, sa jeunesse et sa force,
Elle frissonne encor sous le pagne d'écorce
Et tient sur ses deux fils la laine aux plis épais,
Sa tunique et son lit dans la guerre et la paix.
— Après avoir longtemps examiné les herbes
Et la trace des pieds sur leurs épaisses gerbes
Ou sur le sable fin des ruisseaux abondants,
Elle s'arrête et cherche avec des yeux ardents
Quel chemin a suivi, dans les feuilles froissées,
L'homme de la *Peau-Rouge* aux guerres insensées.
Comme la lice errante, affamée et chassant,
Elle flaire l'odeur du sauvage passant,
Indien, ennemi de sa race Indienne,
Et de qui la famille a massacré la sienne.
Elle écoute, regarde et respire à la fois
La marche des Hurons sur les feuilles des bois;
Un cri lointain l'effraye, et dans la forêt verte
Elle s'enfonce enfin par une route ouverte.
Elle sait que les blancs, par le fer et le feu,
Ont troué ces grands bois semés des mains de Dieu,
Et, promenant au loin la flamme qui calcine,
Pour labourer la terre ont brûlé la racine,
L'arbre et les joncs touffus que le fleuve arrosait.
Ces Anglais qu'autrefois sa tribu méprisait
Sont maîtres sur sa terre, et l'Osage indocile
Va chercher leur foyer pour demander asile.

III

Elle entre en une allée où d'abord elle voit
La barrière d'un parc. — Un chemin large et droit
Conduit à la maison de forme Britannique,
Où le bois est cloué dans les angles de brique,

Où le toit invisible entre un double rempart
S'enfonce, où le charbon fume de toute part,
Où tout est clos et sain, où vient blanche et luisante
S'unir à l'Ordre froid la Propreté décente.
Fermée à l'ennemi, la maison s'ouvre au jour,
Légère comme un kiosk, forte comme une tour.
Le chien de Terre-Neuve y hurle près des portes,
Et des blonds serviteurs les agiles cohortes
S'empressent en silence aux travaux familiers,
Et, les plateaux en main, montent les escaliers.
Deux filles de six ans aux lèvres ingénues
Attachaient des rubans sur leurs épaules nues;
Mais, voyant l'Indienne, elles courent; leur main
L'appelle et l'introduit par le large chemin
Dont elles ont ouvert, à deux bras, la barrière;
Et caressant déjà la pâle aventurière :
« As-tu de beaux colliers d'Azaléa pour nous ?
« Ces Mocassins musqués, si jolis et si doux,
« Que ma mère à ses pieds ne veut d'autre chaussure ?
« Et les peaux de Castor, les a-t-on sans morsure ?
« Vends-tu le lait des noix et la sagamité[1] ?
« Le Pain Anglais n'a pas tant de suavité.
« C'est Noël aujourd'hui, Noël est notre fête,
« A nous, enfants; vois-tu ? la Bible est déjà prête;
« Devant l'orgue ma mère et nos sœurs vont s'asseoir,
« Mon frère est sur la porte et mon père au parloir. »

L'Indienne aux grands yeux leur sourit sans répondre,
Regarde tristement cette maison de Londre
Que le vent malfaiteur apporta dans ses bois,
Au lieu d'y balancer le hamac d'autrefois.
Mais elle entre à grands pas, de cet air calme et grave
Près duquel tout regard est un regard d'esclave.

Le parloir est ouvert, un pupitre au milieu;
Le père y lit la Bible à tous les gens du lieu,
Sa femme et ses enfants sont debout et l'écoutent,
Et des chasseurs de daims, que les Hurons redoutent,

1. Pâte de maïs.

Défricheurs de forêts et tueurs de Bison,
Valets et laboureurs, composent la maison.

Le maître est jeune et blond, vêtu de noir, sévère
D'aspect et d'un maintien qui veut qu'on le révère.
L'Anglais-Américain, nomade et protestant,
Pontife en sa maison, y porte, en l'habitant,
Un seul livre et partout où, pour l'heure, il réside,
De toute question sa Papauté décide;
Sa famille est croyante, et, sans autel, il sert,
Prêtre et père à la fois, son Dieu dans un désert.

Celui qui règne ici d'une façon hautaine
N'a point voulu parer sa maison puritaine,
Mais l'œil trouve un miroir sur les aciers brunis,
La main se réfléchit sur les meubles vernis;
Nul tableau sur les murs ne fait briller l'image
D'un Pays merveilleux, d'un grand homme ou d'un sage,
Mais, sous un cristal pur, orné d'un noir feston,
Un billet en dix mots qu'écrivit Washington.
Quelques livres rangés, dont le premier, Shakspeare
(Car des deux bords Anglais ses deux pieds ont l'Empire),
Attendent dans un angle, à leur taille ajusté,
Les lectures du soir et les heures du Thé.
Tout est prêt et rangé dans sa juste mesure,
Et la maîtresse, assise au coin d'une embrasure,
D'un sourire angélique et d'un doigt gracieux
Fait signe à ses enfants de baisser leurs beaux yeux.

IV

— La sauvage Indienne au milieu d'eux s'avance :
— « Salut, maître; mci, femme et seule en ta présence,
Je te viens demander asile en ta maison.
Nourris mes deux enfants, tiens-moi dans ta prison
Esclave de tes fils et de tes filles blanches,
Car ma tribu n'est plus et ses dernières branches
Sont mortes. Les Hurons, cette nuit, ont scalpé
Mes frères; mon mari ne s'est point échappé.

Nos hameaux sont brûlés comme aussi la prairie.
J'ai sauvé mes deux fils à travers la tuerie;
Je n'ai plus de Hamac, je n'ai plus de maïs,
Je n'ai plus de parents, je n'ai plus de pays. »
— Elle dit sans pleurer et sur le seuil se pose,
Sans que sa ferme voix ajoute aucune chose.

Le maître, d'un regard intelligent, humain,
Interroge sa femme en lui serrant la main :
— « Ma sœur, dit-il ensuite, entre dans ma famille;
Tes pères ne sont plus, que leur dernière fille
Soit sous mon toit solide accueillie, et chez moi
Tes enfants grandiront innocents comme toi;
Ils apprendront de nous, travailleurs, que la terre
Est sacrée et confère un droit héréditaire
A celui qui la sert de son bras endurci.
Caïn le laboureur a sa revanche ici,
Et le chasseur Abel va dans ses forêts vides
Voir errer et mourir ces familles livides
Comme des loups perdus qui se mordent entre eux,
Aveuglés par la rage, affamés, malheureux,
Sauvages animaux sans but, sans loi, sans âme,
Pour avoir dédaigné le travail et la femme.

— Hommes à la peau rouge! Enfants, qu'avez-vous fait ?
Dans l'air d'une maison votre cœur étouffait,
Vous haïssiez la paix, l'ordre et les lois civiles,
Et la sainte union des Peuples dans les villes,
Et vous voilà cernés dans l'anneau grandissant.
C'est la Loi qui, sur vous, s'avance en vous pressant.
La Loi d'Europe est lourde, impassible et robuste,
Mais son cercle est divin, car au centre est le Juste.
Sur les deux bords des mers vois-tu de tout côté
S'établir lentement cette grave beauté ?
Prudente Fée, elle a, dans sa marche Cyclique,
Sur chacun de ses pas mis une république.
Elle dit, en fondant chaque neuve cité :
— Vous m'appelez la Loi, je suis la Liberté. —
Sur le haut des grands monts, sur toutes les collines,
De la Louisiane aux deux sœurs Caroline,

L'œil de l'Européen qui l'aime et la connaît
Sait voir planer de loin sa pique et son bonnet,
Son bonnet phrygien, cette pourpre où s'attache,
Pour abattre les bois, une puissante hache.
Moi, simple Pionnier, au nom de la raison,
J'ai planté cette pique au seuil de ma maison,
Et j'ai, tout au milieu des forêts inconnues,
Avec ce fer de hache ouvert des avenues;
Mes fils, puis, après eux, leurs fils et leurs neveux,
Faucheront tout le reste avec leurs bras nerveux,
Et la terre où je suis doit être aussi leur terre,
Car de la Sainte Loi tel est le caractère
Qu'elle a de la Nature interprété les cris.
Tourne sur tes enfants tes grands yeux attendris,
Ma sœur, et sur ton sein. Cherche bien si la vie
Y coule pour toi seule. Es-tu donc assouvie
Quand brille la santé sur ton front triomphant ?
— Que dit le Sein fécond de la mère à l'enfant ?
Que disent, en tombant des veines azurées,
Que disent en courant les gouttes épurées ?
Que dit le cœur qui bat et les pousse à grands flots ?
— Ah! le Sein et le cœur, dans les divins sanglots
Où les soupirs d'amour aux douleurs se confondent,
Aux morsures d'enfant le cœur le sein répondent :
« A toi mon âme, à toi ma vie, à toi mon sang
« Qui du cœur de ma mère au fond du tien descend
« Et n'a passé par moi, par mes chastes mamelles,
« Qu'issu du philtre pur des sources maternelles;
« Que tout ce qui fut mien soit tien, ainsi que lui! »
. . . .
« Oui! dit la blonde Anglaise en l'interrompant. — Oui! »
Répéta l'Indiene en offrant le breuvage
De son sein nud et brun à son enfant sauvage,
Tandis que l'autre fils lui tendait les deux bras.

« — Sois donc notre convive, avec nous tu vivras,
Poursuivit le jeune homme, et peut-être Chrétienne
Un jour ma forte Loi, femme sera la tienne,
Et tu célébreras avec nous, tes amis,
La fête de Noël au foyer de tes fils. »

1843.

LA COLÈRE DE SAMSON

Le désert est muet, la tente est solitaire.
Quel pasteur courageux la dressa sur la terre
Du sable et des lions ? — La nuit n'a pas calmé
La fournaise du jour dont l'air est enflammé.
Un vent léger s'élève à l'horizon et ride
Les flots de la poussière ainsi qu'un lac limpide.
Le lin blanc de la tente est bercé mollement;
L'œuf d'autruche, allumé, veille paisiblement,
Des voyageurs voilés intérieure étoile,
Et jette longuement deux ombres sur la toile.

L'une est grande et superbe, et l'autre est à ses pieds :
C'est Dalila l'esclave, et ses bras sont liés
Aux genoux réunis du maître jeune et grave
Dont la force divine obéit à l'esclave.
Comme un doux léopard, elle est souple et répand
Ses cheveux dénoués aux pieds de son amant.
Ses grands yeux, entr'ouverts comme s'ouvre l'amande,
Sont brûlants du plaisir que son regard demande,
Et jettent, par éclats, leurs mobiles lueurs.
Ses bras fins tout mouillés de tièdes sueurs,
Ses pieds voluptueux qui sont croisés sous elle,
Ses flancs, plus élancés que ceux de la gazelle,
Pressés de bracelets, d'anneaux, de boucles d'or,
Sont bruns; et, comme il sied aux filles de Hatsor,
Ses deux seins, tout chargés d'amulettes anciennes,
Sont chastement pressés d'étoffes syriennes.
Les genoux de Samson fortement sont unis
Comme les deux genoux du colosse Anubis.

Elle s'endort sans force et riante et bercée
Par la puissante main sous sa tête placée.
Lui, murmure le chant funèbre et douloureux
Prononcé dans la gorge avec des mots hébreux.
Elle ne comprend pas la parole étrangère,
Mais le chant verse un somme en sa tête légère.

« Une lutte éternelle en tout temps, en tout lieu
Se livre sur la terre, en présence de Dieu,
Entre la bonté d'Homme et la ruse de Femme.
Car la femme est un être impur de corps et d'âme.

L'Homme a toujours besoin de caresse et d'amour,
Sa mère l'en abreuve alors qu'il vient au jour,
Et ce bras le premier l'engourdit, le balance
Et lui donne un désir d'amour et d'indolence.
Troublé dans l'action, troublé dans le dessein,
Il rêvera partout à la chaleur du sein,
Aux chansons de la nuit, aux baisers de l'aurore,
A la lèvre de feu que sa lèvre dévore,
Aux cheveux dénoués qui roulent sur son front,
Et les regrets du lit, en marchant, le suivront.
Il ira dans la ville, et, là, les vierges folles
Le prendront dans leurs lacs aux premières paroles.
Plus fort il sera né, mieux il sera vaincu,
Car plus le fleuve est grand et plus il est ému.
Quand le combat que Dieu fit pour la créature
Et contre son semblable et contre la nature
Force l'Homme à chercher un sein où reposer,
Quand ses yeux sont en pleurs, il lui faut un baiser.
Mais il n'a pas encor fini toute sa tâche. —
Vient un autre combat plus secret, traître et lâche;
Sous son bras, sous son cœur se livre celui-là,
Et, plus ou moins, la femme est toujours DALILA.
Elle rit, et triomphe; en sa froideur savante,
Au milieu de ses sœurs elle attend et se vante
De ne rien éprouver des atteintes du feu.
A sa plus belle amie elle en a fait l'aveu :
« Elle se fait aimer sans aimer elle-même.
« Un Maître lui fait peur. C'est le plaisir qu'elle aime,

« L'Homme est rude et le prend sans savoir le donner.
« Un sacrifice illustre et fait pour étonner
« Rehausse mieux que l'or, aux yeux de ses pareilles,
« La beauté qui produit tant d'étranges merveilles
« Et d'un sang précieux sait arroser ses pas. »

— Donc ce que j'ai voulu, Seigneur, n'existe pas. —
Celle à qui va l'amour et de qui vient la vie,
Celle-là, par Orgueil, se fait notre ennemie.
La Femme est à présent pire que dans ces temps
Où voyant les Humains Dieu dit : Je me repens!
Bientôt, se retirant dans un hideux royaume,
La Femme aura Gomorrhe et l'Homme aura Sodome,
Et, se jetant, de loin, un regard irrité,
Les deux sexes mourront chacun de son côté.

Eternel! Dieu des forts! vous savez que mon âme
N'avait pour aliment que l'amour d'une femme,
Puisant dans l'amour seul plus de sainte vigueur
Que mes cheveux divins n'en donnaient à mon cœur.
— Jugez-nous. — La voilà sur mes pieds endormie.
— Trois fois elle a vendu mes secrets et ma vie,
Et trois fois a versé des pleurs fallacieux
Qui n'ont pu me cacher la rage de ses yeux;
Honteuse qu'elle était plus encor qu'étonnée
De se voir découverte ensemble et pardonnée.
Car la bonté de l'Homme est forte, et sa douceur
Ecrase, en l'absolvant, l'être faible et menteur.

Mais enfin je suis las. — J'ai l'âme si pesante,
Que mon corps gigantesque et ma tête puissante
Qui soutiennent le poids des colonnes d'airain
Ne la peuvent porter avec tout son chagrin.

Toujours voir serpenter la vipère dorée
Qui se traîne en sa fange et s'y croit ignorée;

Toujours ce compagnon dont le cœur n'est pas sûr,
La Femme, enfant malade et douze fois impur!
— Toujours mettre sa force à garder sa colère
Dans son cœur offensé, comme en un sanctuaire
D'où le feu s'échappant irait tout dévorer,
Interdire à ses yeux de voir ou de pleurer,
C'est trop! — Dieu s'il le veut peut balayer ma cendre,
J'ai donné mon secret; Dalila va le vendre.
— Qu'ils seront beaux, les pieds de celui qui viendra
Pour m'annoncer la mort! — Ce qui sera, sera! »

Il dit et s'endormit près d'elle jusqu'à l'heure
Où les guerriers, tremblant d'être dans sa demeure,
Payant au poids de l'or chacun de ses cheveux,
Attachèrent ses mains et brûlèrent ses yeux,
Le traînèrent sanglant et chargé d'une chaîne
Que douze grands taureaux ne tiraient qu'avec peine,
Le placèrent debout, silencieusement,
Devant Dagon leur Dieu qui gémit sourdement
Et deux fois, en tournant, recula sur sa base
Et fit pâlir deux fois ses prêtres en extase;
Allumèrent l'encens; dressèrent un festin
Dont le bruit s'entendait du mont le plus lointain,
Et près de la génisse aux pieds du Dieu tuée
Placèrent Dalila, pâle prostituée,
Couronnée, adorée et reine du repas,
Mais tremblante et disant : IL NE ME VERRA PAS!

Terre et ciel! avez-vous tressailli d'allégresse
Lorsque vous avez vu la menteuse maîtresse
Suivre d'un œil hagard les yeux tachés de sang
Qui cherchaient le soleil d'un regard impuissant ?
Et quand enfin Samson secouant les colonnes
Qui faisaient le soutien des immenses Pylônes
Ecrasa d'un seul coup, sous les débris mortels,
Ses trois mille ennemis, leurs Dieux et leurs autels ? —

Terre et ciel! punissez par de telles justices
La trahison ourdie en des amours factices
Et la délation du secret de nos cœurs
Arraché dans nos bras par des baisers menteurs!

Ecrit à Shavington (Angleterre), 7 avril 1839.

LA MORT DU LOUP

I

Les nuages couraient sur la lune enflammée
Comme sur l'incendie on voit fuir la fumée,
Et les bois étaient noirs jusques à l'horizon.
Nous marchions, sans parler, dans l'humide gazon,
Dans la bruyère épaisse et dans les hautes brandes,
Lorsque, sous des sapins pareils à ceux des Landes
Nous avons aperçu les grands ongles marqués
Par les loups voyageurs que nous avions traqués.
Nous avons écouté, retenant notre haleine
Et le pas suspendu. — Ni le bois ni la plaine
Ne poussaient un soupir dans les airs; seulement
La girouette en deuil criait au firmament,
Car le vent, élevé bien au-dessus des terres,
N'effleurait de ses pieds que les tours solitaires,
Et les chênes d'en bas, contre les rocs penchés,
Sur leurs coudes semblaient endormis et couchés.
Rien ne bruissait donc, lorsque, baissant la tête,
Le plus vieux des chasseurs qui s'étaient mis en quête
A regardé le sable, attendant, à genoux,
Qu'une étoile jetât quelque lueur sur nous;
Puis, tout bas, a juré que ces marques récentes
Annonçaient la démarche et les griffes puissantes
De deux grands Loups-cerviers et de deux Louveteaux.
Nous avons tous alors préparé nos couteaux
Et, cachant nos fusils et leurs lueurs trop blanches,
Nous allions, pas à pas, en écartant les branches.

Trois s'arrêtent, et moi, cherchant ce qu'ils voyaient,
J'aperçois tout à coup deux yeux qui flamboyaient,
Et je vois au-delà quelques formes légères
Qui dansaient sous la lune au milieu des bruyères,
Comme font, chaque jour, à grand bruit, sous nos yeux,
Quand le maître revient, les lévriers joyeux.
L'allure était semblable et semblable la danse;
Mais les enfants du Loup se jouaient en silence,
Sachant bien qu'à deux pas, ne dormant qu'à demi,
Se couche dans ses murs l'homme, leur ennemi.

Le Père était debout, et plus loin, contre un arbre,
Sa Louve reposait comme celle de marbre
Qu'adoraient les Romains, et dont les flancs velus
Couvaient les Demi-Dieux Rémus et Romulus.
— Le Loup vient et s'assied, les deux jambes dressées
Par leurs ongles crochus dans le sable enfoncées.
Il s'est jugé perdu, puisqu'il était surpris,
Sa retraite coupée et tous ses chemins pris;
Alors il a saisi, dans sa gueule brûlante,
Du chien le plus hardi la gorge pantelante,
Et n'a pas desserré ses mâchoires de fer,
Malgré nos coups de feu qui traversaient sa chair
Et nos couteaux aigus qui, comme des tenailles,
Se croisaient en plongeant dans ses larges entrailles,
Jusqu'au dernier moment où le chien étranglé,
Mort longtemps avant lui, sous ses pieds a roulé.
Le Loup le quitte alors et puis il nous regarde.
Les couteaux lui restaient au flanc jusqu'à la garde,
Le clouaient au gazon tout baigné dans son sang;
Nos fusils l'entouraient en sinistre croissant.
Il nous regarde encore, ensuite il se recouche
Tout en léchant le sang répandu sur sa bouche,
Et, sans daigner savoir comment il a péri,
Refermant ses grands yeux, meurt sans jeter un cri.

II

J'ai reposé mon front sur mon fusil sans poudre,
Me prenant à penser, et n'ai pu me résoudre
A poursuivre sa Louve et ses fils qui, tous trois,
Avaient voulu l'attendre, et, comme je le crois,

Sans ses deux Louveteaux la belle et sombre veuve
Ne l'eût pas laissé seul subir la grande épreuve;
Mais son devoir était de les sauver, afin
De pouvoir leur apprendre à bien souffrir la faim,
A ne jamais entrer dans le pacte des villes
Que l'homme a fait avec les animaux serviles
Qui chassent devant lui, pour avoir le coucher,
Les premiers possesseurs du bois et du rocher.

III

Hélas! ai-je pensé, malgré ce grand nom d'Hommes,
Que j'ai honte de nous, débiles que nous sommes!
Comment on doit quitter la vie et tous ses maux,
C'est vous qui le savez, sublimes animaux!

A voir ce que l'on fut sur terre et ce qu'on laisse,
Seul le silence est grand; tout le reste est faiblesse.
— Ah! je t'ai bien compris, sauvage voyageur,
Et ton dernier regard m'est allé jusqu'au cœur!
Il disait : « Si tu peux, fais que ton âme arrive,
A force de rester studieuse et pensive,
Jusqu'à ce haut degré de stoïque fierté
Où, naissant dans les bois, j'ai tout d'abord monté.

Gémir, pleurer, prier est également lâche.
— Fais énergiquement ta longue et lourde tâche
Dans la voie où le Sort a voulu t'appeler.
Puis, après, comme moi, souffre et meurs sans parler. »

*Ecrit au Château du M***,*
1843.

LA FLÛTE

I

Un jour je vis s'asseoir au pied de ce grand arbre
Un Pauvre qui posa sur ce vieux banc de marbre
Son sac et son chapeau, s'empressa d'achever
Un morceau de pain noir, puis se mit à rêver.
Il paraissait chercher dans les longues allées
Quelqu'un pour écouter ses chansons désolées;
Il suivait à regret la trace des passants
Rares et qui, pressés, s'en allaient en tous sens.
Avec eux s'enfuyait l'aumône disparue,
Prix douteux d'un lit dur en quelque étroite rue
Et d'un amer souper dans un logis malsain.
Cependant il tirait lentement de son sein,
Comme se préparait au martyre un apôtre,
Les trois parts d'une Flûte et liait l'une à l'autre,
Essayait l'embouchure à son menton tremblant,
Faisait mouvoir la clef, l'épurait en soufflant,
Sur ses genoux ployés frottait le bois d'ébène,
Puis jouait. — Mais son front en vain gonflait sa veine,
Personne autour de lui pour entendre et juger
L'humble acteur d'un public ingrat et passager.
J'approchais une main du vieux chapeau d'artiste
Sans attendre un regard de son œil doux et triste
En ce temps, de révolte et d'orgueil si rempli;
Mais, quoique pauvre, il fut modeste et très poli.

II

Il me fit un tableau de sa pénible vie.
Poussé par ce démon qui toujours nous convie,

Ayant tout essayé, rien ne lui réussit,
Et le chaos entier roulait dans son récit.
Ce n'était qu'élan brusque et qu'ambitions folles,
Qu'entreprise avortée et grandeur en paroles.

D'abord, à son départ, orgueil démesuré,
Gigantesque écriteau sur un front assuré,
Promené dans Paris d'une façon hautaine :
Bonaparte et Byron, poète et capitaine,
Législateur aussi, chef de religion
(De tous les écoliers c'est la contagion),
Père d'un panthéisme orné de plusieurs choses,
De quelques âges d'or et des métempsycoses
De Bouddha, qu'en son cœur il croyait inventer;
Il l'appliquait à tout, espérant importer
Sa révolution dans sa philosophie;
Mais des contrebandiers notre âge se défie;
Bientôt par nos fleurets le défaut est trouvé;
D'un seul argument fin son ballon fut crevé.

Pour hisser sa nacelle il en gonfla bien d'autres
Que le vent dispersa. Fatigué des apôtres,
Il dépouilla leur froc. (Lui-même le premier
Souriait tristement de cet air cavalier
Dont sa marche, au début, avait été fardée
Et, pour d'obscurs combats, si pesamment bardée;
Car, plus grave à présent, d'une double lueur
Semblait se réchauffer et s'éclairer son cœur;
Le Bon sens qui se voit, la Candeur qui l'avoue,
Coloraient en parlant les pâleurs de sa joue.)
Laissant donc les couvents, Panthéistes ou non,
Sur la poupe d'un Drame il inscrivit son nom
Et vogua sur ces mers aux trompeuses étoiles;
Mais, faute de savoir, il sombra sous ses voiles
Avant d'avoir montré son pavillon aux airs.
Alors rien devant lui que flots noirs et déserts,
L'océan du travail si chargé de tempêtes
Où chaque vague emporte et brise mille têtes.
Là, flottant quelques jours sans force et sans fanal,
Son esprit surnagea dans les plis d'un journal,
Radeau désespéré que trop souvent déploie
L'équipage affamé qui se perd et se noie.

Il s'y noya de même, et de même, ayant faim
Fit ce que fait tout homme invalide et sans pain.

« Je gémis, disait-il, d'avoir une pauvre âme
Faible autant que serait l'âme de quelque femme,
Qui ne peut accomplir ce qu'elle a commencé
Et s'abat au départ sur tout chemin tracé.
L'idée à l'horizon est à peine entrevue,
Que sa lumière écrase et fait ployer ma vue.
Je vois grossir l'obstacle en invincible amas,
Je tombe ainsi que Paul en marchant vers Damas.
— Pourquoi, me dit la voix qu'il faut aimer et craindre,
Pourquoi me poursuis-tu, toi qui ne peux m'étreindre ?
— Et le rayon me trouble et la voix m'étourdit,
Et je demeure aveugle et je me sens maudit. »

III

— « Non, criai-je en prenant ses deux mains dans les [miennes,
Ni dans les grandes lois des croyances anciennes,
Ni dans nos dogmes froids, forgés à l'atelier,
Entre le banc du maître et ceux de l'écolier,
Ces faux Athéniens dépourvus d'atticisme,
Qui nous soufflent aux yeux des bulles de sophisme,
N'ont découvert un mot par qui fût condamné
L'homme aveuglé d'esprit plus que l'aveugle-né.

C'est assez de souffrir sans se juger coupable
Pour avoir entrepris et pour être incapable;
J'aime, autant que le fort, le faible courageux
Qui lance un bras débile en des flots orageux,
De la glace d'un lac plonge dans la fournaise
Et d'un volcan profond va tourmenter la braise.
Ce Sisyphe éternel est beau, seul, tout meurtri,
Brûlé, précipité, sans jeter un seul cri,
Et n'avouant jamais qu'il saigne et qu'il succombe
A toujours ramasser son rocher qui retombe.
Si, plus haut parvenus, de glorieux esprits
Vous dédaignent jamais, méprisez leur mépris;
Car ce sommet de tout, dominant toute gloire,
Ils n'y sont pas, ainsi que l'œil pourrait le croire.

On n'est jamais en haut. Les forts, devant leurs pas,
Trouvent un nouveau mont inaperçu d'en bas.
Tel que l'on croit complet et maître en toute chose
Ne dit pas les savoirs qu'à tort on lui suppose,
Et qu'il est tel grand but qu'en vain il entreprit.
— Tout homme a vu le mur qui borne son esprit.

Du corps et non de l'âme accusons l'indigence.
Des organes mauvais servent l'intelligence
Et touchent, en tordant et tourmentant leur nœud,
Ce qu'ils peuvent atteindre et non ce qu'elle veut.
En traducteurs grossiers de quelque auteur céleste
Ils parlent... Elle chante et désire le reste.
Et, pour vous faire ici quelque comparaison,
Regardez votre Flûte, écoutez-en le son.
Est-ce bien celui-là que voulait faire entendre
La lèvre ? Etait-il pas ou moins rude ou moins tendre ?
Eh bien, c'est au bois lourd que sont tous les défauts,
Votre souffle était juste et votre chant est faux.
Pour moi qui ne sais rien et vais du doute au rêve,
Je crois qu'après la mort, quand l'union s'achève,
L'âme retrouve alors la vue et la clarté,
Et que, jugeant son œuvre avec sérénité,
Comprenant sans obstacle et s'expliquant sans peine,
Comme ses sœurs du ciel elle est puissante et reine,
Se mesure au vrai poids, connaît visiblement
Que son souffle était faux par le faux instrument,
N'était ni glorieux ni vil, n'étant pas libre;
Que le corps seulement empêchait l'équilibre;
Et, calme, elle reprend, dans l'idéal bonheur,
La sainte égalité des esprits du Seigneur. »

IV

Le Pauvre alors rougit d'une joie imprévue,
Et contempla sa Flûte avec une autre vue;
Puis, me connaissant mieux, sans craindre mon aspect,
Il la baisa deux fois en signe de respect,
Et joua, pour quitter ses airs anciens et tristes,
Ce *Salve Regina* que chantent les Trappistes.
Son regard attendri paraissait inspiré,
La note était plus juste et le souffle assuré.

———

LE MONT DES OLIVIERS

I

Alors il était nuit et Jésus marchait seul,
Vêtu de blanc ainsi qu'un mort de son linceul;
Les disciples dormaient au pied de la colline.
Parmi les oliviers qu'un vent sinistre incline
Jésus marche à grands pas en frissonnant comme eux;
Triste jusqu'à la mort; l'œil sombre et ténébreux,
Le front baissé, croisant les deux bras sur sa robe
Comme un voleur de nuit cachant ce qu'il dérobe;
Connaissant les rochers mieux qu'un sentier uni,
Il s'arrête en un lieu nommé Gethsémani :
Il se courbe, à genoux, le front contre la terre,
Puis regarde le ciel en appelant : Mon Père!
— Mais le ciel reste noir, et Dieu ne répond pas.
Il se lève étonné, marche encore à grands pas,
Froissant les oliviers qui tremblent. Froide et lente,
Découle de sa tête une sueur sanglante.
Il recule, il descend, il crie avec effroi :
Ne pouviez-vous prier et veiller avec moi!
Mais un sommeil de mort accable les apôtres,
Pierre à la voix du maître est sourd comme les autres.
Le fils de l'homme alors remonte lentement.
Comme un pasteur d'Egypte il cherche au firmament
Si l'Ange ne luit pas au fond de quelque étoile.
Mais un nuage en deuil s'étend comme le voile
D'une veuve et ses plis entourent le désert.
Jésus, se rappelant ce qu'il avait souffert
Depuis trente-trois ans, devint homme, et la crainte
Serra son cœur mortel d'une invincible étreinte.
Il eut froid. Vainement il appela trois fois :
MON PÈRE! — Le vent seul répondit à sa voix.

Il tomba sur le sable assis et, dans sa peine,
Eut sur le monde et l'homme une pensée humaine.
— Et la Terre trembla, sentant la pesanteur
Du Sauveur qui tombait aux pieds du créateur.

II

Jésus disait : « O Père, encor laisse-moi vivre !
Avant le dernier mot ne ferme pas mon livre !
Ne sens-tu pas le monde et tout le genre humain
Qui souffre avec ma chair et frémit dans ta main ?
C'est que la Terre a peur de rester seule et veuve,
Quand meurt celui qui dit une parole neuve ;
Et que tu n'as laissé dans son sein desséché
Tomber qu'un mot du ciel par ma bouche épanché.
Mais ce mot est si pur, et sa douceur est telle,
Qu'il a comme enivré la famille mortelle
D'une goutte de vie et de Divinité,
Lorsqu'en ouvrant les bras j'ai dit : FRATERNITÉ !

— Père ! si j'ai rempli mon douloureux message,
Si j'ai caché le Dieu sous la face du Sage,
Du Sacrifice humain si j'ai changé le prix,
Pour l'offrande des corps recevant les esprits,
Substituant partout aux choses le Symbole,
La parole au combat, comme aux trésors l'obole,
Aux flots rouges du Sang les flots vermeils du vin,
Aux membres de la chair le pain blanc sans levain ;
Si j'ai coupé les temps en deux parts, l'une esclave
Et l'autre libre ; — au nom du Passé que je lave
Par le Sang de mon corps qui souffre et va finir :
Versons-en la moitié pour laver l'avenir !
Père Libérateur ! jette aujourd'hui, d'avance,
La moitié de ce Sang d'amour et d'innocence
Sur la tête de ceux qui viendront en disant :
« Il est permis pour tous de tuer l'innocent. »
Nous savons qu'il naîtra, dans le lointain des âges,
Des dominateurs durs escortés de faux Sages
Qui troubleront l'esprit de chaque nation
En donnant un faux sens à ma rédemption. —
Hélas ! je parle encor que déjà ma parole
Est tournée en poison dans chaque parabole ;

Eloigne ce Calice impur et plus amer
Que le fiel, ou l'absinthe, ou les eaux de la mer.
Les verges qui viendront, la couronne d'épine,
Les clous des mains, la lance au fond de ma poitrine,
Enfin toute la croix qui se dresse et m'attend,
N'ont rien, mon Père, oh! rien qui m'épouvante autant!

— Quand les Dieux veulent bien s'abattre sur les mondes,
Ils n'y doivent laisser que des traces profondes,
Et si j'ai mis le pied sur ce globe incomplet
Dont le gémissement sans repos m'appelait,
C'était pour y laisser deux anges à ma place
De qui la race humaine aurait baisé la trace,
La Certitude heureuse et l'Espoir confiant
Qui dans le Paradis marchent en souriant.
Mais je vais la quitter, cette indigente Terre,
N'ayant que soulevé ce manteau de misère
Qui l'entoure à grands plis, drap lugubre et fatal,
Que d'un bout tient le Doute et de l'autre le Mal.

Mal et Doute! En un mot je puis les mettre en poudre;
Vous les aviez prévus, laissez-moi vous absoudre
De les avoir permis. — C'est l'accusation
Qui pèse de partout sur la Création!
— Sur son tombeau désert faisons monter Lazare.
Du grand secret des morts qu'il ne soit plus avare
Et de ce qu'il a vu donnons-lui souvenir,
Qu'il parle. — Ce qui dure et ce qui doit finir;
Ce qu'a mis le Seigneur au cœur de la Nature,
Ce qu'elle prend et donne à toute créature;
Quels sont, avec le ciel, ses muets entretiens,
Son amour ineffable et ses chastes liens;
Comment tout s'y détruit et tout s'y renouvelle,
Pourquoi ce qui s'y cache et ce qui s'y révèle;
Si les astres des cieux tour-à-tour éprouvés
Sont comme celui-ci coupables et sauvés;
Si la Terre est pour eux ou s'ils sont pour la Terre;
Ce qu'a de vrai la fable et de clair le mystère,
D'ignorant le savoir et de faux la raison;
Pourquoi l'âme est liée en sa faible prison;

Et pourquoi nul sentier entre deux larges voies,
Entre l'ennui du calme et des paisibles joies
Et la rage sans fin des vagues passions,
Entre la Léthargie et les Convulsions;
Et pourquoi pend la Mort comme une sombre épée
Attristant la Nature à tout moment frappée;
— Si le Juste et le Bien, si l'Injuste et le Mal
Sont de vils accidents en un cercle fatal
Ou si de l'univers ils sont les deux grands pôles,
Soutenant Terre et Cieux sur leurs vastes épaules;
Et pourquoi les Esprits du Mal sont triomphants
Des maux immérités, de la mort des enfants;
— Et si les Nations sont des Femmes guidées
Par les étoiles d'or des divines idées
Ou de folles enfants sans lampes dans la nuit,
Se heurtant et pleurant et que rien ne conduit;
— Et si, lorsque des temps l'horloge périssable
Aura jusqu'au dernier versé ses grains de sable,
Un regard de vos yeux, un cri de votre voix,
Un soupir de mon cœur, un signe de ma croix,
Pourra faire ouvrir l'ongle aux Peines Eternelles,
Lâcher leur proie humaine et reployer leurs ailes;
— Tout sera révélé dès que l'homme saura
De quels lieux il arrive et dans quels il ira. »

III

Ainsi le divin fils parlait au divin Père.
Il se prosterne encore, il attend, il espère...
Mais il renonce et dit : Que votre Volonté
Soit faite et non la mienne et pour l'Eternité.
Une terreur profonde, une angoisse infinie
Redoublent sa torture et sa lente agonie.
Il regarde longtemps, longtemps cherche sans voir.
Comme un marbre de deuil tout le ciel était noir.
La Terre sans clartés, sans astre et sans aurore,
Et sans clarté de l'âme ainsi qu'elle est encore,
Frémissait. — Dans le bois il entendit des pas,
Et puis il vit rôder la torche de Judas.

LE SILENCE

S'il est vrai qu'au Jardin sacré des Ecritures,
Le Fils de l'Homme ait dit ce qu'on voit rapporté;
Muet, aveugle et sourd au cri des créatures,
Si le Ciel nous laissa comme un monde avorté,
Le juste opposera le dédain à l'absence
Et ne répondra plus que par un froid silence
Au silence éternel de la Divinité.

2 avril 1862.

LA BOUTEILLE A LA MER

Conseil
à un jeune homme inconnu

I

Courage, ô faible enfant, de qui ma solitude
Reçoit ces chants plaintifs, sans nom, que vous jetez
Sous mes yeux ombragés du camail de l'étude.
Oubliez les enfants par la mort arrêtés;
Oubliez Chatterton, Gilbert et Malfilâtre;
De l'œuvre d'avenir saintement idolâtre,
Enfin, oubliez l'homme en vous-même. — Ecoutez :

II

Quand un grave Marin voit que le vent l'emporte
Et que les mâts brisés pendent tous sur le pont,
Que dans son grand duel la mer est la plus forte
Et que par des calculs l'esprit en vain répond;
Que le courant l'écrase et le roule en sa course,
Qu'il est sans gouvernail et partant sans ressource,
Il se croise les bras dans un calme profond.

III

Il voit les masses d'eau, les toise et les mesure,
Les méprise en sachant qu'il en est écrasé,
Soumet son âme au poids de la matière impure
Et se sent mort ainsi que son vaisseau rasé.
— A de certains moments, l'âme est sans résistance;
Mais le penseur s'isole et n'attend d'assistance
Que de la forte foi dont il est embrasé.

IV

Dans les heures du soir, le jeune Capitaine
A fait ce qu'il a pu pour le salut des siens.
Nul vaisseau n'apparaît sur la vague lointaine,
La nuit tombe, et le brick court aux rocs indiens.
— Il se résigne, il prie; il se recueille, il pense
A Celui qui soutient les pôles et balance
L'équateur hérissé des longs méridiens.

V

Son sacrifice est fait; mais il faut que la terre
Recueille du travail le pieux monument.
C'est le journal savant, le calcul solitaire,
Plus rare que la perle et que le diamant;
C'est la carte des flots faite dans la tempête,
La carte de l'écueil qui va briser sa tête :
Aux voyageurs futurs sublime testament.

VI

Il écrit : « Aujourd'hui, le courant nous entraîne,
Désemparés, perdus, sur la Terre-de-Feu.
Le courant porte à l'est. Notre mort est certaine :
Il faut cingler au nord pour bien passer ce lieu.
— Ci-joint est mon journal, portant quelques études
Des constellations des hautes latitudes.
Qu'il aborde, si c'est la volonté de Dieu! »

VII

Puis immobile et froid, comme le cap des Brumes
Qui sert de sentinelle au détroit Magellan,
Sombre comme ces rocs au front chargé d'écumes [1],
Ces pics noirs dont chacun porte un deuil castillan,

1. Les pics San-Diego, San-Ildefonso.

Il ouvre une Bouteille et la choisit très forte,
Tandis que son vaisseau que le courant emporte
Tourne en un cercle étroit comme un vol de milan.

VIII

Il tient dans une main cette vieille compagne,
Ferme, de l'autre main, son flanc noir et terni.
Le cachet porte encor le blason de Champagne,
De la mousse de Reims son col vert est jauni.
D'un regard, le marin en soi-même rappelle
Quel jour il assembla l'équipage autour d'elle,
Pour porter un grand toste au pavillon béni.

IX

On avait mis en panne, et c'était grande fête;
Chaque homme sur son mât tenait le verre en main;
Chacun à son signal se découvrit la tête,
Et répondit d'en haut par un hourra soudain.
Le soleil souriant dorait les voiles blanches;
L'air ému répétait ces voix mâles et franches,
Ce noble appel de l'homme à son pays lointain.

X

Après le cri de tous, chacun rêve en silence.
Dans la mousse d'Aï luit l'éclair d'un bonheur;
Tout au fond de son verre il aperçoit la France.
La France est pour chacun ce qu'y laissa son cœur :
L'un y voit son vieux père assis au coin de l'âtre,
Comptant ses jours d'absence; à la table du pâtre,
Il voit sa chaise vide à côté de sa sœur.

XI

Un autre y voit Paris, où sa fille penchée
Marque avec le compas tous les souffles de l'air,
Ternit de pleurs la glace où l'aiguille est cachée,
Et cherche à ramener l'aimant avec le fer.

Un autre y voit Marseille. Une femme se lève,
Court au port et lui tend un mouchoir de la grève,
Et ne sent pas ses pieds enfoncés dans la mer.

XII

O superstition des amours ineffables,
Murmures de nos cœurs qui nous semblez des voix,
Calculs de la science, ô décevantes fables!
Pourquoi nous apparaître en un jour tant de fois ?
Pourquoi vers l'horizon nous tendre ainsi des pièges ?
Espérances roulant comme roulent les neiges;
Globes toujours pétris et fondus sous nos doigts!

XIII

Où sont-ils à présent ? Où sont ces trois cents braves ?
Renversés par le vent dans les courants maudits,
Aux harpons indiens ils portent pour épaves
Leurs habits déchirés sur leurs corps refroidis.
Les savants officiers, la hache à la ceinture,
Ont péri les premiers en coupant la mâture :
Ainsi, de ces trois cents, il n'en reste que dix!

XIV

Le Capitaine encor jette un regard au pôle
Dont il vient d'explorer les détroits inconnus.
L'eau monte à ses genoux et frappe son épaule;
Il peut lever au ciel l'un de ses deux bras nus.
Son navire est coulé, sa vie est révolue :
Il lance la Bouteille à la mer, et salue
Les jours de l'avenir qui pour lui sont venus.

XV

Il sourit en songeant que ce fragile verre
Portera sa pensée et son nom jusqu'au port;
Que d'une île inconnue il agrandit la terre;
Qu'il marque un nouvel astre et le confie au sort;

Que Dieu peut bien permettre à des eaux insensées
De perdre des vaisseaux, mais non pas des pensées,
Et qu'avec un flacon il a vaincu la mort.

XVI

Tout est dit. A présent, que Dieu lui soit en aide!
Sur le brick englouti l'onde a pris son niveau.
Au large flot de l'est le flot de l'ouest succède,
Et la Bouteille y roule en son vaste berceau.
Seule dans l'Océan, la frêle passagère
N'a pas pour se guider une brise légère;
— Mais elle vient de l'arche et porte le rameau.

XVII

Les courants l'emportaient, les glaçons la retiennent
Et la couvrent des plis d'un épais manteau blanc.
Les noirs chevaux de mer la heurtent, puis reviennent
La flairer avec crainte, et passent en soufflant.
Elle attend que l'été, changeant ses destinées,
Vienne ouvrir le rempart des glaces obstinées,
Et vers la ligne ardente elle monte en roulant.

XVIII

Un jour, tout était calme, et la mer Pacifique
Par ses vagues d'azur, d'or et de diamant,
Renvoyait ses splendeurs au soleil du tropique.
Un navire y passait majestueusement.
Il a vu la Bouteille aux gens de mer sacrée :
Il couvre de signaux sa flamme diaprée,
Lance un canot en mer et s'arrête un moment.

XIX

Mais on entend au loin le canon des Corsaires;
Le Négrier va fuir s'il peut prendre le vent.
Alerte! et coulez bas ces sombres adversaires!
Noyez or et bourreaux du couchant au levant!

La Frégate reprend ses canots et les jette
En son sein, comme fait la sarigue inquiète,
Et par voile et vapeur vole et roule en avant.

XX

Seule dans l'Océan, seule toujours! — Perdue
Comme un point invisible en un mouvant désert,
L'aventurière passe errant dans l'étendue,
Et voit tel cap secret qui n'est pas découvert.
Tremblante voyageuse à flotter condamnée,
Elle sent sur son col que depuis une année
L'algue et les goëmons lui font un manteau vert.

XXI

Un soir enfin, les vents qui soufflent des Florides
L'entraînent vers la France et ses bords pluvieux.
Un pêcheur accroupi sous des rochers arides
Tire dans ses filets le flacon précieux.
Il court, cherche un Savant et lui montre sa prise,
Et, sans l'oser ouvrir, demande qu'on lui dise
Quel est cet élixir noir et mystérieux.

XXII

Quel est cet élixir ? Pêcheur, c'est la science,
C'est l'élixir divin que boivent les esprits,
Trésor de la pensée et de l'expérience;
Et si tes lourds filets, ô pêcheur, avaient pris
L'or qui toujours serpente aux veines du Mexique,
Les diamants de l'Inde et les perles d'Afrique,
Ton labeur de ce jour aurait eu moins de prix.

XXIII

Regarde. — Quelle joie ardente et sérieuse!
Une gloire de plus luit sur la nation.
Le canon tout-puissant et la cloche pieuse
Font sur les toits tremblants bondir l'émotion.

Aux héros du savoir plus qu'à ceux des batailles
On va faire aujourd'hui de grandes funérailles.
Lis ce mot sur les murs : « Commémoration! »

XXIV

Souvenir éternel! gloire à la découverte
Dans l'homme ou la nature égaux en profondeur,
Dans le Juste et le Bien, source à peine entr'ouverte,
Dans l'Art inépuisable, abîme de splendeur!
Qu'importe oubli, morsure, injustice insensée,
Glaces et tourbillons de notre traversée ?
Sur la pierre des morts croît l'arbre de grandeur.

XXV

Cet arbre est le plus beau de la terre promise,
C'est votre phare à tous, Penseurs laborieux!
Voguez sans jamais craindre ou les flots ou la brise
Pour tout trésor scellé du cachet précieux.
L'or pur doit surnager, et sa gloire est certaine.
Dites en souriant comme ce Capitaine :
« Qu'il aborde, si c'est la volonté des Dieux! »

XXVI

Le vrai Dieu, le Dieu fort est le Dieu des idées!
Sur nos fronts où le germe est jeté par le sort,
Répandons le Savoir en fécondes ondées;
Puis, recueillant le fruit tel que de l'âme il sort,
Tout empreint du parfum des saintes solitudes,
Jetons l'œuvre à la mer, la mer des multitudes :
— Dieu la prendra du doigt pour la conduire au port.

Au Maine-Giraud, octobre 1853.

WANDA

HISTOIRE RUSSE

Conversation au bal à Paris

I

UN FRANÇAIS

Qui donc vous a donné ces bagues enchantées
Que vous ne touchez pas sans un air de douleur ?
Vos mains, par ces rubis, semblent ensanglantées.
Ces cachets grecs, ces croix, souvenirs d'un malheur,
Sont-ils chers et cruels ? sont-ils expiatoires ?
Le pays des Ivans a seul ces perles noires,
D'une contrée en deuil symboles sans couleur.

II

WANDA, grande dame russe

Celle qui m'a donné ces ornements de fête,
Ce cachet dont un Czar fut le seul possesseur,
Ces diamants en feu qui tremblent sur ma tête,
Ces reliques sans prix d'un Saint intercesseur,
Ces rubis, ces saphirs qui chargent ma ceinture,
Ce bracelet qu'émaille une antique peinture,
Ces talismans sacrés, c'est l'esclave ma sœur.

III

Car elle était Princesse, et maintenant qu'est-elle ?
Nul ne l'oserait dire et n'ose le savoir.
On a rayé le nom dont le monde l'appelle.
Elle n'est qu'une femme et mange le pain noir,

Le pain qu'à son mari donne la Sibérie;
Et parmi les mineurs s'assied pâle et flétrie,
Et boit chaque matin les larmes du devoir.

IV

En ce temps-là, ma sœur, sur le seuil de sa porte,
Nous dit : « Vivez en paix, je vais garder ma foi,
« Gardez ces vanités; au monde je suis morte,
« Puisque le seul que j'aime est mort devant la loi.
« Des splendeurs de mon front conservez les ruines;
« Je le suivrai partout, jusques au fond des mines :
« Vous qui savez aimer, vous feriez comme moi.

V

« L'Empereur tout-puissant, qui voit d'en haut les choses.
« Du Prince mon Seigneur voulut faire un forçat.
« Dieu seul peut réviser un jour ces grandes causes
« Entre le souverain, le sujet et l'Etat.
« Pour moi, je porterai mes fils sur mon épaule
« Tandis que mon mari, sur la route du pôle,
« Marche et traîne un boulet, conduit par un soldat.

VI

« La fatigue a courbé sa poitrine écrasée;
« Le froid gonfle ses pieds dans des chemins mauvais;
« La neige tombe en flots sur sa tête rasée;
« Il brise les glaçons sur le bord des marais.
« Lui de qui les aïeux s'élisaient pour l'Empire,
« Répond : Serge, au camp même où tous leur disaient : [Sire.
« Comment puis-je, à Moscou, dormir dans mon palais ?

VII

« Prenez donc, ô mes sœurs, ces signes de mollesse.
« J'irai dans les caveaux, dans l'air empoisonneur,
« Conservant seulement, de toute ma richesse,
« L'aiguille et le marteau pour luxe et pour honneur;

« Et puisqu'il est écrit que la race des Slaves
« Doit porter et le joug et le nom des esclaves,
« Je descendrai vivante au tombeau du mineur.

VIII

« Là, j'aurai soin d'user ma vie avec la sienne;
« Je soutiendrai ses bras quand il prendra l'épieu,
« Je briserai mon corps pour que rien ne retienne
« Mon âme quand son âme aura monté vers Dieu;
« Et bientôt, nous tirant des glaces éternelles,
« L'ange de mort viendra nous prendre sous ses ailes
« Pour nous porter ensemble aux chaleurs du ciel bleu.

IX

Et ce qu'elle avait dit, ma sœur l'a bien su faire;
Elle a tissu le lin, et de ses écheveaux
Espère en vain former son linceul mortuaire;
Et depuis vingt hivers achève vingt travaux,
Calculant jour par jour, sur ses mains enchaînées,
Les grains du chapelet de ses sombres années.
Quatre enfants ont grandi dans l'ombre des caveaux.

X

Leurs yeux craignent le jour quand sa lumière pâle
Trois fois dans une année éclaire leur pâleur.
Comme pour les agneaux, la brebis et le mâle
Sont parqués à la fois par le mauvais pasteur.
La mère eût bien voulu qu'on leur apprît à lire,
Puisqu'ils portaient le nom des Princes de l'Empire
Et n'ont rien fait encor qui blesse l'Empereur.

XI

Un jour de fête, on a demandé cette grâce
Au Czar toujours affable et clément souverain,
Lorsqu'au front des soldats seul il passe et repasse.
Après dix ans d'attente il répondit enfin :

« Un esclave a besoin d'un marteau, non d'un livre :
« La lecture est fatale à ceux-là qui, pour vivre,
« Doivent avoir bon bras pour gagner un bon pain. »

XII

Ce mot fut un couteau pour le cœur de la mère;
Avant qu'il ne fût dit, quand s'asseyait ma sœur,
Ses larmes sillonnaient la neige sur la terre,
Tombant devant ses pieds, non sans quelque douceur.
— Mais aujourd'hui, sans pleurs, elle passe l'année
A regarder ses fils d'une vue étonnée;
Ses yeux secs sont glacés d'épouvante et d'horreur!

XIII

LE FRANÇAIS

Wanda, j'écoute encore après votre silence...
J'ai senti sur mon cœur peser ce doigt d'airain
Qui porte au bout du monde à toute âme qui pense
Les épouvantements du fatal souverain.
Cet homme enseveli vivant avec sa femme,
Ces esclaves enfants dont on va tuer l'âme,
Est-ce de notre siècle ou du temps d'Ugolin ?

XIV

Non, non, il n'est pas vrai que le Peuple en tout âge
Lui seul ait travaillé, lui seul ait combattu;
Que l'immolation, la force et le courage
N'habitent pas un cœur de velours revêtu.
Plus belle était la vie et plus grande est sa perte,
Plus pur est le calice où l'hostie est offerte.
— Sacrifice, ô toi seul peut-être es la vertu!

XV

Tandis que vous parliez, je sentais dans mes veines
Les imprécations bouillonner sourdement.
Vous ne maudissez pas, ô vous, femmes Romaines!
Vous traînez votre joug silencieusement.
Eponines du Nord, vous dormez dans vos tombes,
Vous soutenez l'esclave au fond des catacombes
D'où vous ne sortirez qu'au dernier jugement.

XVI

Peuple silencieux! Souverain gigantesque!
Lutteurs de fer toujours muets et combattants!
Pierre avait commencé ce duel romanesque :
Le verrons-nous finir ? Est-il de notre temps ?
Le dompteur est debout nuit et jour, et surveille
Le dompté qui se tait jusqu'à ce qu'il s'éveille,
Se regardant l'un l'autre ainsi que deux Titans.

XVII

En bas, le Peuple voit de son œil de Tartare
Ses Seigneurs révoltés, combattus par ses Czars,
Aiguise sur les pins sa hache et la prépare
A peser tout son poids dans les futurs hazards.
En haut, seul, l'Empereur sur la Russie entière
Promène en galopant l'autre hache, dont Pierre
Abattit de sa main les têtes de Boyards.

XVIII

Une nuit on a vu ces deux larges cognées
Se heurter, se porter des coups profonds et lourds.
Les hommes sont tombés; les femmes, résignées,
Ont marché dans la neige à la voix des tambours
Et, comme votre sœur, ont d'une main meurtrie
Bercé leurs fils au bord des lacs de Sibérie
Et cherché pour dormir la tanière des ours.

XIX

Et ces femmes sans peur, ces reines détrônées,
Dédaignent de se plaindre et s'en vont au désert
Sans détourner les yeux, sans même être étonnées
En passant sous la porte où tout espoir se perd.
A voir leur front si calme, on croirait qu'elles savent
Que leurs ans, jour par jour, par avance se gravent
Sur un livre éternel devant le Czar ouvert.

XX

Quel signe formidable a-t-il au front, cet homme ?
Qui donc ferma son cœur des trois cercles de fer
Dont s'étaient cuirassés les empereurs de Rome
Contre les cris de l'âme et les cris de la chair ?
Croit-on parmi vos serfs qu'à la fin il se lasse
De semer les martyrs sur la neige et la glace,
D'entasser les damnés dans un terrestre enfer ?

XXI

S'il était vrai qu'il eût au fond de sa poitrine
Un cœur de père ému des pâleurs d'un enfant,
Qu'assis près de sa fille à la beauté divine,
Il eût les yeux en pleurs, l'air doux et triomphant,
Qu'il eût pour rêve unique et désir de son âme
Quelques jours de repos pour emporter sa femme
Sous les soleils du sud qui réchauffent le sang;

XXII

S'il était vrai qu'il eût conduit hors du servage
Un peuple tout entier de sa main racheté,
Créant le pasteur libre et créant le village
Où l'esclave Tartare avait seul existé,
Pareil au voyageur dont la richesse est fière
D'acheter mille oiseaux et d'ouvrir la volière
Pour leur rendre à la fois l'air et la liberté;

XXIII

Il aurait déjà dit : « J'ai Pitié, je fais grâce ;
« L'ancien crime est lavé par les martyrs nouveaux » ;
Sa voix aurait trois fois répété dans l'espace,
Comme la voix de l'Ange ouvrant les derniers sceaux,
Devant les Nations surprises, attentives,
Devant la race libre et les races captives :
« La brebis m'a vaincu par le sang des agneaux. »

XXIV

Mais il n'a point parlé, mais cette année encore
Heure par heure en vain lentement tombera,
Et la neige sans bruit, sur la terre incolore,
Aux pieds des exilés nuit et jour gèlera.
Silencieux devant son armée en silence,
Le Czar, en mesurant la cuirasse et la lance,
Passera sa revue et toujours se taira.

5 novembre 1847.

DIX ANS APRÈS

UN BILLET DE WANDA

AU MÊME FRANÇAIS,
A PARIS

De Tobolsk en Sibérie.
Le 21 octobre 1855, jour de la bataille de l'Alma.

Vous disiez vrai. Le Czar s'est tu. — Ma sœur est morte.
Les serfs de Sibérie ont porté le cercueil.
Et les fils de la sainte et de la femme forte
Comme esclaves suivaient, sans nom, sans rang, sans deuil.
La cloche seule émeut la ville inanimée. —
Mais, au sud, le canon s'entend vers la Crimée,
Et c'est au cœur de l'Ours que Dieu frappe l'orgueil.

SECOND BILLET DE WANDA

AU MÊME FRANÇAIS

De Tobolsk en Sibérie.
Après la prise du fort Malakoff.

Sébastopol détruit n'est plus. — L'aigle de France
L'a rasé de la terre, et le Czar étonné
Est mort de rage. — On dit que la balance immense
Du Seigneur a paru quand la foudre a tonné.
— La sainte la tenait flottante dans l'espace.
L'Epouse, la Martyre, a peut-être fait grâce,
Dieu du ciel! — Mais la Mère a-t-elle pardonné ?

L'ESPRIT PUR

A ÉVA

I

Si l'Orgueil prend ton cœur quand le Peuple me nomme,
Que de mes livres seuls te vienne la fierté.
J'ai mis sur le cimier doré du gentilhomme
Une plume de fer qui n'est pas sans beauté.
J'ai fait illustre un nom qu'on m'a transmis sans gloire.
Qu'il soit ancien, qu'importe ? — Il n'aura de mémoire
Que du jour seulement où mon front l'a porté.

II

Dans le caveau des miens plongeant mes pas nocturnes,
J'ai compté mes aïeux, suivant leur vieille loi.
J'ouvris leurs parchemins, je fouillai dans leurs urnes
Empreintes, sur le flanc, des sceaux de chaque Roi.
— À peine une étincelle a relui dans leur cendre.
C'est en vain que d'eux tous le sang m'a fait descendre;
Si j'écris leur histoire, ils descendront de moi.

III

Ils furent opulents, Seigneurs de vastes terres,
Grands chasseurs devant Dieu, comme Nemrod, jaloux
Des beaux cerfs qu'ils lançaient des bois héréditaires
Jusqu'où voulait la Mort les livrer à leurs coups;
Suivant leur forte meute à travers deux provinces,
Coupant les chiens du Roi, déroutant ceux des Princes,
Forçant les sangliers et détruisant les loups;

IV

Galants guerriers sur terre et sur mer, se montrèrent
Gens d'honneur en tous temps comme en tous lieux,
[cherchant
De la Chine au Pérou les Anglais, qu'ils brûlèrent
Sur l'eau qu'ils écumaient du levant au couchant;
Puis, sur leur talon rouge, en quittant les batailles,
Parfumés et blessés revenaient à Versailles
Jaser à l'Œil-de-bœuf avant de voir leur champ.

V

Mais les champs de la Beauce avaient leurs cœurs, leurs
[âmes,
Leurs soins. Ils les peuplaient d'innombrables garçons,
De filles qu'ils donnaient aux Chevaliers pour femmes,
Dignes de suivre en tout l'exemple et les leçons.
— Simples et satisfaits si chacun de leur race
Apposait saint Louis en croix sur sa cuirasse,
Comme leurs vieux portraits qu'aux murs noirs nous
[plaçons.

VI

Mais aucun, au sortir d'une rude campagne,
Ne sut se recueillir, quitter le Destrier,
Dételer pour un jour ses palefrois d'Espagne,
Ni des Coursiers de chasse enlever l'étrier
Pour graver quelque page et dire en quelque livre
Comme son temps vivait et comment il sut vivre,
— Dès qu'ils n'agissaient plus, se hâtant d'oublier.

VII

Tous sont morts en laissant leur nom sans auréole;
Mais sur le disque d'or voilà qu'il est écrit,
Disant : « Ici passaient deux races de la Gaule
« Dont le dernier vivant monte au temple et s'inscrit,

« Non sur l'obscur amas des vieux noms inutiles,
« Des Orgueilleux méchants et des Riches futiles,
« Mais sur le pur tableau des livres de L'ESPRIT. »

VIII

Ton règne est arrivé, PUR ESPRIT, Roi du Monde!
Quand ton aile d'Azur dans la nuit nous surprit,
Déesse de nos mœurs, la guerre vagabonde
Régnait sur nos aïeux. — Aujourd'hui, c'est l'ECRIT,
L'ECRIT UNIVERSEL, parfois impérissable,
Que tu graves au marbre ou traînes sur le sable,
Colombe au bec d'airain! VISIBLE SAINT-ESPRIT!

IX

Seul et dernier anneau de deux chaînes brisées,
Je reste. — Et je soutiens encor dans les hauteurs,
Parmi les Maîtres purs de nos savants Musées,
L'IDÉAL du Poète et des graves Penseurs.
J'éprouve sa durée en vingt ans de silence,
Et toujours, d'âge en âge encor, je vois la France
Contempler mes tableaux et leur jeter des fleurs.

X

Jeune Postérité d'un vivant qui vous aime!
Mes traits dans vos regards ne sont pas effacés;
Je peux, en ce miroir, *me connaître moi-même;*
Juges toujours nouveaux de nos travaux passés!
Flots d'amis renaissants! — Puissent mes Destinées
Vous amener à moi, de dix en dix années
Attentifs à mon œuvre, et pour moi c'est assez!

10 mars 1863.

PREMIERS MANUSCRITS D'AUTREFOIS

ou

FANTAISIES OUBLIÉES

AVERTISSEMENT

A la suite du texte de *Héléna*, présenté ici avec les commentaires marginaux de la mère du poète, l'éditeur a choisi de remettre à jour selon l'ordre chronologique le plus vraisemblable les divers poèmes et extraits versifiés que Vigny crut bon de ne pas faire figurer dans sa production officielle. Le titre même de cet ensemble, et l'éventualité de sa publication par conséquent, ont d'ailleurs été suggérés par le poète. En souhaitant que s'ouvrent encore les quelques archives privées renfermant des textes poétiques inédits de Vigny, nous soulignerons que ce travail d'édition des marges de l'Œuvre n'eût pas été possible sans les patientes recherches menées par André Jarry[1] à qui nous avouons bien volontiers notre dette de reconnaissance.

1. Notamment dans la revue de M.-J. Durry : *Création*, Tome VI, 1975, p. 12-21, et dans le Bulletin nº 7 de l'*Association des Amis d'Alfred de Vigny*, 1976-1977, p. 46-58.

HÉLÉNA

CHANT PREMIER

L'AUTEL

Ils ont, Seigneur, affligé votre peuple, ils ont opprimé votre héritage. Ils ont mis à mort la veuve et l'étranger, ils ont tué les orphelins.

(Psaumes.)

Le téorbe et le luth, fils de l'antique lyre,
Ne font plus palpiter l'Archipel en délire;
Son flot, triste et rêveur, lui seul émeut les airs,
Et la blanche Cyclade a fini ses concerts.
On n'entend plus le soir les vierges de Morée,
Sur le frêle caïque à la poupe dorée,
Unir en double chœur des sons mélodieux.
Elles savaient chanter, non les profanes dieux,
Apollon, ou Latone à Délos enfermée,
Minerve aux yeux d'azur, Flore, ou Vénus armée,
Alliés de la Grèce et de la liberté,
Mais la Vierge et son fils entre ses bras porté,
Qui calment la tempête, et donnent du courage
A ceux que les méchants tiennent en esclavage :
Ainsi l'hymne nocturne à l'étoile des mers
Couronnait de repos le soir des jours amers.[1]
Sitôt que de Zéa, de Corinthe et d'Alcime,
La lune large et blanche avait touché la cime,
Et douce aux yeux mortels, de ce ciel tiède et pur
Comme une lampe pâle illuminait l'azur,
Il s'élevait souvent une brise embaumée,
Qui, telle qu'un soupir de l'onde ranimée,
Aux rives de chaque île apportait à la fois
Et l'encens de ses sœurs et leurs lointaines voix.

1. Ce n'est pas clair. Je supprimerais ces deux vers. *(Mme de Vigny.)*

Tout s'éveillait alors : on eût dit que la Grèce
Venait de retrouver son antique allégresse,
Mais que la belle esclave, inquiète du bruit,
N'osait plus confier ses fêtes qu'à la nuit.
Les barques abordaient en des rades secrètes,
Puis, des vallons fleuris choisissant les retraites,
Des danseurs, agitant le triangle d'airain,
Oubliaient le sommeil au son du tambourin,
Oubliaient l'esclavage auprès de leurs maîtresses
Qui de leurs blonds cheveux nouaient les longues tresses
Avec le laurier rose, et de moelleux filets,
Et des médailles d'or, et de saints chapelets.
On voyait, dans leurs jeux, Ariane abusée,
Conduire en des détours quelque jeune Thésée,
Un Grec, ainsi que l'autre, en ce joyeux moment,
Tendre, et bientôt peut-être aussi perfide amant [1].

Ainsi de l'Archipel souriait l'esclavage;
Tel sous un pâle front que la fièvre ravage,
D'une Vierge qui meurt, l'amour vient ranimer
Les lèvres que bientôt la mort doit refermer.
Mais depuis peu de jours, loin des fêtes nocturnes,
On a vu s'écarter, graves et taciturnes,
Sous les verts oliviers qui ceignent les vallons,
Des Grecs dont les discours étaient secrets et longs.
Ils regrettaient, dit-on, la liberté chérie,
Car on surprit souvent le mot seul de patrie
Sortir avec éclat du sein de leurs propos,
Comme un beau son des nuits enchante le repos.
On a dit que surtout un de ces jeunes hommes,
Voyageant d'île en île, allait voir sous les chaumes,
Dans les antres des monts, sous l'abri des vieux bois,
Quels Grecs il trouverait à ranger sous ses lois [2],
Leur faisait entrevoir une nouvelle vie [3]
Libre et fière; il parlait d'Athènes asservie,

1. Cela n'est pas clair. Est-ce l'autre Thésée ou l'autre Grec ? *(Mme de Vigny.)*

2. C'est ici qu'il faudrait faire connaître Mora. Je le ferais descendre d'une de ces familles grecques connues dans l'histoire et dont il reste encore des rejetons à Constantinople et dans les îles de la Grèce; son nom lui donnerait assez d'autorité parmi les siens pour raconter tout ce qu'il dit déjà et bien d'autres choses encore. Il pourrait parler d'Héléna; enfin, c'est le moment de préparer l'épisode et de le rendre intéressant en excitant la curiosité. *(Mme de Vigny.)*

3. Enjambement inutile. *(Mme de Vigny.)*

D'Athènes, son berceau, qu'il voulait secourir;
Qu'il y fut fiancé, qu'il y voulait mourir [1];
Qu'il fallait y traîner tout, la faiblesse et l'âge,
Armer leurs bras chrétiens du glaive de Pélage,
Et, faisant un faisceau des haines de leurs cœurs,
Aux yeux des nations ressusciter vainqueurs.

Ecoutez, écoutez, cette cloche isolée,
Elle tinte au sommet de Scio désolée;
A ses bourdonnements, pleins d'un sombre transport,
Des montagnards armés descendent vers le port,
Car les vents sont levés enfin pour la vengeance,
Et la nuit, avec eux, monte d'intelligence.
L'écarlate des Grecs sur leur front s'arrondit.
Tels, quand la sainte messe à nos autels se dit,
Tous les enfants du chœur, d'une pourpre innocente
Ont coutume d'orner leur tête adolescente.
Mais à des fronts guerriers ce signe est attaché :
Lequel osera fuir ou demeurer caché ?
Une cire enflammée en leurs mains brille et fume;
Comme d'un incendie au loin l'air s'en allume;
Le sable de la mer montre son flanc doré,
Et sur le haut des monts le cèdre est éclairé,
Le flot rougit lui-même, et ses glissantes lames
Ont répété de l'île et balancé les flammes.
La foule est sur les bords; son espoir curieux
Sur la vague agitée en vain jetait les yeux,
Quand, sous un souffle ami, poursuivant son vol sombre,
Un navire insurgé tout à coup sort de l'ombre.
Un étendard de sang claque à ses légers mâts,
D'armes et de guerriers un éclatant amas [2]
Surcharge ses trois ponts; l'airain qu'emplit la poudre
Par les sabords béants fait retentir sa foudre.
Des cris l'ont accueilli, des cris ont répondu,
De Riga, massacré, l'hymne s'est entendu [3],

1. Je voudrais mettre autre chose à la place de ces deux vers. Un chef de parti n'avoue pas un motif d'intérêt personnel, mais le bien public est toujours la raison ou le prétexte d'une insurrection. *(Mme de Vigny.)*

2. C'est *un éclatant amas* qui est le nominatif de la phrase; le verbe doit être au singulier. *(Mme de Vigny.)*

3. J'aurais voulu ici une note qui apprît ce que c'est que ce Riga, dont on n'est pas obligé de savoir l'histoire. *(Mme de Vigny.)*

Et le tocsin hâtif, d'une corde rebelle,
Sonne la liberté du haut de la chapelle;
On s'assemble, on s'excite, on s'arme, on est armé,
Et des rocs, à ce bruit, l'aigle part alarmé.

« Mais avant de quitter vos antiques murailles,
« Il convient de prier l'arbitre des batailles »,
Disaient les Caloyers. « Dieu, qui tient dans ses mains
« Les peuples, pourra seul éclairer nos chemins,
« Et si dans ce grand jour sa fureur nous pardonne,
« De Moïse à nos pas rallumer la colonne.[1] »
Ils parlaient, et leur voix, par de sages propos,
Dans cette foule émue amena le repos.
L'un s'arrache des bras de son épouse en larmes,
L'autre a quitté les soins du départ et des armes,
Les cris retentissants, le bruit sourd des adieux
S'éteignent et font place au silence pieux;
Celui de qui les pieds ont déjà fui la rive,
Revenu lentement, près de l'autel arrive;
L'agile matelot aux voiles suspendu
S'arrête, et son regard est vers l'île tendu.
Tous ont pour la prière une oreille docile,
Et de quelques vieillards c'était l'œuvre facile.
Tels, lorsqu'après neuf ans d'inutiles assauts,
Impatients d'Argos, couraient à leurs vaisseaux
Les Grecs, des traits d'un Dieu redoutant le supplice,
On vit le vieux Nestor et le prudent Ulysse
Du sceptre et du langage unissant le pouvoir,
Les rattacher soumis au saint joug du devoir [2].

C'était sur le débris d'un vieux autel d'Homère
Où depuis trois mille ans se brise l'onde amère,
Qu'un moine, par des Turcs chassé du saint couvent,
Offrait, au nom des Grecs, l'hostie au Dieu vivant.
Désertant de l'Athos les cimes profanées,
Et courbé sous le poids de ses blanches années,

1. Inversion forcée qui donne de l'obscurité à ces quatre vers. *(Mme de Vigny.)*

2. *Iliade*, II, 1-393. Ellipse et inversion qui ne me paraissent pas tolérables. C'est à refaire, car on écrit en français pour des Français. *(Mme de Vigny.)*

Révoltant l'île, au jour par ses desseins marqué,
Il avait reparu tel qu'un siècle évoqué;
Les peuples l'écoutaient comme un antique oracle,
De son centième hiver admirant le miracle,
Ils le croyaient béni parmi tous les humains,
Deux prêtres inclinés soutenaient ses deux mains
Et sa barbe tombante en long fleuve d'ivoire
De sa robe, en parlant, frappait la bure noire [1].
« Le voici, votre Dieu, Dieu qui nous a sauvés »,
S'écriait en pleurant et les bras élevés
Le Patriarche saint : « Il descend, tout s'efface;
« Ses ennemis troublés fuiront devant sa face,

« Vous les chasserez tous, comme l'effort du vent
« Chasse la frêle paille et le sable mouvant,
« Leurs os, jetés aux mers, quitteront nos campagnes,
« Et l'ombre du Seigneur couvrira nos montagnes.
« Le sang Grec répandu, les sueurs de nos fronts,
« Les soupirs qu'ont poussés quatre siècles d'affronts,
« De la sainte vengeance ont formé le nuage;
« Et le souffle de Dieu conduira cet orage.
« Qu'il ne détourne pas son œil saint et puissant
« Quand nos pieds irrités marcheront dans le sang;
« Hélas! s'il eût permis qu'un prince ou qu'une reine
« Rallumant Constantin ou notre grande Irène, [2]
« D'un règne légitime eût reposé les droits [3]
« Sous les bras protecteurs de l'éternelle Croix,
« Jamais de la Morée et de nos belles îles
« Le tocsin n'eût troublé les rivages tranquilles.
« Libres du janissaire, inconnus au bazar,
« Notre main eût porté son tribut à César.
« Mais quel enfant déchu d'une race héroïque
« Ne saura pas briser son joug asiatique ?
« Qui, sans mourir de honte, eût plus longtemps souffert
« De voir ses jours tremblants mesurés par le fer [4];

1. Cette hardiesse n'est pas heureuse. *(Mme de Vigny.)*

2. Je n'ai jamais pu souffrir cette expression, car on ne peut rallumer un homme, au figuré comme au propre. Je l'ai dit avant l'impression. *(Mme de Vigny.)* Correction de Vigny sur l'exemplaire de sa mère : *réveillant* est substitué à *allumant*.

3. *Reposé*, terme impropre; j'aimerais mieux : *rétabli. (Mme de Vigny.)*

4. Le fer ne mesure pas, il tranche. *(Mme de Vigny.)* Correction : *De vivre sous le joug du bâton et du fer*.

« Chez des juges bourreaux, l'or marchander sa tête,
« Pour son toit paternel la flamme toujours prête,
« De meurtres et de sang son air empoisonné;
« Au geste dédaigneux d'un soldat couronné [1],
« Les fils noyés au sang des mères massacrées,
« Et, sur les frères morts, les sœurs déshonorées ?
« Oublierez-vous, Seigneur, qu'ils ont tous profané
« Votre héritage pur, comme un gazon fané ?
« Qu'ils ont porté le fer sur votre image sainte ?
« Que des temples bénis ils ont souillé l'enceinte,
« Placé sur vos enfants leurs prêtres endurcis [2],
« Et que sur votre autel leurs dieux se sont assis ?
« Ils ont dit dans leurs cœurs despotes et serviles :
« Exterminons-les tous, et détruisons leurs villes.
« Leurs jours nous sont vendus, nous réglerons leur temps
« Comme celui des Turcs cesse au gré des sultans [3];
« Sur les terres du Christ, nations passagères,
« Que nous fait l'avenir des cités étrangères ?
« Passons, mais que nos bras, dans leurs larmes trempés,
« Ne laissent rien aux bords où nous étions campés.
« Et vous délaisseriez nos îles alarmées ?
« Non, partez avec nous, Dieu fort, Dieu des armées;
« Avancez de ce pas qui trouble les tyrans;
« Cherchez dans vos trésors la force de nos rangs;
« Doublez à nos vaisseaux la splendeur des étoiles [4],
« Et que vos chérubins viennent gonfler nos voiles! »

Il disait, et les Grecs, à ces accents vainqueurs,
Crurent sentir un Dieu s'enflammer dans leurs cœurs;
Tous, les bras étendus vers la patrie antique,
Ils maudirent trois fois la horde asiatique;
Trois fois la vaste mer à leur voix répondit;
L'Alcyon soupira longuement, et l'on dit
Qu'au-dessus de leur tête un fugitif orage
En grondant, par trois fois, roula son noir nuage,

1. Le Sultan n'est point un soldat couronné : il a une assez belle généalogie d'ancêtres couronnés, tous de la même dynastie, depuis le conquérant Mahomet III, en 1453. *(Mme de Vigny.)*

2. Ce vers est incompréhensible. *(Mme de Vigny.)* Vigny le biffe.

3. Ce mot *temps* n'est pas le mot propre. Il est amphibologique. Il ne rend pas la pensée. *(Mme de Vigny.)*

4. Le mot *pour* est plus français et plus clair que *à*. *(Mme de Vigny.)* Vigny obéit et procède au remplacement.

Où, parmi les feux blancs des rapides éclairs,
La Croix de Constantin reparut dans les airs.

FIN DU CHANT PREMIER

CHANT SECOND

LE NAVIRE

O terre de Cécrops! terre où règnent un souffle divin et des génies amis des hommes!

(*Les Martyrs*, CHATEAUBRIAND.)

Au cœur privé d'amour, c'est bien peu que la gloire.
Si de quelque bonheur rayonne la victoire,
Soit pour les grands guerriers, soit à ceux dont la voix
Eclaire les mortels ou leur dicte des lois,
N'est-ce point qu'en secret, chaque pas de leur vie
Retentit dans une âme invisible et ravie
Comme au sein d'un écho qui des sons éclatants
S'empare en sa retraite et les redit longtemps ?
Ainsi des chevaliers la race simple et brave
Au servage d'amour rangeait sa gloire esclave;
Ainsi de la beauté les secrètes faveurs
Elevèrent aux Cieux les poètes rêveurs;
Ainsi souvent, dit-on, le bonheur d'un empire
Aux peuples, par les rois, descendit d'un sourire.

Il s'est trouvé parfois, comme pour faire voir
Que du bonheur en nous est encor le pouvoir,
Deux âmes, s'élevant sur les plaines du monde,
Toujours l'une pour l'autre existence féconde,
Puissantes à sentir avec un feu pareil,
Double et brûlant rayon né d'un même soleil,
Vivant comme un seul être, intime et pur mélange,
Semblables dans leur vol aux deux ailes d'un ange,

Ou telles que des nuits les jumeaux radieux
D'un fraternel éclat illuminent les cieux.
Si l'homme a séparé leur ardeur mutuelle,
C'est alors que l'on voit et rapide et fidèle
Chacune, de la foule écartant l'épaisseur,
Traverser l'Univers et voler à sa sœur.

Belle Scio, la nuit cache ta blanche ville,
De tout corsaire Grec mystérieux asile;
Mais il faut se hâter, de peur que le matin
Ne montre tes apprêts au Musulman lointain.
Tandis qu'au saint discours de leur vieux Patriarche,
Comme Israël jadis à l'approche de l'Arche,
Ainsi qu'un homme seul ce peuple se levait,
Solitaire au rivage un des Grecs se trouvait,
Triste, et cherchant au loin sur cette mer connue,
Si d'Athène à ces bords quelque voile est venue
Parmi tous ces vaisseaux qui d'un furtif abord
Du flot bleu de la rade avaient touché le bord;
Chaque nef y trouvait ses compagnes fidèles :
C'est ainsi qu'en hiver, les noires hirondelles,
Au bord d'un lac choisi par le léger conseil,
Prêtes à s'élancer pour suivre leur soleil,
Et saluant de loin la rive hospitalière,
Préparent à grands cris leur aile aventurière.
Mais rien ne paraît plus, que la lune qui dort
Sur des flots mélangés et de saphir et d'or :
Il n'y voit s'élever que les montagnes sombres,
Les colonnes de marbre et les lointaines ombres
Des îles du couchant, dont l'aspect sérieux
S'oppose au doux sourire et des eaux et des cieux.
« O faites-moi mourir ou donnez-moi des ailes!
« Criait-il; aux dangers nous serons infidèles [1] :
« Le sang versé peut-être accuse ce retard,
« L'ancre de nos vaisseaux se lèvera trop tard. »
Ainsi disait sa voix; mais une voix sacrée [2]
Ajoutait dans son cœur : « Attends, vierge adorée,
« Héléna, mon espoir, avant que le soleil
« Des portiques d'Athène ait doré le réveil,

1. *Infidèle* n'est pas le mot propre. *(Mme de Vigny.)*

2. J'aimerais mieux : C'est ainsi qu'il parlait, mais d'une voix sacrée, etc. *(Mme de Vigny.)*

« Avant qu'au Minaret, des profanes prières
« L'Iman ait par trois fois annoncé les dernières,
« Ma main qui sur ta main ressaisira ses droits,
« Sur le seuil de ta porte aura planté la Croix.
« Suspends de tes beaux yeux les larmes répandues
« Et tes dévotes nuits à prier assidues :
« C'est à moi de veiller sur tes jours précieux,
« De conquérir ta main et la faveur des Cieux.
« Bientôt lorsque la paix couronnant notre épée
« Rajeunira les champs de la Grèce usurpée,
« Quand nos bras affranchis sauront tous appuyer
« La sainteté des mœurs et l'honneur du foyer,
« Alors on nous verra tous deux, ma fiancée [1],
« Traverser lentement une foule empressée,
« Devant nous les danseurs et le flambeau sacré;
« Puis du voile de feu ton front sera paré,
« Et les Grecs s'écrieront : « Voyez, c'est la plus belle,
« C'est la belle Héléna qui, pieuse et fidèle,
« Pour sa patrie et Dieu, sacrifiant son cœur, [2]
« Devait périr, ou vivre avec Mora vainqueur!
« Et le voici : c'est lui dont la main vengeresse
« Brisa le premier nœud des chaînes de la Grèce,
« Et pliant sous sa loi les corsaires domptés,
« Apprit à leurs vaisseaux des flots inusités. »
Ainsi loin de la foule émue et turbulente,
Auprès de cette mer à la vague indolente,
Rêvait le jeune Grec, et son front incliné
De cheveux blonds flottants pâlissait couronné.
Tel, loin des pins noircis qu'ébranle un sombre orage,
Sur une onde voisine où tremble son image,
Un saule retiré courbant ses longs rameaux,
Pleure et du fleuve ami trouble les belles eaux.

Mais le cri du départ succède à la prière;
D'innombrables flambeaux que voile la poussière
Retournent aux vaisseaux, il y marche à grands pas;
Changeant sa rêverie en l'espoir des combats,

1. *Ma fiancée*, « expression triviale, qui est même perdue depuis qu'on ne se fiance plus en France ».

2. J'aurais dit : Pour Dieu et sa patrie. A tout seigneur tout honneur. *(Mme de Vigny.)*

Tandis que l'ancre lourde en criant se retire[1],
Sur le pont balancé du plus léger navire,
Il s'élance joyeux; comme le cerf des bois,
Qui de sa blanche biche entend bramer la voix, [2]
Et prompt au cri plaintif de sa timide amante
Saute d'un large bond la cascade écumante.
La voile est déployée à recevoir le vent,
Et les regards d'adieu vers le mont s'élevant,
Ont vu près d'un feu blanc dont l'île se décore, [3]
Le vieux moine, et sa Croix qui les bénit encore.

On partait, on voguait, lorsqu'un timide esquif,
Comme aux bras de sa mère accourt l'enfant craintif,
Au milieu de la flotte en silence se glisse.
— « Etes-vous Grecs ? Venez, que l'Ottoman périsse! »
— « On se bat dans Athène. Une femme est ici
« Qui vous demande asile, et pleure. La voici. »
On voit deux matelots, puis une jeune fille;
Ils montent sur le bord, une lumière y brille,
Un cri part : « Héléna! » Mais les yeux d'un amant
Pouvaient seuls le savoir; pâle d'étonnement
Lui-même a reculé, croyant voir lui sourire
Le fantôme égaré d'une jeune martyre.
Il semblait que la mort eût déjà disposé
De ce teint de seize ans par des pleurs arrosé :
Sa bouche était bleuâtre, entr'ouverte et tremblante;
Son sein, sous une robe en désordre et sanglante,
Se gonflait de soupirs et battait agité
Comme un flot blanc des mers par le vent tourmenté.
Un voile déchiré tombant des tresses blondes
Qu'entraînait à ses pieds l'humide poids des ondes,
Ne savait pas cacher dans ses mobiles plis
Le sang qui rougissait ses épaules de lys. [4]
Serrant un crucifix dans ses mains réunies,
Comme un dernier trésor pour les vierges bannies,

1. Ces deux *l* font mal. *(Mme de Vigny.)*
2. Ces deux *b* font mal aussi. *(Mme de Vigny.)*
3. Le mot *blanc* est trop répété. *(Mme de Vigny.)*
4. En supprimant tout ce sang, l'erreur de Mora serait naturelle; il ne pourrait attribuer les pleurs d'Héléna qu'à la frayeur et non à la violence, et cela conserverait toutes les beautés des discours suivants que Mora lui adresse pour la distraire. *(Mme de Vigny.)*

Sur ses traits n'était pas la crainte ou l'amitié;
Elle n'implorait point une indigne pitié,
Mais fière, elle semblait chercher dans sa pensée
Ce qui vengerait mieux une femme offensée,
Et demander au Dieu d'amour et de douleur
Des forces pour lutter contre elle et le malheur.
Le jeune Grec disait : « Parlez, ma bien-aimée,
« Votre voix à ma voix est-elle inanimée ?
« Vous repoussez ce bras, ce cœur où pour toujours
« Se doivent confier et s'appuyer vos jours!
« Vous le voulez ? eh bien! je le veux, que ma bouche
« S'éloigne de vos mains, et jamais ne les touche;
« Non, ne m'approchez pas, s'il le faut; mais du moins,
« Héléna, parlez-moi, nous sommes sans témoins :
« Voyez, tous les soldats ont connu ma pensée,
« Ils n'ont fait que vous voir, la poupe est délaissée.
« Ce voyage et la nuit auront un même cours,
« Usons d'un temps sacré propice à nos discours,
« C'est le dernier peut-être. O! dites, mon amie,
« Pourquoi pas dans Athène à cette heure endormie ?
« Et pourquoi dans ces lieux ? et comment ? et pourquoi
« Ce désordre et vos yeux qui s'éloignent de moi ?[1] »

Ainsi disait Mora; mais la jeune exilée
A des propos d'amour n'était point rappelée,
Même de chaque mot semblait naître un chagrin;
Car, appuyant alors sa tête dans sa main,
Elle pleura longtemps. On l'entendait dans l'ombre
Comme on entend, le soir, dans le fond d'un bois sombre
Murmurer une source en un lit inconnu.[2]
Cherchant quelque discours de son cœur bien venu,
Son ami, qui croyait dissiper sa tristesse,
Regarda vers la mer et parla de la Grèce.
Lorsque tombe la feuille et s'abrège le jour,
Et qu'un jeune homme éteint se meurt, et meurt d'amour,

1. Comment le sang qui couvre ses épaules de lis ne le frappe-t-il pas d'horreur et de crainte ? *(Mme de Vigny.)* — Réponse de Vigny : « Ma mère, vous aviez bien raison. C'est fort mauvais et j'ai supprimé le poème entier. »

2. Charmant. *(Mme de Vigny.)*

Il ne goûte plus rien des choses de la terre :
Son œil découragé, que la faiblesse altère,
Se tourne lentement vers le Ciel déjà gris,
Et sur la feuille jaune et les gazons flétris;
Il rit d'un rire amer au deuil de la nature,
Et sous chaque arbrisseau place sa sépulture;
Sa mère alors toujours sur le lit douloureux
Courbée, et s'efforçant à des regards heureux,
Lui dit sa santé belle, et vante l'espérance
Qui n'est pas dans son cœur, lui dit les jeux d'enfance,
Et la gloire, et l'étude, et les fleurs du beau temps,
Et ce soleil ami qui revient au printemps.

Les navires penchés volaient sur l'eau dorée
Comme de cygnes blancs une troupe égarée
Qui cherche l'air natal et le lac paternel.
Le spectacle des mers est grand et solennel :
Ce mobile désert, bruyant et monotone,
Attriste la pensée encor plus qu'il n'étonne;
Et l'homme, entre le Ciel et les ondes jeté,
Se plaint d'être si peu devant l'immensité.
Ce fut surtout alors que cette mer antique
Aux Grecs silencieux apparut magnifique.
La nuit, cachant les bords, ne montrait à leurs yeux
Que les tombeaux épars, et les temples des dieux,
Qui, brillant tour à tour au sein des îles sombres,
Escortaient les vaisseaux, comme des blanches ombres,
En leur parlant toujours et de la liberté,
Et d'amour, et de gloire, et d'immortalité.
Alors Mora, semblable aux antiques Rapsodes
Qui chantaient sur ces flots d'harmonieuses odes,
Enflamma ses discours de ce feu précieux
Que conservent aux Grecs l'amour et leurs beaux cieux :
« O regarde, Héléna! que ta tête affligée
« Se soulève un moment pour voir la mer Egée;
« O respirons cet air! c'est l'air de nos aïeux,
« L'air de la liberté qui fait les demi-dieux;
« La rose et le laurier qui l'embaument sans cesse,
« De victoire et de paix lui portent la promesse,
« Et ses beaux champs captifs qui nous sont destinés
« Ont encor dans leur sein des germes fortunés :
« Le soleil affranchi va tous les faire éclore.
« Vois ces îles : c'étaient les corbeilles de Flore;

« Rien n'y fut sérieux, pas même les malheurs ;
« Les villes de ces bords avaient des noms de fleurs :
« Et, comme le parfum qui survit à la rose,
« Autour des murs tombés leur souvenir repose.
« Là, sous ces oliviers au feuillage tremblant,
« Un autel de Vénus lavait son marbre blanc;
« Vois cet astre si pur dont la nuit se décore
« Dans ce ciel amoureux, c'est Cythérée encore;
« Par nos riants aïeux ce ciel est enchanté,
« Son plus beau feu reçut le nom de la beauté,
« La beauté leur déesse. Ame de la nature,
« Disaient-ils, l'univers roule dans sa ceinture :
« Elle vient, le vent tombe et la terre fleurit;
« La mer, sous ses pieds blancs s'apaise et lui sourit.
« Mensonges gracieux, religion charmante
« Que rêve encor l'amant auprès de son amante! »

Quand un lys parfumé qu'arrose l'Ilissus
De son beau vêtement courbe les blancs tissus,
Sous l'injure des vents et de la lourde pluie,
S'il advient qu'un rayon pour un moment l'essuie,
Son front alors s'élève, et, fier dans son réveil,
Entr'ouvre un sein humide et cherche son soleil;
Mais l'eau qui l'a flétri, prolongeant son supplice,
Tombe encor lentement des bords de son calice.
Héléna releva son front et ses beaux yeux,
Les égara longtemps sur la mer et les cieux :
Ses pleurs avaient cessé, mais non pas sa tristesse.
D'un rire dédaigneux : « C'est donc une autre Grèce,
« Dit-elle, où vous voyez des temples et des fleurs ?
« Moi, je vois des tombeaux brisés par des malheurs.
« — Eh quoi! derrière nous, vois-tu pas, mon amie,
« Telle qu'une Sirène en ses flots endormie,
« Lesbos au blanc rivage, où l'on dit qu'autrefois
« Les premiers chants humains mesurèrent les voix ?
« Une vague y jeta comme un divin trophée
« La tête harmonieuse et la lyre d'Orphée;
« Avec le même flot, la Mélodie alors
« Aborda : tous les sons connurent les accords;
« Philomèle en ces lieux gémissait plus savante.
« Fière de ses enfants, cette île encor se vante
« Des pleurs mélodieux et des tristes concerts
« Qu'à leur mort soupiraient les Muses dans les airs. »

Mais Héléna disait en secouant sa tête
Et ses cheveux flottants : « Votre bouche s'arrête [1];
« Vous craignez ma tristesse et ne me dites pas
« Sapho, son abandon, sa lyre et son trépas.
« Elle était comme moi, jeune, faible, amoureuse;
« Je vais mourir aussi, mais bien plus malheureuse!
« — Tu ne peux pas mourir, puisque je combattrai.
« — Oui, vous serez vainqueur, et pourtant je mourrai!
« Que les vents sont tardifs! Quel est donc ce rivage ?
« — Héléna, détournons un lugubre présage.
« Bientôt nous abordons : ne vois-tu pas déjà
« La flottante Délos, qu'Apollon protégea ?
« Paros au marbre pur, sous le ciseau docile ?
« Scyros où bel enfant se travestit Achille ?
« Vers le nord c'est Zéa qui s'élève à nos yeux;
« Vois l'Attique : à présent reconnais-tu tes cieux ? »

Héléna se leva : « Lune mélancolique,
« Dit-elle, ô montre-moi les rives de l'Attique!
« Que tes chastes rayons, dorant ses bois anciens,
« L'éclairent à mes yeux sans m'éclairer aux siens!
« O Grèce! je t'aimais comme on aime sa mère!
« Que ce vent conducteur qui rase l'onde amère,
« Emporte mon adieu, que tu n'entendras pas,
« Jusqu'aux lauriers amis de mes plus jeunes pas,
« De mes pas curieux. Lorsque seule, égarée,
« Sous un pudique voile, aux rives du Pirée,
« J'allais, de Thémistocle invoquant le tombeau,
« Rêver un jeune époux, fidèle, illustre et beau,
« Couple fier et joyeux, de nos temples antiques,
« Nous aurions d'un pas libre admiré les portiques;
« Mes destins bienheureux ne seraient plus rêvés,
« Et sur les murs deux noms auraient été gravés;
« Mon sein aurait connu les douceurs maternelles,
« Et, comme sur l'oiseau sa mère étend ses ailes,
« J'eusse élevé les jours d'un jeune Athénien,
« Libre dès le berceau, dès le berceau chrétien.
« Mais d'où me vient encor ce regret de la vie ?
« Ma part dans ses trésors m'est à jamais ravie :
« Comment autour de moi se viennent-ils offrir ?
« Devrait-elle y penser, celle qui va mourir ?

1. *Discours* vaudrait encore mieux que *bouche*. *(Mme de Vigny.)*

« Hélas! je suis semblable à la jeune novice
« Qui change au voile noir, et les fleurs, son délice,
« Et les bijoux du monde, et, prête à les quitter,
« Les touche et les admire avant de les jeter.
« Des maux non mérités je me suis étonnée,
« Et je n'ai pas compris d'abord ma destinée :
« Car j'ai des ennemis, je demande le sang,
« Je pleure, et cependant mon cœur est innocent,
« Mon cœur est innocent, et je suis criminelle. »
Et puis sa voix s'éteint, et sa lèvre décèle
Ce murmure sans bruit par le vent emporté :
« Et j'unis l'infamie avec la pureté! [1] »

D'abord le jeune Grec, d'une oreille ravie,
Ecoutait ces accents de bonheur et de vie.
A genoux devant elle il admirait ses yeux,
Humides, languissants et tournés vers les Cieux;
Immobile, attentif, il laissait fuir à peine
De sa bouche entr'ouverte une brûlante haleine;
Il la voyait renaître : oubliant de souffrir,
Dans son heureuse extase il eût voulu mourir.
Mais lorsqu'il entendit sa mobile pensée;
Redescendre à se plaindre, il la dit insensée;
Prenant ses blanches mains qu'il arrosait de pleurs,
Habile à détourner le cours de ses douleurs,
Il dit : « Hélas! ton âme est comme la colombe
« Qui monte vers le Ciel, puis gémit et retombe.
« Que n'as-tu poursuivi tes discours gracieux ?
« Je voyais l'avenir passer devant mes yeux.
« Chasse le repentir, l'inquiétude amère,
« L'époux fait pardonner d'avoir quitté la mère.
« Qu'as-tu fait, dis-le-moi, de la noble fierté
« Qui soulevait ton cœur au nom de liberté ?
« Tu t'endors aux chagrins de quelque vain scrupule,
« Quand mon vaisseau t'emporte à la terre d'Hercule! »

Des longs pleurs d'Héléna par torrents échappés,
Il sentit ses cheveux longtemps encor trempés;

1. Elle est profanée, mais non pas criminelle, puisque son cœur est innocent. Je supprimerais ces quatre vers. *(Mme de Vigny.)*

Mais honteuse, bientôt elle éleva la tête,
Et l'on revit briller sur sa bouche muette,
Au travers de ses pleurs, un sourire vermeil,
Comme à travers la pluie un rayon du soleil.
Son regard s'allumait comme une double étoile;
Sa main rapide enlève et jette aux flots son voile;
Elle tremble et rougit : va-t-elle raconter
Les secrets de son cœur qu'elle ne peut dompter ?
« J'avais baissé les yeux en implorant le glaive;
« J'ai trouvé le vengeur, ma tête se relève,
« Dit-elle : ô donnez-moi ce luth ionien;
« Nul amour pour les chants ne fut égal au mien.
« Se mesurant en chœur, que nos voix cadencées
« Suivent le mouvement des poupes balancées.
« O jeunes Grecs! chantons; que la nuit et ces bords
« Retentissent émus de nos derniers accords :
« Les accords précédaient les combats de nos pères;
« Et nous, n'avons-nous pas nos trois Muses sévères,
« La Douleur et la Mort toujours devant nos yeux,
« Et la Vengeance aussi, la volupté des Dieux ? »

LE CHŒUR DES GRECS

O jeune fiancée! ô belle fugitive!
Les guerriers vont répondre à la Vierge plaintive;
Le dur marin sourit à la faible beauté,
Et son bras est vainqueur quand sa voix a chanté.

HÉLÉNA

Regardez, c'est la Grèce; ô regardez! c'est elle!
Salut, reine des Arts! Salut, Grèce immortelle!
Le monde est amoureux de ta pourpre en lambeaux,
Et l'or des nations s'arrache tes tombeaux.

O fille du Soleil! La Force et le Génie
Ont couronné ton front de gloire et d'harmonie.
Les générations avec ton souvenir
Grandissent; ton passé règle leur avenir.

Les peuples froids du Nord, souvent pleins de ta gloire,
De leurs propres aïeux ont perdu la mémoire;
Et quand, las d'un triomphe, il dort dans son repos,
Le cœur des Francs palpite au nom de tes héros.

O terre de Pallas! contrée au doux langage!
Ton front ouvert sept fois, sept fois fit naître un sage.
Leur génie en grands mots dans les temps s'est inscrit,
Et Socrate mourant devina Jésus-Christ.

LE CHŒUR

O vous, de qui la voile est proche de nos voiles,
Vaisseaux Helléniens, oubliez les étoiles!
Approchez, écoutez la Vierge aux sons touchants :
La Grèce, notre mère, est belle dans ses chants.

HÉLÉNA

O fils des héros d'Homère!
Des temps vous êtes exclus;
Telle n'est plus votre mère,
Et vos pères ne sont plus.
Chez nous l'Asie indolente
S'endort superbe et sanglante;
Et tranquilles sous ses yeux,
Les esclaves de l'esclave
Regardent la mer qui lave
L'urne vide des aïeux.

LE CHŒUR

Mais la nuit aura vu ces eaux moins malheureuses
Laver avec amour nos poupes généreuses;
Et ces tombes sans morts, veuves de nos parents,
Regorgeront demain des os de nos tyrans.

HÉLÉNA

Non, des Ajax et des Achilles
Vous n'avez gardé que le nom :
Vos vaisseaux se cachent aux îles
Qui cachaient ceux d'Agamemnon;
Mahomet règne dans nos villes,
Se baigne dans les Thermopyles,
Chaudes encor d'un sang pieux;
Son croissant dans l'air se balance...
Diomède a brisé sa lance :
On n'ose plus frapper les dieux.

LE CHŒUR

L'aube de sang viendra, vous verrez qui nous sommes :
Vos chants n'oseront plus redemander des hommes.
Compagnon mutilé de la mort de Riga
Et pirate sans fers, fugitif de Parga,
Le marin, rude enfant de l'île,
Loin de ses bords chéris flotte sans l'oublier[1];
Il sait combattre comme Achille,
Et son bras est sans bouclier.

HÉLÉNA

O nous pourrions déjà les entendre crier!
Ces filles, ces enfants, innocentes victimes;
Vos ennemis riants les foulent sous leurs pas,
Et leur dernier soupir s'étonne de ces crimes
Que leur âge ne savait pas.

Vous avez évité ces horribles trépas,
Vous, sœurs de mon destin, plus heureuses compagnes,
Votre pudeur tremblante a fui dans les montagnes;
Appelant de leurs mains et plaignant Héléna,
Leur troupe poursuivie arrive à Colona;
Puis sur le cap vengeur, l'une à l'autre enlacée,
Chanta d'une voix ferme, exempte de sanglots,
Et leur hymne de mort, sur le mont commencée,
S'éteignit sous les flots.

LE CHŒUR

O tardive vengeance! ô vengeance sacrée!
Par trois cents ans captifs sans espoir implorée,
As-tu rempli ta coupe avec ces flots de sang ?
Quand la verseras-tu sur eux ?

HÉLÉNA

Elle descend.
Voyez-vous sur les monts ces feux patriotiques
S'agiter aux sommets de leurs croupes antiques ?
Et Colone, et l'Hymète, et le Pœcile altier,
Que l'olivier brûlant éclaire tout entier ?
Comme aux fils de Léda la flamme est sur leur tête;
Les Grecs les ont parés pour quelque grande fête;

1. Inversion forcée qui rend ceci obscur. *(Mme de Vigny.)*

C'est celle de la Grèce et de la liberté;
Le signal de nos feux à leurs yeux est porté.

Quittez vos trônes d'or, Nations de la terre,
Entourez-nous et dépouillez le deuil;
Votre sœur soulève la pierre
Qui la couvrait dans son cercueil.
A la fois pâle, faible et fière,
Ses deux mains implorent vos mains;
Ses yeux, que du sépulcre aveugle la poussière,
Vers ses anciens lauriers demandent leurs chemins.
La victoire la rendra belle;
Tendez-lui de vos bras le secours belliqueux,
Les Dieux combattaient avec elle;
Etes-vous donc plus grandes qu'eux ?
Du moins contre la Grèce, ô n'ayez point de haine!
Encouragez-la dans l'arène;
Par des cris fraternels secondez ses efforts;
Et comme autrefois Rome, en leur sanglante lutte,
De ses gladiateurs jugeait de loin la chute,
Que vos oisives mains applaudissent nos morts.

Elle disait. Ses bras, sa tête prophétique
Se penchaient sur les eaux et tendaient vers l'Attique.
En foule rassemblés, remplis d'étonnement,
Quand pâle, enveloppée en son blanc vêtement,
Elle s'élevait seule au sein de l'ombre noire,
Les Grecs se rappelaient ces images d'ivoire
Qu'aux poupes des vaisseaux consacraient leurs aïeux,
Pour les mieux assurer de la faveur des Dieux.

FIN DU CHANT SECOND

CHANT TROISIÈME

L'URNE

> ***Cette urne que je tiens contient-elle sa cendre ?***
> ***O vous! à ma douleur objet terrible et tendre,***
> ***Eternel entretien de haine et de pitié!***
>
> **(Corneille.)**

« Aux armes, fils d'Ottman, car de sa voix roulante
« Le tambour vous rappelle à la tâche sanglante.
« Le canon gronde encor sur le fort de Phylé.
« Le cœur des Giaours à ce bruit a tremblé,
« Sous leurs tombeaux détruits ils ont caché leur tête;
« Mais le sabre courbé va sortir, et s'apprête
« A confondre bientôt leurs crânes révoltés
« Aux cendres des aïeux qui les ont exaltés [1].
« Poursuivons des vils Grecs le misérable reste,
« Abandonnez ces vins que Mahomet déteste,
« Et ces femmes en pleurs qui meurent dans les cris,
« Indignes des guerriers qu'attendent les houris! »
Ainsi criait l'Emir, et dans sa main sanglante
S'agitait de Damas la lame étincelante;
Son cheval bondissant écumait sous le mords,
Et ses fers indignés glissaient au sang des morts,
Quand le maître animait sa hennissante bouche,
Et d'un large étrier pressait son flanc farouche.
Eveillés à ses cris, ses soldats basanés
S'avancent d'un pas ivre et les yeux étonnés.

Quand le tigre indolent sorti de sa mollesse,
De ses flancs tachetés déployant la souplesse,

1. Il faudrait dire en bon français : *confondre avec*, etc., ou bien : *mêler leurs crânes aux cendres*, etc. Mais peut-on appeler une nation qui s'insurge *des crânes révoltés*, et la menacer de les confondre *aux* cendres des aïeux ? Ce sont, à mon avis, deux vers à supprimer. *(Mme de Vigny.)*

A saisi dans ses bonds le chevreuil innocent,
Longtemps après sa mort il lèche encor son sang,
Il disperse sa chair d'un ongle plein de joie,
Roule en broyant les os et s'endort sur sa proie.
Non moins lâche et cruel, le Musulman trompeur
Se venge sur les morts d'avoir senti la peur :
Il demande la paix, il l'obtient par la feinte;
Puis, la tête ennemie, offerte à lui sans crainte,
Tombe, et lui sert de coupe à ce même festin
Qu'avait, pour le traité, préparé le matin.
En de telles horreurs Athène était plongée,
Et tant de cris sortaient d'une foule égorgée,
Que, si j'osais conter d'une imprudente voix
Ces attentats, un jour le repentir des rois,
Le guerrier briserait son impuissante épée
Dans son élan vengeur par le devoir trompée,
La mère, des chrétiens accusant la lenteur,
Regardant vers le seuil, sur un sein protecteur
Presserait son enfant; et la vierge innocente
Cacherait dans ses mains sa tête rougissante.
Au bruit de la timbale et des clairons d'airain
Les coursiers se cabrant font résonner le frein;
Leurs fronts jettent l'écume et leurs pieds la poussière;
Du sultan de Stamboul élevant la bannière,
Le Pacha vient; on part. Les Spahis en marchant
Règlent leur pas sonore aux mots sacrés du chant :

Allah prépare leur défaite;
Priez, chantez : Dieu seul est Dieu,
Et Mahomet est son Prophète.
Le Koran gouverne ce lieu;
Que le Giaour tombe et meure.
Dans la flamboyante demeure
Par Monkir * il sera jeté.
La terre brûlera l'impie,
Car sa tombe sera sans pluie
Sous les dards plombés de l'été.

Le Croyant superbe s'avance;
Il est brave; il sait que son sort
Avec lui marche, écrit d'avance
Sur l'invisible collier d'or **;

* Monkir, l'ange des Enfers *(Alkoran)*.
** *Alkoran.*

Son front sous le dernier génie,
Dont le vol a de l'harmonie,
Se courbe sans être irrité.
La prévoyance est inhabile
A reculer l'heure immobile
Que marque la fatalité.

Si la mort frappe le fidèle,
Quittant son paradis vermeil
En déployant l'or de son aile,
La Péri * viendra du Soleil.
Ses chants le berceront de joie,
Ses doigts ont travaillé la soie
Où le brave doit reposer;
L'entourant d'une écharpe verte,
Sa bouche de rose entr'ouverte
L'accueillera par un baiser.

Qui puisera les eaux sacrées
Dans la fontaine de Cafour **,
Où les houris désaltérées
Chancellent et tombent d'amour ?
Leurs yeux doux, qu'un cil noir protège,
Vous regardent : leurs bras de neige
Applaudiront au combattant;
Et dans des coupes d'émeraude
Une liqueur vermeille et chaude
Coule de leurs doigts et l'attend.

Allah prépare leur défaite,
Il a pris le glaive de feu;
Priez, chantez : Dieu seul est Dieu,
Et Mahomet est son Prophète.

Si de grands bœufs errants sur les bords d'un marais
Combattent le loup noir sorti de ses forêts,
Longtemps en cercle étroit leur foule ramassée
Présente à ses assauts une corne abaissée,
Et, reculant ainsi jusque dans les roseaux,
Cherche un abri fangeux sous les dormantes eaux.

* Ange féminin chez les Mahométans; il vit dans le Soleil et parmi les Astres *(Alkoran)*.

** Fontaine du Paradis turc : elle roule des pierreries *(Alkoran)*.

Le loup rôde en hurlant autour du marécage :
Il arrache les joncs, seule proie à sa rage,
Car, au lieu du poil jaune et des flancs impuissants,
Il voit nager des fronts armés et mugissants.
Mais que les aboiements d'une meute lointaine
Rendent sûrs ses dangers et sa fuite incertaine,
Il s'éloigne à regret; son œil menace et luit
Sur l'ennemi sauvé que lui rendra la nuit :
Tandis que, rassuré dans sa retraite humide,
Le troupeau laboureur, devenu moins timide,
Sortant des eaux ses pieds fourchus et limoneux,
Contemple le combat des limiers généreux.
Tels les Athéniens, du haut de leurs murailles,
Ecoutaient, regardaient les poudreuses batailles.
« Quels pas ont soulevé ce nuage lointain ?
« Ces sables volent-ils sous le vent du matin ?
« Se disaient-ils : quittant l'Afrique dévorée,
« Le Semoun flamboyant souffle-t-il du Pyrée ?
« Il accourt vers Athène et renverse en courant
« L'Ottoman qui résiste, et le laisse mourant.
« Ce sont des Grecs : voyez, voyez notre bannière!
« Elle est resplendissante à travers la poussière. »
Mora la soutenait, et ses exploits errants
Bien loin derrière lui laissaient les premiers rangs.
Tenant sa main, paraît la belle et jeune fille,
Pâle; un crucifix d'or au-dessus d'elle brille :
Elle osait l'élever d'un bras ferme et pieux,
Sans craindre d'appeler la mort avec les yeux,
Marchait, et d'un œil sûr comme sachant leurs crimes,
Au Grec avec sa croix désignait ses victimes.
Lui, suspendait ses pas, et sa froide fureur [1]
Frappait, en souriant de dédain et d'horreur.
Alors on entendit, du haut des édifices,
Des femmes applaudir ces sanglants sacrifices;
Elles criaient : « O Grèce! ô Grèce! lève-toi!
« L'ange exterminateur vient, guidé par la foi! »
Et, la joie et les pleurs se mêlant aux prières,
De leurs murs démolis précipitaient les pierres,
Et l'huile bouillonnante, et le plomb ruisselant
Jetés avec fracas en fleuve étincelant,
Répandaient aux turbans que choisissaient leurs haines,
Des maux avant-coureurs des éternelles peines;

1. Encore la même lettre commençant deux mots de suite. *(Mme de Vigny.)*

Tandis que, soulevant les pierres des tombeaux,
Leurs pères, leurs enfants, leurs époux en lambeaux,
Sortaient, pour le combat, de leurs retraites sombres,
Et de leurs grands aïeux représentaient les ombres.

Les Turcs tombent alors vaincus; les deux amants
D'un pied triomphateur foulaient ces corps fumants.
Comme on voit d'un volcan le feu longtemps esclave
Tonner, couler, descendre en une ardente lave,
Et, confondant les rocs et les toits arrachés
Aux cadavres brûlants des chênes desséchés,
Renouveler le Styx pour les tremblantes plaines,
Tels marchaient après eux les rapides Hellènes.
Leurs bras rassasiés, désœuvrés de martyrs,
Arrachaient en passant quelques derniers soupirs;
Mais leurs yeux et leurs pas tendaient vers la fumée
Qui roulait en flots noirs sur l'église enflammée.
Là tombaient des chrétiens au pied de leur autel;
On entendait le cri sans voir le coup mortel,
Car l'incendie en vain éclairait tant de crimes :
Les portes dérobaient et bourreaux et victimes.
On les frappe à grand bruit. Calme comme un vainqueur,
Mora pressait alors Héléna sur son cœur.
« Viens, disait-il, viens voir la maison paternelle,
« Puisque ses murs quittés te font si criminelle;
« C'est là ta seule peine. Allons, viens avec moi,
« Le vainqueur amoureux va supplier pour toi [1];
« J'y vais trouver ensemble et ta main et ta grâce :
« Qu'as-tu fait que la gloire et notre amour n'efface ? »
Mais elle s'avançait : « Ne parlez pas ainsi,
« Vous allez m'affaiblir; Dieu m'a conduite ici! »
Et le délire alors semblait troubler sa vue
Vers le temple brûlant toujours, toujours tendue.
« C'est Dieu qui me fait voir quel doit être mon sort!
« Silence! taisons-nous; j'entends venir ma mort! »
On entendait, au fond de l'église en tumulte,
Des hurlements, des cris de femmes, et l'insulte,
Et le bruit de la poudre et du fer. Cependant
Un nuage de feu sortait du toit ardent.
« Mon ami, disait-elle, ô soutenez mon âme!
« Rendez-moi forte : hélas! je ne suis qu'une femme;

1. Qu'il est bête! *(Mme de Vigny.)*

« Quand je vous vois, je sens que j'aime encor le jour;
« Il ne me reste plus à vaincre que l'amour;
« Pour l'autre sacrifice, il est fait. » Et ses larmes [1]
Qu'elle voulait cacher, l'ornaient de nouveaux charmes.
Lui, la priait de vivre, et ne comprenait pas
Quels chagrins l'appelaient à vouloir le trépas.
Elle était sur son cœur; sa tête était penchée.
On croyait qu'à ses cris elle serait touchée;
Mais la porte du temple est ouverte, et l'on voit
Tout ceux que menaçait le poids brûlant du toit [2] :
Tous les Turcs étaient là; mais chacun d'eux s'arrête,
Croise ses bras, jetant son fer, lève la tête,
Et sur la mort qui tombe ose fixer les yeux.
Un seul cri de terreur s'élève jusqu'aux Cieux;
Le dôme embrasé craque, et dans l'air se balance.
« Je les reconnais tous! » dit-elle. Elle s'élance,
Et sur le seuil fumant monte. « Je meurs ici!
« — Sans ton époux ? dit-il. — Mes époux ? les voici! [3]
« Je meurs vengée! Adieu, tombez, murs que j'implore;
« Les Cieux me sont ouverts, mon âme est vierge encore! » [4]
Et le clocher, les murs, les marbres renversés,
Les vitraux en éclats, les lambris dispersés,
Et les portes de fer, et les châsses antiques,
Et les lampes dont l'or surchargeait les portiques,
Tombent; et dans sa chute ardente, leur grand poids
De cette foule écrase et la vie et la voix.
Longtemps les flots épais d'une rouge poussière
Du soleil et du ciel étouffent la lumière;
On espère qu'enfin ses voiles dissipés
Montreront quelques Grecs au désastre échappés;
Mais la flamme bientôt, pure et belle, s'élance
Et sur les morts cachés brille et monte en silence.

Cependant, vers le soir, les combats apaisés
Livrèrent toute Athène aux vainqueurs reposés.

1. C'est trop clair et Mora trop bête. Je garderais le fin mot pour la catastrophe, et je supprimerais ces deux vers. *(Mme de Vigny.)*
2. Ce vers est difficile à lire. *(Mme de Vigny.)*
3. Ceci est clair. *(Mme de Vigny.)*
4. Voilà la catastrophe. Comprend-il enfin ? *(Mme de Vigny.)*

Après l'effroi d'un jour que la flamme et les armes
Avaient rempli de sang et de bruit et d'alarmes,
Sur les murs dévastés, sur les toits endormis,
La lune promenait l'or de ses feux amis.
Athène sommeillait; mais des clartés errantes,
Puis, dans l'ombre, des cris soudains, des voix mourantes,
De quelques fugitifs venaient glacer les cœurs;
Ils craignaient les vaincus non moins que les vainqueurs :
Ils étaient Juifs. Surtout en haut de la colline
Que du vieux Parthénon couronne la ruine,
Dans ses piliers moussus, ses anguleux débris,
Ils avaient cru trouver de plus secrets abris.
Comme l'humble araignée et sa frêle tenture,
Des lambris d'un palais dérobent la sculpture,
Une Mosquée, au coin du temple chancelant,
Suspendait sa coupole et cachait son front blanc :
C'est là qu'une famille, encor d'effroi troublée,
En cercle ténébreux s'était toute assemblée;
Autour d'un candélabre aux autels dérobé,
Ils comptaient l'amas d'or entre leurs mains tombé,
Les sabres de Damas que le soldat admire,
Et les habits moëlleux tissus à Cachemire,
Les calices chrétiens, les colliers, les croissants,
Ces boucles, de l'oreille ornements innocents :
Car aux fils de Judas toute chose est permise,
Comme dans leurs trésors toute chose est admise.
D'avance épouvantés d'images de trépas,
Tous ces Juifs ont frémi; l'on entendait des pas,
La pas d'un homme seul sous la voûte sonore :
Il marchait, s'arrêtait, et puis marchait encore.
Et l'écho des degrés, en bruits sourds et confus,
Leur renvoya ces mots vingt fois interrompus :

« Le sang du fer vengeur s'essuiera dans la terre.
« Je veux qu'il creuse là ta fosse solitaire;
« Dans l'urne inattendue où ne luit aucun nom,
« Ta cendre va dormir au pied du Parthénon.
« Dans ce vase de mort, teint d'une antique rouille,
« On ne versa jamais plus lugubre dépouille,
« Tant de malheurs dedans, et tant de pleurs dehors
« N'ont jamais affligé ses funéraires bords.

« Et certes cette gloire au moins nous est bien due,
« D'avoir de tout malheur dépassé l'étendue.
« — Ni l'homme d'aujourd'hui, ni la postérité
« N'oseront te sonder jusqu'à la vérité,
« Jeune cendre; et des maux de ce jour de misères
« La moitié suffirait aux désespoirs vulgaires.
« Quand un passant viendra chercher, en se courbant,
« Quelques vieux noms de morts dérobés au turban,
« Il trouvera cette urne, et, déterrant sa proie,
« Rassasiera de nous sa curieuse joie;
« Il tournera longtemps ce bronze, et pour jamais
« Dispersera dans l'air la beauté que j'aimais.
« Et si son cœur tressaille à l'aspect de sa cendre,
« Si dans des maux passés il consent à descendre,
« Que pourra sa pitié ? Ce que toujours on vit,
« Plaindre, non l'être mort, mais l'être qui survit;
« Moi-même j'ai bien cru que la mort d'une amante
« Etait le plus grand mal dont l'enfer nous tourmente.
« Ah! que ne puis-je en paix savourer ce malheur!
« Il serait peu de chose auprès de ma douleur [1].
« Dans son temps virginal que ne l'ai-je perdue ?
« A se la rappeler ma tristesse assidue
« La pleurerait sans tache, et distillant mon fiel,
« Je n'aurais qu'à gémir et maudire le Ciel.
« Je dirais : Héléna! que n'es-tu sur la terre ?
« Tu laisses après toi ton ami solitaire,
« Renais! Que ta beauté, belle de ta vertu,
« Vienne au jour, et le rende à mon cœur abattu.
« Mais de pareils regrets la douceur m'est ravie,
« Il faut pleurer sa mort sans regretter sa vie;
« Et si ces restes froids cédaient à mon amour,
« J'hésiterais peut-être à lui rendre le jour.
« Malheur! je ne puis rien vouloir en assurance,
« Et dédaigne le bien qui fut mon espérance!
« Héléna, nous n'aurions qu'un amour sans honneur :
« Va, j'aime mieux ta cendre encor qu'un tel bonheur.
« Descends, descends en paix; attends ici ma gloire,
« En te la rapportant après notre victoire,

1. Ce vers dit tout; il faudrait passer à : *Descends*, etc. Je supprimerais toute cette tirade, parce qu'elle renferme un sentiment factice qui ne peut être que le fruit de la réflexion. Mais dans l'instant où cette malheureuse Héléna se punit d'un crime dont elle est innocente, un amant bien passionné, bien tendre, ne doit que gémir et regretter. Toutes ces réflexions sont d'une injustice et d'un égoïsme bien masculins. *(Mme de Vigny.)*

« Je la mépriserai pour te pleurer toujours,
« Et, ton urne à la main, je compterai mes jours. [1] »

FIN DU TROISIÈME ET DERNIER CHANT

1. Je voudrais deux vers adressés à Héléna morte pour lier les quatre derniers vers avec celui-ci : *Il serait peu de chose auprès de ma douleur. (Mme de Vigny.)*

Le 25 avril 1862, Vigny consigne les raisons de l'exclusion d'*Héléna;* ce texte sera publié par Ratisbonne dans l'édition de 1867 du *Journal d'un Poète* (p. 277-280), puis repris partiellement par Asse (*Alfred de Vigny et les éditions originales de ses Poèmes,* Paris, Techener, 1895). Nous le reproduisons ici tel qu'il se présente sous sa forme autographe [1].

1. B.N. n.a.fr. 14683.

NOTE SUR HÉLÉNA

Un livre tel que je le conçois doit être composé, sculpté, posé, taillé, fini et limé et poli comme une statue de marbre de Paros.

Sur son piedestal tous ses membres doivent être dessinés purement, mesurés dans de justes proportions. Il faut qu'on les trouve aussi purs de forme en profil qu'en face.

Une fois *exposé* en cet état sur le piedestal, le groupe ou la statue doit conserver pour toujours chaque pli de son manteau, invariablement sculpté. On n'y doit rien changer.

Le public ne permet pas qu'on lui raconte la même histoire avec deux dénouements différents d'un même drame. — Les auteurs ont eu souvent la faiblesse de se laisser reprendre par une sorte de tendresse paternelle pour leurs essais d'adolescence, il en est résulté un amas de fatras disposé sans goût et sans ordre, au milieu de ces broussailles le lecteur ne se donne plus la peine de choisir. Pourquoi travaillerait-il à épurer ce que l'auteur n'a pas su épurer et philtrer lui-même. Il jette tout aux vents.

Héléna est un essai fait à 19 ans. Il a un vice fondamental c'est l'action même du poème.

Une jeune fille des îles Ioniennes a été *violée* par des Soldats Turcs.

Son amant qui l'ignore la conduit, à bord d'un vaisseau grec qu'il commande, délivrer *Athènes.*

Il la voit mélancolique et souhaitant la mort. Lui qui ne voit et ne désire que la *Victoire* sous les yeux de sa fiancée; il la lui montre dans le lointain et lui parle de la beauté de la Grèce en traversant les *Cyclades.*

Elle voit une autre Grèce et ses ruines et ses tombeaux.

On attaque Athènes en débarquant. Une Eglise renferme les restes de la garnison Turque réfugiée. Héléna voit ces Turcs qui vont être écrasés et s'élance et criant : Je meurs ici ! Sans ton Epoux. Mes Epoux les voici dit-elle — je meurs

mon âme *est vierge encore*

Voilà le mot de l'énigme.

Son amant (Mora) (nom mal choisi et au hasard, sans étude assez attentive de l'histoire des *Botzaris*, Canaris &&); son amant est trop *naïf* en attribuant sa tristesse au regret seul qu'elle a d'avoir quitté *sa famille* pour le suivre. Il n'ouvre les yeux qu'au moment de son aveu public et désespéré.

Le lendemain au clair de lune il va gémir sur sa cendre dans les ruines; Invoquer Héléna et promet de passer sa vie à pleurer sur cette cendre.

Cependant il se console dans ses soins en réfléchissant et dit à son ombre qu'il hésiterait à la ressussiter (*sic*) s'il en avait le pouvoir, et qu'il l'aime mieux morte et à l'état de fantôme et de souvenir. Que leur amour sans honneur eût été trés refroidi et fort troublé et conclut :

Va j'aime mieux ta cendre encor qu'un tel bonheur.

C'est une aventure souillée par le fonds même du sujet et je remarquai après la publication que les personnes qui m'en parlaient avec le plus d'enchantement et qui appréciaient le mieux ce qu'il y avait là de digne de la grande cause grecque ne prenaient aucun intérêt ni à l'héroïne *cosaquée*, comme il était trop d'usage de le dire aprés l'avoir souffert dans les deux invasions, ni surtout à l'amoureux réfroidi par la découverte fâcheuse du dénouement.

Refaire une autre aventure avec les mêmes personnages était une absurde et impossible tentative. Moi-même j'étais saisi de dégoût et d'ennui seulement en relisant cet essai et la conclusion de mon examen de moi-même fut de retrancher le Poème entier de mes œuvres. Je le fis et fis bien.

Aujourd'hui mon avis est encore le même.

Des fragments seuls *avec leur date* doivent être imprimés dans un petit volume à part intitulé pour être quelque chose comme : *Premiers manuscrits* d'autrefois ou *Fantaisies oubliées* de Alfred de Vigny.

A Monsieur le Comte de Moncorps

Epitre extraite d'un ensemble de trois lettres adressées par Vigny à son ancien condisciple de la pension Hix, lorsqu'en avril 1816 le poète est nommé sous-lieutenant au 5e Régiment de la Garde Royale. Texte non destiné à la publication qui révèle que Vigny était déjà un lecteur assidu de la Bible (offerte par sa mère), et qui manifeste également un précoce dédain du verbe sonore et des vers trop faciles sous l'ironie des allusions bacchiques.

A M. LE COMTE DE MONCORPS

Fait à huit heures du matin
Pour vous ramener, mais en vain.

1816.

Vous aimez, cher ami, les vers à la douzaine
(*Douzaine*, par respect, car j'aurais dit *centaine*,
En ne faisant parler que mon juste courroux).
Eh quoi! ces vers, Moncorps, *vous en contentez-vous ?*
Je vous en fais ici, mais puisse cet exemple
Vous montrer la raison, vous mener à son temple,
Vous y loger s'il peut, malgré l'aversion
Que vous semblez avoir pour l'habitation.
Ces vers sans harmonie, et ces rimes blessées *,
Ces discours sans liens, ces petites pensées
Ont donc pu vous séduire! O que je crois d'esprit
A celui qui vous fit goûter un tel écrit!

* Des vers ainsi construits, car je parle des miens. *(Vigny.)*

Qu'il fallait que sa voix flexible, harmonieuse,
Trompât avec douceur votre oreille trompeuse,
Pour que de tous ces riens vous fussiez enchanté.
Jamais je ne vous vis d'un tel zèle emporté;
J'admirais vos yeux bleus et vos vives prunelles
D'où jaillissait la joie en vives étincelles,
Et vos gestes fréquents et votre teint rougi —
Teint sur lequel des vers l'amour avait agi!
Quelle honte, grand dieu! Cette divine flamme,
Ces petits vers ont pu l'arracher à votre âme ?
Non, je n'y veux pas croire, et j'aime mieux penser
Que votre tendre cœur s'était senti blesser
Par des verres meilleurs, pleins du jus d'une vigne
Que je préférerais même aux vers de *Lavigne*,
Ou bien par les beaux yeux de quelque aimable objet,
Ou bien par le courroux de quelque vain projet.
Laissez-moi cette erreur, elle m'est nécessaire
Tant j'ai besoin pour vous d'estime bien entière,
Et même en poésie, hélas! si vous saviez
A quels dédains cruels vous vous exposeriez
Si votre opinion de la sorte égarée
D'auteurs un peu connus se trouvait entourée!
Ce rire dédaigneux, farouche et sans pitié
Que ne tempère pas l'indulgente amitié,
Viendrait vous interdire, ou le triste silence,
Plus dur que les éclats, armerait leur vengeance;
Ou si l'un d'eux, plus doux, sachant vous distinguer
Voulait sur votre auteur un peu vous haranguer,
Il vous dirait : « Monsieur, sachez de moi la haine
Que nous professons tous pour les vers faits sans peine;
Le vers le plus obscur d'un auteur sérieux
A plus de vrai mérite et vaut plus à nos yeux
Que l'inutile amas de légères paroles
Qui forme le tissu de ces œuvres frivoles
Qui, sans rien peindre au cœur, cherche à nous éblouir,
Qu'on dit *vers fugitifs* parce qu'ils sont à fuir. »

Adieu, Moncorps, soyez à ce discours sensible,
Moi, je vais déjeuner et puis lire la Bible.

FRAGMENT DE POÈME BIBLIQUE

Ce texte incomplet, mis en vente publique en 1950, a été retrouvé et publié par André Jarry[1]. Il s'agit d'une paraphrase du psaume CXXXVI de la Vulgate *(Chant de l'exilé)* que l'on peut dater des années 1820-1821; on notera, dans cette adaptation, une certaine atténuation de la violence du texte-source, imposée par les contraintes de la phraséologie poétique d'époque. L'orthographe de Vigny y est respectée dans ses particularités.

[..................]
Disaient les Etrangers qui nous tenaient captifs,
Chantez vos chants sacrés, vos Hymnes Lévitiques
Disaient les maîtres durs de nos enfans craintifs

III

Chanter sur la terre Etrangère!
Eh! comment y chanter les psaumes des saints Rois ?
Si ta mémoire, en moi, devenait passagère,
Que ma lèvre, O Sion, perde à jamais ma voix.

IV

Que ma droite soit desséchée
Et ne porte jamais le fer de Jéhovah!
Quand des cités de Dieu Sion fut retranchée
Souvenez-vous, Seigneur, de ce qu'il arriva.

1. *Création*, VI, p. 12.

V

Ils allaient dans la ville sainte
Criant : détruisez-la jusqu'en ses fondemens!
Qu'un passant, au désert, n'en trouve plus l'enceinte,
Qu'elle expie, en un jour, nos siècles de tourmens.

VI

« Malheur à toi, ville infidelle!
« Heureux qui le premier renversera tes murs;
« Et, prenant, par le pied, tes fils à la mamelle
« Ecrasera leurs fronts sur tes marbres impurs ».

LA FEMME ADULTÈRE

Nous reproduisons ici les cinquante vers du texte de 1822 supprimés dans l'édition de 1829. Cet ensemble s'intercale entre les vers 129 et 130 de l'édition définitive. La suppression vise à accroître l'intensité dramatique de la scène.

Mais quelle est cette femme étendue à la porte ?
« Dieu de Jacob! c'est elle, accourez, elle est morte! »
Il dit, les serviteurs s'empressent, sur son cœur
L'invite à la lumière, et par une eau glacée
Veut voir de son beau front la pâleur effacée.
Mais son fils, d'une épouse ignorant le danger,
L'appelle et dans ses pleurs accuse l'étranger.
« L'étranger! quel est-il ? parcourant la demeure,
Dit le maître irrité, que cet asssassin meure! »
Des suivantes alors le cortège appelé
Se tait, mais le désordre et leur trouble ont parlé;
Il revient, arrachant ses cheveux et sa robe,
Ses pieds tout nus, il dit : « Malheur! malheur à vous!
Venez, femme, à l'autel rassurer votre époux,
Où par le Dieu vivant qui déjà vous contemple... »
Elle dit en tremblant : « Seigneur, allons au temple. »
On marche. De l'époux les amis empressés
L'entourent tristement et tous, les yeux baissés,
Se disaient : « Nous verrons si dans la grande épreuve
Sa bouche de l'eau sainte impunément s'abreuve. »
On arrive en silence au pied des hauts degrés
Où s'élève un autel. Couvert d'habits sacrés
Et croisant ses deux bras sur sa poitrine sainte
Le prêtre monte seul dans la pieuse enceinte.

La poussière de l'orge, holocauste jaloux,
Est, d'une main tremblante, offerte par l'époux.
Le pontife la jette à la femme interdite,
Lui découvre la tête, et tenant l'eau maudite :
Si l'étranger jamais n'a su vous approcher,
Que l'eau qui de ce vase en vous va s'épancher,
Devienne d'heureux jours une source féconde;
Mais si, l'horreur du peuple et le mépris du monde,
Par un profane amour votre cœur est souillé,
Que flétri par ces eaux, votre front dépouillé
Porte de son péché l'abominable signe,
Et que juste instrument d'une vengeance insigne,
Leur poison pousuivant l'adultère larcin,
En dévore le fruit jusque dans votre sein. »
Il dit, écrit ces mots, les consume, et leur cendre
Paraît avec la mort au fond des eaux descendre,
Puis il offre la coupe, un bras mal assuré
La reçoit, on se tait; « par ce vase épuré,
Dit l'épouse, mon cœur... » de poursuivre incapable :
« Grâce, dit-elle enfin, grâce, je suis coupable. »
La foule la saisit, son époux furieux
S'éloigne avec les siens en détournant les yeux,
Et du sang de l'amant sa colère altérée
Laisse au peuple vengeur l'adultère livrée.

SUZANNE

La Muse française publie en avril 1824 deux fragments d'un poème que Vigny n'a pas terminé : *Suzanne.* Le premier fragment, *Le Bain*, était déjà contenu dans le recueil de 1822; *Le Chant de Suzanne au Bain*, alors inédit, sera repris dans les *Annales romantiques* de 1826. F. Baldensperger a retrouvé les développements qui entouraient ces deux textes suffisamment achevés pour que Vigny accepte de les publier. *Le Bain* est enchâssé entre les vers 4 et 5 du second chant de *Suzanne ;* tandis que le *Chant de Suzanne au Bain*, intégralement emprunté au *Cantique des Cantiques* (chap. VI, VII, VIII), doit représenter le troisième chant de ce poème. Un quatrième développement amplifie la scène des remords, et présente déjà le personnage de « l'invisible imposteur » auquel doit, ultérieurement, succomber Eloa. Le poète s'inspire très largement de l'*Ancien Testament*, notamment en ce qui concerne la fin du texte où, dans ce qui aurait dû être un cinquième chant, apparaît Daniel, l'enfant inspiré auquel Vigny, en 1837 et dans une tout autre perspective, consacrera un sonnet (cf. *infra* p. 354). On a rassemblé ici deux esquisses de présentation du prophète enfantin. La seconde témoigne déjà d'une sorte de recul en face des manifestations de manipulation divine qui préfigure les invectives ultérieurement lancées à la face de Dieu.

I

C'était quand le palmier, de sa pluie odorante,
Distille du shekar la liqueur enivrante,

Le doux mois de Nisan qui souffle les chaleurs
Semait sur les gazons la grâce de ses fleurs;
Babylone aux cent tours que le sable environne
Suspendait ces jardins qui forment sa couronne,
Et l'Euphrate en ses murs lentement épanché
Roulait l'or de ses flots sous le saule penché.
Mais le peuple de Dieu ne levait plus sa tête,
Le printemps à ses yeux n'était plus une fête,
Les soldats de Saül avaient perdu leurs rois,
Les chantres de David avaient perdu la voix
Car ils étaient captifs. Sous le deuil et la cendre,
Souvent dans les tombeaux on les voyait descendre.
Les saules balançaient leurs luths silencieux,
Ils s'asseyaient ensemble, et toujours de leurs yeux
Des pleurs constants tombaient dans l'onde passagère.
Hélas! on pleure tant sur la terre étrangère!

II

Or dans les vastes murs que le peuple entourait
Se baignait une femme en un jardin secret.
C'était près d'une source à l'onde pure et sombre.
Le large sycomore y répandait son ombre :

[Ici, le texte actuel, puis :]

A travers les gazons son escorte fidèle
Au geste de sa main se retira loin d'elle
Comme à travers le ciel passe l'essaim nombreux
Des cygnes de Java qu'admirent les Hébreux.
Aussitôt s'appuyant sur la rive inclinée,
Elle y toucha la lyre à sa voix destinée.
Mais elle s'arrêtait lorsqu'un arbre agité
Venait de quelque effroi glacer sa nudité.
Et quand ses cheveux noirs et leurs tresses humides
Tombaient sur le cinnor et sur ses mains timides,
On aurait cru revoir le bel ange des eaux
Que la création fit sortir des roseaux.
Israël a gardé l'hymne tendre et pieuse
Que chantait doucement sa voix harmonieuse :

[Ici, le *Chant de Suzanne au Bain :*]

De l'époux bien-aimé n'entends-je pas la voix ?
Oui, pareil au chevreuil, le voici, je le vois.
Il reparaît joyeux sur le haut des montagnes,
Bondit sur la colline et passe les campagnes.

O fortifiez-moi ! mêlez des fruits aux fleurs !
Car je languis d'amour et j'ai versé des pleurs.
J'ai cherché dans les nuits, à l'aide de la flamme,
Celui qui fait ma joie et que chérit mon âme.

O ! comment à ma couche est-il donc enlevé ?
Je l'ai cherché partout et ne l'ai pas trouvé.
Mon époux est pour moi comme un collier de myrrhe;
Qu'il dorme sur mon sein, je l'aime et je l'admire.

Il est blanc entre mille et brille le premier;
Ses cheveux sont pareils aux rameaux du palmier;
A l'ombre du palmier je me suis reposée,
Et d'un nard précieux ma tête est arrosée.

Je préfère sa bouche aux grappes d'Engaddi,
Qui tempèrent dans l'or le soleil de midi.
Qu'à m'entourer d'amour son bras gauche s'apprête,
Et que de sa main droite il soutienne ma tête !

Quand son cœur sur le mien bat dans un doux transport,
Je me meurs, car l'amour est fort comme la mort.
Si mes cheveux sont noirs, moi je suis blanche et belle,
Et jamais à sa voix mon âme n'est rebelle.

Je sais que la sagesse est plus que la beauté,
Je sais que le sourire est plein de vanité,
Je suis la femme forte et veux suivre sa voie :
« Elle a cherché la laine, et le lin, et la soie.

« Ses doigts ingénieux ont travaillé longtemps;
Elle partage à tous et l'ouvrage et le temps;
Ses fuseaux ont tissu la toile d'Idumée,
Le passant dans la nuit voit sa lampe allumée.

« Sa main est pleine d'or et s'ouvre à l'indigent;
Elle a de la bonté le langage indulgent;

Ses fils l'ont dite heureuse et de force douée,
Ils se sont levés tous, et tous ils l'ont louée.

« Sa bouche sourira lors de son dernier jour. »
Lorsque j'ai dit ces mots, plein d'un nouvel amour,
De ses bras parfumés mon époux m'environne,
Il m'appelle sa sœur, sa gloire et sa couronne.

[Puis :]

Ainsi disait Suzanne, et du roi Samuel
Unissait à son chant le chant habituel,
Comme le sage Hiram, qui de la Maison sainte
Vint de Tyr à Sion orner la riche enceinte,
Unissait le porphyre au bronze noir des bains
Et l'or à l'olivier manteau des Chérubins.

Sous ses beaux doigts encor tremblaient les cordes jaunes,
Lorsque d'un jeune chêne entouré de longs aulnes,
Elle entendit sortir une flatteuse voix
Qui la venait troubler pour la première fois.

« Reine entre les Beautés, l'éclat qui te décore
Te vaut le nom des Lys et les efface encore.
Ainsi qu'un pur encens tu parfumes les airs,
Tu viens comme l'Aurore au milieu des déserts,
Mais ceinte de splendeur tu marches ignorée,
Sans savoir de quels yeux tu dois être adorée,
Quelle âme tu remplis, ou quels cœurs ont blessés
Tes cheveux noirs voilant tes regards abaissés.
Ne lèveras-tu pas ta tête en vain confuse ?
Ce que ta solitude aux yeux mortels refuse
Ce trésor demi-nu de grâce et de beauté,
Que l'onde en soupirant baigne avec volupté,
Qu'un flot imitateur double à notre espérance
En trahissant deux fois ta pudique ignorance,
Cette bouche entr'ouverte à des baisers absents,
Ainsi que la grenade, ou la fleur de l'encens;
Ces deux bras enlacés sur le luth que tu presses
Tels que deux cygnes blancs unis par des caresses,
Ces biens, crois-tu qu'un seul les doivent tous aimer
Ou que tous pour un seul se doivent animer ?
Non, beau lys d'Israël, tu t'élèves sans tache,
Comme le ciel des nuits qu'aucun sable ne cache,

Comme le ciel aussi laisse chacun de nous
Devant l'astre choisi s'arrêter à genoux;
Un regard de tes yeux est l'âme de mon âme.
Peut-être un autre est là, brûlé d'une autre flamme,
Qui de ton col de neige admire la beauté;
Tels, de la blanche lune adorant la clarté,
Les peuples de Madaï permettent que les Mages
Des Rois dans d'autres feux adorent les images,
Et tous viennent en paix lorsque le jour s'enfuit
Avec des chants divers chanter la même nuit.
De tes faveurs sur nous partage la rosée.
Quand sous la Pyramide elle s'est reposée,
L'hirondelle est heureuse aux sommets de l'Hermon,
Et sous les lambris d'or des tours de Salomon,
Fais comme elle, et comme elle incertaine et légère,
Apprends la volupté riante et passagère;
Viens, foulons sous nos pieds ces populaires lois
Par qui ton cœur jamais n'entendit qu'une voix,
Par qui tes yeux n'ont vu qu'un inflexible maître
Te cachant l'univers qui voulait te connaître,
Et sous un mur farouche enfermant tous tes pas,
Qu'auraient semés de lys ceux qu'il n'égale pas,
Tandis qu'en ce moment où ta bouche le chante,
D'un amour étranger, lui, sans doute, il s'enchante,
Et des feuilles de rose et des parfums brûlés
Couvrant ses blonds cheveux par ta voix adulés,
A vingt jeunes beautés de Lud et de Palmyre
Demande quelque danse ou le chant qu'il admire,
Et prodigue à longs flots cet indolent bonheur
Dont ton hymne perdu regrette enfin l'honneur. »
Ainsi qu'un jeune enfant, qui, seul et sans alarmes,
Pour la première fois entend le bruit des armes,
D'abord reste immobile et regarde effrayé
L'amas mouvant des dards, de mille feux rayé,
Mais découvrant sous l'or des figures sanglantes,
Fuit dans la ville en paix les plaines turbulentes;
Telle d'abord Suzanne immobile écoutait
Ces mots insidieux dont l'encens la flattait,
Jamais la voix d'un homme en ces vastes retraites
N'avait osé troubler ses actions secrètes,
Nul homme à sa beauté n'avait jamais souri,
Si ce n'était son frère et son jeune mari.
Aussi rouge et brûlant d'une chaste colère
Et s'entourant des plis d'un voile tutélaire

Orné d'un beau dessin d'or pur et qu'autrefois
Aux heures de la nuit avaient tissu ses doigts
Quand son époux près d'elle et prolongeant les veilles
Des pasteurs d'Orient lui contait les merveilles,
Les deux mains sur son cœur, n'osant plus s'arrêter,
Sur la rive opposée elle voulut monter.
Mais là, sous un lentisque, insultante et sonore,
Une seconde voix vint l'implorer encore,
Et la fit se plonger dans ses flots favoris
Comme l'oiseau de mer qu'un orage a surpris.

« N'espère pas nous fuir, belle et fière imprudente,
Trop de soins ont aidé notre amour trop ardente,
Nous avons su troubler les regards des humains,
Et ta beauté ne peut échapper à nos mains,
Ta main imprévoyante a chassé tes esclaves
Les nôtres t'ont tissu de prudentes entraves.
N'espère pas, Suzanne, épouvanter nos fronts,
Plus forts que tes refus, inutiles affronts,
Ils portent ce bandeau des juges de la terre
Qui sur les yeux du peuple impose le mystère.
La terre ne voit pas, et le faible souffrant
N'a jamais attendri le ciel indifférent.
En vain tu traîneras, suppliante, alarmée,
Ton innocence en pleurs contre nous deux armée,
En vain ton désespoir à ses pieds abattu
Jetterait au Dieu sourd les cris de la vertu,
Devant le peuple entier pâlira ton excuse,
Si notre témoignage en gémissant l'accuse;
Pour ton Dieu, que sait-il de ce qu'on fait ici ?
Son regard par lui-même est toujours obscurci :
Caché sous le manteau d'un dédaigneux nuage,
Voilant aux chérubins son rapide passage,
Il va d'un pôle à l'autre et marche dans ses cieux
Sans que jusqu'à la terre il abaisse ses yeux.
Viens donc, et plus facile, aimant celui qui t'aime,
Puiser ta sûreté dans ta faute elle-même. »

Malheur, trois fois malheur à la faible beauté...

Quand le Serpent damné, sur l'herbe triste et pâle,
Roulant ses anneaux d'or, d'émeraude et d'opale,
S'attachant au pied d'Eve ainsi qu'un bracelet,
Engourdissant son pas qui déjà chancelait,
Par sa molle éloquence, hélas! trop bien suivie,
Porta la mort au sein qui nous donna la vie,

L'art de ses doux propos était moins séducteur
Car ainsi s'exprima l'invisible imposteur
Dont la voix, tour à tour enjouée ou plaintive,
Arrêta dans les eaux sa victime attentive,
Qui, ne respirant plus, de son impur discours
D'un geste ni d'un cri n'osa troubler le cours.

[Puis, intervention du personnage de Daniel :]

Mais sous trois grands palmiers près du fleuve plantés
Tous, des femmes surtout, sont bientôt arrêtés.
Là s'asseyait rempli d'une tristesse amère
Un enfant dont aucun n'avait connu la mère.
Jusques à ses pieds nus sa tunique de lin
Couvrait de larges plis le timide orphelin,
Il ne paraissait pas aux traits de son visage
Qu'il eût vu douze fois les oiseaux de passage,
Ses cheveux blonds, sans nœuds, sur son front partagés,
Roulaient sur son épaule en longs flots étagés.
Pareil à Samuel quand l'esprit prophétique
Le remplit effrayé de son premier cantique,
Il .... et l'on voyait les cieux
Resplendir égarés dans l'azur de ses yeux.
Et cependant un jour la foule des Hébreux
S'écoulant d'un palais à flots lents et nombreux,
Des platanes obscurs suivait la longue voie
Et tous le front serein se couronnaient de joie,
Ils élevaient aux cieux des bras admirateurs.
Des groupes s'arrêtaient où d'ardents... docteurs
Vantaient ces deux vieillards dont la bouche dorée
Faisait bénir à tous leur justice adorée;

« Ils marchent avec Dieu, disaient-ils, Israël
Trouve dans leurs propos la sagesse du ciel,
Ils sont vêtus de force, et c'est d'eux que le livre
Dit : Ecoute, Israël, que leur voix te délivre.
Ils sont l'œil de l'aveugle et le pied du boiteux. »

[Ici, deux esquisses de présentation du prophète enfantin :]

a) Mais un jour sur le bord des saules argentés
(Dieu le voulut sans doute) ils s'étaient arrêtés.

Là s'asseyait rempli d'une tristesse amère
Un enfant dont aucun n'avait connu la mère.
Jusque à ses pieds nus la tunique de lin
Couvrait de larges plis le timide orphelin.
Il ne paraissait pas aux traits de son visage
Qu'il eût vu douze fois les oiseaux de passage.
Ses cheveux étaient blonds, il regardait les cieux
Et l'on voyait des pleurs dans l'azur de ses yeux,
Il tenait des discours remplis d'un saint mystère
Qui semblaient entraîner sa voix involontaire.

Il disait, dans un chant mollement cadencé,
Joseph fils de Jacob, chaste et récompensé,
Roi, sous les Pharaons, de l'Egypte féconde,
Et par eux surnommé maître et sauveur du monde;
Puis l'Ange conducteur se voilant aux Hébreux
Et laissant sur leurs pas le désert ténébreux
Parce que dans leur joie au Seigneur insultante
Des filles de Moab ils habitaient la tente;

Il raconte David prosterné, gémissant,
Traînant la pénitence aux pieds du Tout-puissant,
Pleurant le sang d'Urie et sa femme tombée
Et la mort d'un fils né du bain de Bethsabée.
Là, s'effrayant lui-même et comptant douze fois
D'un doigt mystérieux qui parcourait ses doigts,
Comme si les tableaux de quelque horrible histoire
En foule, malgré lui venaient à sa mémoire,
Il redit le lévite arrivant de Marpha
Avec un serviteur et deux chameaux d'Epha,
Sa femme et tout son bien couvrant leur dos robuste,
Bientôt dans Benjamin, couchés sous un arbuste,
Un vieillard les accueille et comme vient le soir
A Gabaa, chez lui, rentre et les fait asseoir.
Mais le peuple élevait sa voix comme un orage,
L'épouse par l'époux est livrée à l'outrage.
Elle meurt. Le jour vient. De ses membres épars
Chaque tribu reçoit les dégouttantes parts.
Levé comme un seul homme et gémissant ensemble,
De Dan à Bersabée Israël se rassemble,
Consulte le Seigneur, marche et le lendemain
Le glaive d'Israël efface Benjamin.
« C'est ainsi, s'écria le jeune solitaire,
Que des iniquités Dieu balaiera la terre.

Vieillis dans l'impudeur, dans la faute endurcis,
Les prévaricateurs pour juger sont assis.
Vois la source où tu bois, Israël notre mère!
Plus qu'au désert de Sur tu puises l'onde amère,
Autour de ton repos plane la trahison,
L'ombre des deux palmiers t'endort dans son poison. »

b) L'enfant baissa la tête et se mit à pleurer.
Deux femmes s'avançaient voulant le rassurer,
Il dit d'une voix faible et pleine de larmes :
« Je sonderai leurs cœurs d'un regard de mon œil,
Et je les montrerai nus et sans leur orgueil;
Lancés comme une balle, ils mourront sans mémoire,
Et là se réduira tout le char de leur gloire. »

Mais le peuple élevant sa voix impatiente
Et balançant les flots de sa foule bruyante,
S'écria : « S'il est vrai que Dieu vous ait parlé,
S'il est vrai qu'à prédire il vous ait appelé,
Est-ce pour de vains airs et des larmes frivoles ?
Veut-il des actions ou de faibles paroles ? »
L'enfant baissa la tête et se mit à pleurer.
Deux femmes s'approchaient voulant le rassurer,
Mais il dit d'une voix faible et pleine de larmes :
« Ce n'est pas moi qui peux élever tant d'alarmes.
Je suis seul, sans parents, triste, et ce n'est pas moi
Qui du Seigneur mon Dieu pourrais dicter la loi.
Sa voix, sa propre voix vous assemble et vous touche,
Car dès qu'il a fini de parler par ma bouche,
De tout ce que j'ai dit je ne me souviens pas.
Dieu me tient par la main et dirige mes pas,
Il vient de m'amener, c'est le ciel qui m'enflamme
Et je n'ai pas toujours les forces de mon âme. »
Et le peuple se tut comme se tait la mer,
Lorsqu'au sein de la pluie et de l'orage amer
Passe un ange de Dieu qui porte un saint message
Et du bout de ses pieds la touche à son passage.
Il se tut attentif à ces mots menaçants,
Le peuple morne en cherche et la suite et le sens.
Un murmure craintif sortit du long silence.
Ainsi, quand d'Hésébon le doux vent se balance,
Les bois d'Eléalé s'inclinent un moment
Et le désert muet soupire longuement.

Il s'écriait : « Hélas! que dira Daniel ?
La sagesse a quitté les vieillards d'Israël;
O, détournez, Seigneur, ces tableaux de mon âme!
Quelle est cette victime ? Elle est faible, elle est femme,
Et moi je suis enfant. Pourquoi me réserver
Puisque je ne peux rien encore pour la sauver ?
Avez-vous aux vautours livré la tourterelle ?
J'irai, je parlerai, je pleurerai pour elle.
Peuple, je vois un crime, un malheur m'est prédit,
Ces arbres parleront, ce palais est maudit. »

L'enfant cherchant les cieux y retrouve sa voix;
Je vous le dis, hélas! pour la seconde fois,
Avant que le soleil ombrage l'heure entière,
L'impie élèvera vers vous sa voix altière;
L'insensé dans son cœur dit qu'il n'est pas de Dieu,
Mais la voix du Seigneur lui répond du haut lieu :
« Je suis celui qui suis, plus de miséricorde,
Je vous ceindrai les bras et les reins d'une corde,
Allez, princes du peuple, attachés en faisceau,
Tombez, à ma fureur vous y mettrez le sceau;
Où donc est-il caché, celui dont l'âme attente
À la main qui tendit le ciel comme une tente... »
Les anciens d'Israël dirent qu'en leur enfance,
Quand de ses fils encor Dieu prenait la défense,
Il inspirait ainsi le sage Ezéchiel.
Ce jeune homme ayant dit : Mon nom est Daniel,
Quelques vieillards doués du savoir qui devine
Expliquèrent ce nom : la justice divine.
On s'aperçut aussi que l'enfant, quand ses yeux
Cessaient de s'élever humides vers les cieux,
De Suzanne en tremblant regardait la demeure,
Et chacun résolu de voir s'écouler l'heure
Suit le cercle où déjà l'ombre tourne à demi.
Pour le jeune Prophète, il s'était endormi.

LA PRISON

Un fragment du brouillon primitif montre le projet initial de Vigny. Au vers 35 du texte actuel, il était prévu un développement supprimé par la suite pour resserrer l'action du poème. Si le texte définitif fut établi « du 1er au 8 avril 1821 » à Rouen où Vigny venait d'arriver, il se peut que l'idée même de ce poème soit apparue en 1817, 1818 ou 1819, pendant l'un des séjours en garnison du poète à Vincennes. Il est donc erroné de croire, comme l'a voulu Vigny lui-même (cf. *Souvenirs de Servitude militaire*, éd. F. Germain, Paris, Garnier, 1965, liv. II, chap. II, p. 76) que ce poème fut rédigé dans les murs de la forteresse, la nuit du 16 au 17 août 1819, jour de l'explosion de la poudrière. Le mûrissement de l'idée fut beaucoup plus lent.

« Hâtons-nous, pour qu'au moins celui qui va finir
N'entende pas [. . . . . . .] à venir. »
Tels sont les vains discours qu'un vieux prêtre prononce,
Mais on marche toujours, et toujours sans réponse.
Il parle de son âge, il se plaint du bandeau
Dont on a sur ses yeux noué l'épais fardeau,
Mais un mot seul et dur le condamne au silence.
. . . .
Mais de ses conducteurs redoutant l'insolence,
Il s'efforce à les suivre et garde le silence,
On l'entraîne, on le perd en des détours savants,
Tantôt crie à ses pieds le bois des ponts mouvants...

Le prêtre s'avançait avec recueillement,
Il entendit ces mots murmurés sourdement :

« O Mort, toi qui dit-on fais répandre des larmes,
D'où viennent tes douceurs, ô Mort, pourquoi ces
[charmes ?
Pourquoi ces doux tableaux et leur prestige errant
Qui revient enchanter les songes du mourant ?
Tu jettes sur nos lits d'une main décharnée
Les fleurs dont la jeunesse autrefois s'est ornée.
Au tombeau du vieillard l'enfance reparaît
Lui rapportant des jours le magique intérêt, —
Pourquoi la vie encore, alors qu'elle est finie ?
Pourquoi cette couronne au front de l'Agonie ?
Fuyez, laissez-moi seul jouir de mon trépas,
Illusions du cœur, je ne vous connais pas. »

LE BERCEAU

Stances composées à l'automne de 1822 et adressées par Vigny à Marie, la fille nouvelle-née de sa cousine la comtesse de Clérembault. Vigny est sur le point de quitter la garnison de Rouen pour Strasbourg.

Dors dans cette nacelle où te reçut le monde;
Songe au ciel d'où tu viens, au fond de ton berceau,
Comme le nautonier qui, sur la mer profonde,
Rêve de la patrie et dort dans son vaisseau.

Le matelot n'entend au-dessus de sa tête
Qu'un bruit vague et sans fin sur le flot agité,
Et quand autour de lui bouillonne la tempête,
Il sourit au repos qu'hélas! il a quitté.

Qu'ainsi de notre terre aucun son ne t'éveille,
Et que les bruits lointains de la vaste cité,
La harpe de ton frère ou ta mère qui veille,
Tout forme à ton repos un murmure enchanté!

N'entends pas les vains bruits de la foule importune,
Mais ces concerts formés pour tes jeunes douleurs;
Tu connaîtras assez la voix de l'infortune :
Sur la terre on entend moins de chants que de pleurs.

Pour ta nef sans effroi la vie est sans orages;
Le seul flot qui te berce est le bras maternel,
Et tes jours passeront sans crainte des naufrages
Depuis le sein natal jusqu'au port éternel.

Les nautonniers pieux, sur la mer étrangère,
Invoquent la patronne et voguent rassurés...
Tu t'appelles Marie, ô jeune passagère,
Et ton nom virginal règne aux champs azurés.

LE RÊVE

Vers composés dans les mêmes circonstances que précédemment. On sera sensible dans ces vers à l'image de la femme qui se dégage progressivement de textes consacrés à l'enfance, et qui, à l'heure où se dessine la figure d'Eloa, associe une représentation mariale à une représentation angélique conforme à l'un des archétypes socio-culturels des premières années du Romantisme.

Ton rêve, heureux enfant, n'est pas un vain mensonge;
L'imagination n'est pas encore en toi;
Elle tient de la terre, au lieu que ton beau songe
N'est qu'un moment d'absence où Dieu t'appelle à soi.

Les anges sont venus près de ta jeune oreille
Et t'ont dit : « Oh! pourquoi nous as-tu donc laissés ?
A notre éternité la tienne était pareille,
Tes yeux vers les mortels ne s'étaient point baissés.

« Tu touchais avec nous la harpe parfumée,
Et l'or de la cymbale et le sistre argentin;
Tu flottais avec nous dans la sainte fumée
Qui tourne autour des feux de l'éternel matin.

« Tu soutenais le bras de la céleste Vierge
Lorsque l'enfant de Dieu l'accablait de son poids,
Ou bien tu te mêlais à la flamme d'un cierge
Devant l'Agneau sans tache et le livre des Lois.

« Au char d'Emmanuel tes ailes attelées
Guidaient la roue ardente et son essieu vivant;
Et, pour nourrir le feu des lampes étoilées,
Aux voûtes de cristal on t'envoyait souvent.

« Des tabernacles d'or les secrètes enceintes
Etaient les lieux cachés choisis pour ton repos;
Tu te posais aussi sur les genoux des saintes,
Ecoutant leur cantique et leurs pieux propos.

« Tu seras bien longtemps sans revoir nos merveilles.
Ange ami, tes instants seront tous agités.
Tu pleures à présent sitôt que tu t'éveilles...
Depuis vingt jours, pourquoi nous as-tu donc quittés ? »

Ainsi, pour t'éloigner d'une vie éphémère,
Les anges t'ont parlé, discours plaintif et doux.
Tu leur as répondu : « Vous n'avez pas de mère!... »
Et tous ont vu la tienne avec des yeux jaloux.

AUTOUR D'*ÉLOA*

Dans les années 1822-1823, Vigny a l'intention de rédiger trois *Mystères*.

a) Le projet de *Satan*. Dans les premiers temps de sa gestation, un premier poème intitulé *Satan* paraît consacré à la salvation de « celui qui porte la lumière ». Mais l'orientation du propos change en cours de rédaction. Vigny, retrouvant en 1839 ces esquisses, inscrit au bas de ces feuillets : « Mauvais ».

b) *Eloa*. Ce qui aurait dû être le second Mystère bénéficie de ce changement d'orientation; le poème est désormais consacré à la chute de l'Ange. Mais le projet précédent n'a pas encore entièrement disparu de l'esprit du poète. Vigny parle toujours de *Satan* ou *Satan sauvé* dans une lettre à V. Hugo du 3 octobre 1823. Et celui-ci demande donc des nouvelles de ce projet rené de ses cendres lorsque, *Eloa* étant parue depuis un an, il écrit à Vigny le 28 avril 1825 : « Avez-vous terminé votre formidable Enfer ? »; à quoi notre poète répond le 8 mai qu'il a adjoint « un chant, quel chant! aux paroles des Damnés ». L'influence de Dante et de Byron, ici manifeste, se fait jour un peu plus tard dans les projets d'un *Jugement dernier* contemporains de ces esquisses, et ultérieurement encore dans *Le Mont des Oliviers* et le poème des *Destinées;* permanence des sources dans l'évolution des préoccupations du poète-philosophe.

c) *Le Déluge* enfin, qui, en tant que Mystère, apparaît dans le recueil de 1826 des *Poèmes antiques et modernes.*

SATAN

RÉVÉLATION

Esprit venu du ciel, où portez-vous mon âme ?
Pour soutenir l'éclat de ces astres de flamme
Qui suis-je ? — Ai-je reçu comme un don précieux
L'œil de l'aigle inspiré que saint Jean vit aux cieux ?
Dans les ravissements d'une extase imprévue
Pourrai-je voir le ciel sans mourir de sa vue ?
C'est en parlant à Dieu que Moïse autrefois
Sentit fuir de son cœur son âme avec sa voix.
Daignez, Esprit divin, soutenir mes paupières.
J'épurerai ma lèvre aux vases des prières !
Que vois-je autour de moi ? Jamais rien de pareil
Ne se présente à nous au-dessous du soleil
Quand la nuit m'amenait l'heure de mes pensées
Seul mais environné des images passées,
J'aimais à les parer des grâces de leur temps,
Et rendre la patrie à ses vieux habitants.
Là, tels qu'ils ont vécu je les voyais paraître,
Reprenants leur chagrin en même temps que l'être,
Comme les vêtements de tout homme qui naît
Et les seuls sous lesquels l'histoire les connaît.
Je demandais alors à leur foule éplorée
L'aventure par moi le plus souvent pleurée,
Et j'écoutais surtout par mon cœur emporté
Ceux dont le cœur saignait par le même côté,
Comme un soldat blessé qui dans les saints hospices
Sur les bancs ombragés aux longs récits propices
Choisit dans les guerriers parmi les plus anciens
Ceux de qui les malheurs sont semblables aux siens.
Mais tout le firmament s'ouvre au bruit de tes ailes.
Esprit, je vous suivrai dans vos routes nouvelles,
Dussé-je retomber d'où je suis élancé.

II

SATAN PARLE

Je vais te révéler les éternels secrets.
— Un mal universel accable la nature,
Une douleur profonde est dans la créature.
Depuis le premier ange établi dans les cieux
Jusqu'au dernier mortel trop petit pour nos yeux,
Depuis le monde ancien dont l'anneau brille et roule
Jusqu'au dernier soleil scintillant dans la foule,
Tout se débat en vain dans la chaîne de fer
Dont un seul a lié le ciel, l'homme et l'enfer.
Chacun pleure en courbant une tête asservie.
Un éternel soupir est la voix de la vie,
A laquelle répond dans l'âge illimité
Le soupir éternel de l'immortalité.

III

SATAN PARLE

La terre est malheureuse et gémit suspendue,
Entre le Maître et moi partageant l'étendue,
Elle suit en pleurant un chemin douloureux.
C'est l'éternel théâtre où nous luttons tous deux;
Tous les vœux élevés à la voûte immortelle,
Encens inaccepté, tombent en pleurs sur elle.
Il ne lui vient d'en haut que la foudre et l'horreur.

Quand son Dieu lui parla, ce fut de sa fureur;
Lui-même tout heureux qu'il est et qu'il se nomme,
Je l'entendis gémir, devenu Fils de l'homme,
Car rien n'est descendu sur ce monde odieux
Qui ne fût teint de sang en retournant aux cieux!
Vains honneurs! je mourais comme on meurt sur la terre
Des désirs éternels de l'âme solitaire.
O! que j'eusse voulu de mon sein agité
Chasser comme un poison mon immortalité!
Mais les ennuis d'un Dieu font éclore un miracle,
De la grande unité j'ai démenti l'oracle,
J'ai séparé mon front des fronts qui sont courbés,
Et la moitié des Cieux, au maître dérobés,

Et mes cieux insurgés...
Roulés en flots autour de ma grandeur rivale
Suivirent dans la nuit ma voix douce et royale.

(L'enfer créé.)

Auprès de moi volaient les anges mes pareils,
Au chaos ébloui transportant mes soleils,
Et fiers que leur visage abjurant la contrainte
Pût sourire à mes yeux et regarder sans crainte.
Dévoilés tout-à-coup, ils apparaissaient tels
Qu'ils parurent depuis aux songes des mortels;
C'était la fleur du ciel et des fils de lumière.
La Gloire à l'œil brillant m'escorta la première,
Jetant devant mes pas des feux purs et légers;
Cet ange est le plus beau de mes beaux messagers,
Et souvent je l'adresse à quelque âme blessée
Où des autres désirs dort la flamme effacée;
Là, comme un souffle pur envoyé du midi
Passe dans un jardin sous l'hiver engourdi
Et des molles odeurs ramène le cortège,
Relève d'un baiser les roses sous la neige,
Entr'ouvre les gazons, vole et pour peu d'instants
Parfume l'air glacé d'un soupir du printemps;
L'ange éveille des jours les traces effacées
Pour cette âme agrandit les images passées
Avant l'éternité lui crée un avenir,
Le lui montre au niveau du plus grand souvenir;
Des débris de ses maux qui blessaient sa mémoire
Lui fait un marchepied au trône de l'histoire,
Lui peint l'homme et les temps des teintes de son cœur,
Et du destin présent rend son esprit vainqueur.
Après lui s'avançait la passion du trône,
Cet esprit sur son front essayait ma couronne,
Se vêtissait de pourpre et regardait les cieux
En laissant éclater un rire ambitieux.
Il met dans les sentiers que suit une âme altière
Des marches dont jamais on n'atteint la dernière.
Ceux dont il a fixé les yeux toujours ouverts
N'aperçoivent qu'un point dans ce vaste univers,
Montent jusqu'au tombeau, fin de leurs destinées,
En comptant derrière eux les têtes inclinées.

[Relisant cet ensemble de vers en 1839, Vigny note son jugement au bas du dernier feuillet : « *Mauvais* ».]

Sur ce globe imparfait, œuvre des sept journées,
De l'espoir au regret balançant ses années
L'homme en pleurant achève et commence son sort
Et son berceau souvent est le lit de sa mort.
Ange, vous le savez, sa terre suspendue
Entre son maître et moi partage l'étendue,
Exemple solennel dont l'aspect nous fait voir
Que son plus doux spectacle est dans le désespoir.
Telle est dans son orgueil l'œuvre des sept journées
Et l'œuvre pour qui sont le temps et les années,
La séparation qu'elle appelle trépas,
Seuls chagrins dont le poids ne nous accable pas;
L'image du Seigneur... de la terre est tirée
Et ses grains de poussière ont en chacun leur vie.
Tous les anges disaient : l'esprit est-il puni ?
D'où vient qu'à la matière il passe réuni ?
Pourquoi traverse-t-il cette existence impure ?
Pourquoi la mort, la vie, et pourquoi la nature ?
Moi seul j'ai répondu : la matière est la mort.
Servir est notre loi, souffrir est notre sort
Et l'esprit immortel gémit et s'humilie,
A prier le très haut l'éternité le lie
Et sa douleur se voit par ce destin honteux.
Car quel bien manquerait à l'être bienheureux ?
Mais toujours insensible aux maux de l'existence,
Ignorant le trépas, ignorant la naissance
La matière muette égarait loin de nous
Ce noir et froid chaos dont nous étions jaloux...
Le maître a vu passer son esclave oubliée
Et pour qu'elle gémit à l'âme il l'a liée.

Je savais murmurer des psaumes prophétiques;
Couvrant mes longs cheveux des quatre ailes d'azur
Et prosternant un front que je croyais impur,
J'adorais sans amour, priais sans espérance;
J'entrais au tabernacle avec indifférence.
O quels ennuis profonds habitent dans les cieux!
Toujours former des chœurs, des chœurs harmonieux,
Toujours des harpes d'or résonnant dans la nue,
Des encensoirs lancés vers la voûte inconnue;
Répéter constamment, par nous-même abusés.
Les hymnes d'un mortel à des Dieux imposés :
Les chants d'un Roi vaincu déplorant sa défaite,
Le cri d'un mendiant, les plaintes d'un prophète,

Ou le cantique impur de l'épouse à l'époux,
Simple et vulgaire amour divinisé par nous;
Toujours se prosterner devant quelque mystère
Toujours vanter des saints qui viennent de la terre;
Admirer ces mortels de nous avoir priés
Et chanter des vertus qu'ils trouvaient à nos pieds,
C'était trop demander pour nous avoir fait naître.
Rien ne me consola d'avoir su tout connaître.
Mes rayons devenaient à moi-même importuns,
Les louanges du ciel n'avaient plus de parfums...

Ainsi les passions, mystérieux cortège,
Descendirent fonder les cieux que je protège
Et qui des profondeurs où les retient ma loi
Balancent l'univers entre ton maître et moi.

IV

CHŒUR DES RÉPROUVÉS

Rendez-nous, rendez-nous nos faibles corps d'argile,
Le cœur qui souffrit tant et tout l'être fragile;
Frappez le corps, blessez le cœur, verser le sang,
Et nous souffrirons moins qu'au séjour languissant
Où l'âme en face d'elle est seule et délaissée;
Car le malheur, c'est la pensée!

ÉLOA

Curieuse débauche d'esquisses en ce qui concerne les projets initiaux de ce poème; voici les plus élaborées.

Créateur, Créateur! pourquoi tant de miracles ?
Ces nouveaux nés frappés par d'antiques oracles ?
Ces mondes imparfaits inventés pour mourir
Et toutes ces beautés qui doivent se flétrir ?
Comment Dieu n'a-t-il pas des œuvres sans mélange ?
Sagesse du Très Haut qui vous pénétrera ?
Une larme a causé la naissance d'un ange,
Toujours quelque douleur partout se montrera,
Sagesse du Très Haut qui vous pénétrera ?

A leurs transports d'amour les séraphins fidèles
L'accueillirent longtemps par le bruit de leurs ailes,
Mais troublant à l'écart les sons harmonieux
De l'hymne créateur que chantèrent les cieux,
Des chérubins savants le chœur toujours austère
Répéta gravement l'œil baissé vers la terre :
Prends garde, ô Vierge ailée, à la douce pitié,
Car des vertus du ciel tu n'as que la moitié,
Sagesse du Très Haut qui vous pénétrera ?
Sans la main du Seigneur l'étoile tombera.

Sitôt que l'urne sainte eut fait naître Eloa,
Pour le triste univers l'heureux ciel espéra.

La terre est son berceau : qu'elle soit dans ses mains,
Puisque les pleurs de Dieu coulaient pour les humains.
Ainsi le ciel chantait et priant pour la Terre
Voulait qu'en sa faveur s'accomplît le mystère.

Mais Dieu souvent nous trompe et ses profonds desseins
Ne sont pas mieux connus des anges ni des saints.
Ces chastes habitants de l'immortel empire
Imprudents une fois s'unissaient pour l'instruire.
Eloa, disaient-ils, ô veillez bien sur vous...

N'ornera plus son front la nuit pendant ses veilles.
Sous la main du Seigneur, à peine épanoui,
L'arc-en-ciel pâlira dans l'air évanoui.
Fuyez l'antique orgueil, créature nouvelle.
Sous le myrrhe et l'encens la flamme se révèle.
Qui naît parmi les pleurs peut être infortuné
Ainsi que sur la terre est l'homme nouveau-né...
Elle enchante la femme et peut égarer l'ange...

L'effroi n'altéra point son paisible visage,
Et ce fut pour le ciel un alarmant présage.
Son premier mouvement ne fut pas de frémir,
Mais plutôt d'approcher comme pour secourir.
Puis soulevant ses yeux comme un voile des flots,
Parce qu'il entendait répondre à ses sanglots,
Et voyant d'Eloa la forme décevante
Descendre vers sa couche avec moins d'épouvante :

Fuis-moi, s'écria-t-il, comme font les humains
Fuis, de celui qui pleure évite les chemins;
Mais où vas-tu passer tes heures éternelles ?
Vers tes anges encor tourneras-tu tes ailes ?
Je sais l'ennui des cieux, j'entendis ces accents
Qu'à l'inconnu ta voix offrait avec l'encens;
Tu vas t'asseoir encor aux lieux où je t'ai vue
Un jour où pour créer quelque plaie imprévue
Le Seigneur de ta vie assembla son conseil;
J'y parus devant lui comme un sombre soleil;

Dans les prés inconnus l'alouette imprudente
Vient du miroir tournant voir la facette ardente.
Des mines de la terre élancé promptement,
Le fer emprunte une âme aux ordres de l'aimant.
La tourterelle en vain dressant sa plume blanche
Au regard du serpent tombe de branche en branche.
Telle elle descendait l'habitante des cieux,
Les yeux lourds de langueur regardèrent les yeux.

Et la pauvre Eloa prête à se dérober
Au formidable attrait qui la faisait tomber
Commençait à lever ses ailes engourdies,
Entr'ouvrant pour crier des lèvres enhardies,
Ainsi qu'un jeune enfant s'attachant aux roseaux
Tente de faibles cris étouffés sous les eaux.
Il la vit prête à fuir et répandit des larmes.
O pur amour, ainsi le mal te prend ses armes!
Il pleura longuement, comme un homme exilé,
Comme une veuve aux pieds de son fils immolé,
Comme un amant qui rêve à sa fureur jalouse
Triste d'avoir frappé son adultère épouse.

PROJET D'UN JUGEMENT DERNIER

Contemporains de ces esquisses pour *Satan* et pour *Eloa*, quelques vers inachevés témoignent de l'intention de Vigny de rédiger un poème sur le Jugement Dernier. Ils ont été inspirés entre 1819 et 1823 par des lectures de l'*Apocalypse*, de Young, Baour-Lormian et de Dante, ainsi que par la contemplation de l'œuvre de Michel-Ange. A côté des emprunts directs faits à *La Divine Comédie* (*Enfer*, chap. v, v. 58; chap. XIII, *Les Suicides*), on notera l'influence profonde de Shakespeare, visible, par exemple, dans l'image de la lampe dans un caveau. En novembre 1827, Vigny et Deschamps seront alliés pour traduire *Roméo et Juliette*.

Deux colombes de l'air, timides voyageuses,
Fuyant d'un vol égal les plaines orageuses,
Reviennent en jetant de longs et tendres cris
Aux lieux de leur enfance, asiles favoris :
Telles sans se quitter, les deux plaintives ombres
S'envolèrent vers moi de leurs rivages sombres.

Enfin l'Esprit se lève et l'immortel agneau
Pour la septième fois ouvrit le dernier sceau,
L'univers attendit sa dernière sentence
Et les mondes tremblants gardèrent le silence.

Le temps de leur silence eut un aussi long cours
Que celui du Soleil dans ses glorieux jours
A revenir trois fois dans les mêmes demeures,
Quand la terre vivante avait encor des heures.

... Du vieil abîme alors ils surent les secrets...
... La Nuit et le Chaos, noirs ancêtres du monde...
... Et des peuples détruits qui s'étaient crus puissants
L'on vit le vieux soleil pâlir...

[Protestation de Satan contre un ciel ennuyeux et son humiliante monotonie :]

« Habitants immortels des éternelles flammes,
Dieux tombés qui régnez sur les humaines âmes,
Inventeurs des tourments qui rongez les damnés,
Ranimez à leurs maux tous les feux destinés.
Levez vos bras puissants, ouvrez-leur tout l'abîme
Que sa bouche s'apprête à recevoir le crime.
N'ai-je pas entendu déjà le bruit des pleurs ?
Sourions à ce jour, c'est le jour des douleurs.
Nous allions jusqu'ici mendier notre proie...

On entendit un bruit épouvantable, immense
Depuis le point du ciel où l'Orient commence
Jusqu'au terme invisible où finit l'Occident
Du haut du Nord glacé jusques au Sud ardent,
Tout trembla pénétré d'une angoisse profonde
Dans l'épaisseur de l'ombre on vit passer un monde,
Il tombait détaché de la voûte des Cieux
Et malgré ses rayons...

Les suicides

Et surtout elle aimait dans leur foule inquiète
Romeo qui passait près de sa Juliette.
Pâles tous deux, tous deux encor jeunes et beaux
Ils semblaient s'égarer parmi de vieux tombeaux.
Leur pas était égal et leurs deux mains glacées
Comme en un jour d'hymen restaient entrelacées,
Tout en cherchant la nuit de ces funèbres lieux,
Leurs yeux tristes et doux ne quittaient pas leurs yeux.
Leurs âmes s'unissaient dans la mort, et ravie
L'une puisait dans l'autre une seconde vie.
Que d'amour nourrissait leurs propos éternels !
« Ah ! disait Romeo, durant nos jours cruels
Nous nous sommes brisés sans ployer sous l'orage,
Rien n'a de ton amour affaibli le courage,
Tu n'as pas redouté la liqueur du sommeil,
Dans l'éternel exil que ton cœur soit pareil. »

SAND

Le dramaturge allemand Kotzebue, espion dans son pays à la solde du tsar Alexandre 1er, et farouchement hostile aux libéraux, est assassiné le 23 mars 1819 par un étudiant affilié au Tugend-Bund, K. L. Sand. Cette société du Lien de Vertu, créée en 1813 pour travailler à l'expulsion des envahisseurs français, avait été dissoute en 1815, mais continuait à se manifester, souvent violemment, dans le secret. Vigny semble captivé par la personnalité du meurtrier, exalté héroïque mais aussi coupable, et par le problème du libéralisme que pose son acte. Il rédige une esquisse en prose le 20 mai 1823, et la convertit rapidement en vers avant de quitter Strasbourg pour Bordeaux en juin. On peut penser que les extraits ici présentés constituent respectivement le prologue et une partie du développement philosophique voilé sous l'allégorie qu'avait envisagés Vigny.

Jusqu'où vont les vertus ? Où commencent les crimes ?
Si je suis la pensée en ses routes sublimes,
J'arrive à ce néant d'où je suis élancé.

Pas une voix d'ami ne lui dit : que fais-tu ?

Mais pourquoi donc chercher plus loin que notre sphère
Hélas ! une Beauté qui n'est pas sur la Terre ?
Le vertige punit cet espoir insensé.

Lorsque suivant au ciel son chemin commencé
L'aéronaute aspire au trône des étoiles
L'Ether monte en gonflant la rondeur de ses voiles,
Déjà le bruit du monde expire confondu,
L'orage à ses pieds passe et tonne inentendu,
La terre s'aperçoit sous les vapeurs profondes
Comme une tache obscure au milieu de ses ondes.
L'homme alors, seul aux cieux de son destin vainqueur
D'une joie insensée enorgueillit son cœur.
Mais ô terreur! sorti de la sphère natale
Il chante sans l'entendre une hymne triomphale,
L'air échappe à sa lèvre et l'espace à ses yeux,
C'est le vide partout, ce ne sont plus les cieux.
En vain un cri muet sort de sa voix mourante,
Il vole évanoui dans sa nacelle errante.

Un projet en prose, qui met en scène une jeune fille s'adressant au poète-allocutaire, précède ces esquisses versifiées (cf. Mémoires, éd. Sangnier. Paris, 1958, p. 399 sqq.).

A BYRON

Lord Byron meurt en victime de son idéal le 19 avril 1824 à Missolonghi. Vigny, vivement impressionné par la mort tragique de ce modèle du romantisme, envisage de rédiger un poème ayant pour titre : *Discours à l'Europe sur la mort de Lord Byron*, et qui est même annoncé dans la livraison de juin de *La Muse française* par un extrait auquel nous avons antéposé l'exorde probable de ce texte retrouvé par F. Baldensperger. On notera que cette même douzième livraison de la revue s'ouvre sur un fragment d'un *Chant élégiaque à Lord Byron* d'Alexandre Guiraud, et contient également un article de V. Hugo *Sur George Gordon, Lord Byron.*

Discours a l'Europe sur la mort de lord Byron

Quand la mort a tranché les grandes destinées
Un jour plus beau se lève et luit sur leurs années,
Tout ce qui d'un grand homme ici nous est resté
S'épure au feu sacré de l'immortalité,
Comme si les rayons de la vie éternelle
Eclairaient sa mémoire en descendant sur elle...

Son génie était las des gloires de la lyre,
Et déjà, dédaignant cet impuissant délire,
Quittant le luth divin qu'il vouait à l'enfer,
Sa main impatiente avait saisi le fer.
Deux couronnes sont tout dans les fastes du monde :
Orné de la première, il voulait la seconde;

Il allait la chercher au pays du laurier,
Et le poète en lui faisait place au guerrier.
Il tombe au premier pas, mais ce pas est immense.
Heureux celui qui tombe aussitôt qu'il commence!
Heureux celui qui meurt et qui ferme des yeux
Tout éblouis encor de rêves glorieux!
Il n'a pas vu des siens la perte ou la défaite.
Il rend au milieu d'eux une âme satisfaite;
Et s'exhalant en paix dans son dernier adieu,
Le feu qui l'anima retourne au sein de Dieu.
A l'éternel foyer Dieu rappelle ton âme;
Tu le sais, à présent, d'où venait cette flamme
Qui, prenant dans ton cœur un essor trop puissant,
A dévoré ton corps et brûlé tout ton sang.

Peut-être, parvenue à l'âge des douleurs,
Vierge encore au berceau, née entre deux malheurs,
Connaissant tout son père et fuyant sa famille,
Devant ce cœur brisé viendra tomber sa fille;
Et quand le luth muet et le fer paternel
Auront reçu les pleurs de son deuil éternel,
Sa voix douce, évoquant une mémoire amère,
Y chantera l'adieu qu'il chanta pour sa mère.

Poète-conquérant, adieu pour cette vie!
Je regarde ta mort et je te porte envie;
Car tu meurs à cet âge où le cœur, jeune encor,
De ses illusions conserve le trésor.
Tel, aux yeux du marin, le soleil des tropiques
Se plonge tout ardent sous les flots pacifiques,
Et, sans pâlir, descend à son nouveau séjour
Aussi fort qu'il était dans le milieu du jour.

NUIT DANS LES PYRÉNÉES

En juin 1824, Vigny est avec son régiment à Pau; du début juillet à la première moitié d'août, il est en garnison à Oloron où il est vraisemblable qu'il a composé ces vers, de peu antérieurs au poème *Le Cor*.

Une nuit, j'errais seul à pied dans la montagne
Dont la gorge est en France et le dos en Espagne.
Moi j'allais sur son front et je me croyais grand
Pour avoir sous mes pieds l'eau verte d'un torrent.
J'allais donc triomphant sur cette énorme tête
Dont la neige est le casque et le glacier la crête,
Dont le roc est l'armure, et jusqu'à l'horizon
Je voyais se traîner sa robe de gazon.
C'était elle, c'était l'énorme sentinelle
Que Dieu même posa comme garde éternelle,
Séparant à la fois vagues et passions :
Ici deux Océans et là deux nations.

. . .

La lune dans le ciel était large et superbe
Et jetait ses clartés comme une double gerbe
Du peuple catholique au peuple très chrétien.

A LYDIA BUNBURY

Selon la légende des *Mémoires* apocryphes du Baron Duplaa, dans la dernière semaine de juin 1824, Vigny croit remarquer une Espagnole se promenant en même temps que lui dans les allées du parc de la ville de Pau. Il s'agit, en réalité, d'une Anglaise, Lydia Bunbury, née en 1799 en Guyane anglaise. Subitement, mais vivement, épris, Vigny fait une première demande en mariage au père de la jeune fille : Sir Hugh Mills Bunbury; demande qui est violemment repoussée. Le texte suivant, dans lequel le poète avait épanché sa peine, attribué depuis 1951 à Vigny à la suite d'une « découverte » de Franz Toussaint, est en réalité à classer dans la catégorie des supercheries littéraires. Une lettre de l'auteur du *Jardin des Caresses*, son unique responsable, adressée à Louis Ducla et récemment révélée à Pau par Pierre Tucoo-Chala en témoigne. Toutefois, le caractère de révélateur stylistique de ce pastiche, justifie sa présence dans l'ensemble des productions poétiques secondaires de Vigny.

I

Je pense à toi, mon âme, et je me désespère,
Objet infortuné du mépris de ton père,
Que ne peuvent fléchir les orages du cœur,
Mes plaintes, ni la voix d'une telle douleur!
N'a-t-il jamais connu la peine inguérissable
De voir soudain crouler en un monceau de sable
Le granit du palais que l'amour s'est construit ?
N'a-t-il jamais tendu sa main vers un beau fruit,

Tout consumé du feu dévorant de la fièvre ?
L'ivoire de ton front, le rubis de ta lèvre,
L'azur de ton regard, ou sa funèbre nuit,
Ne troublent-ils donc pas cet être qui me nuit ?
. . .
Ne tomba-t-il jamais aux pieds du Créateur,
Gémissant de souffrance et pâle de terreur ?

II

Que ne puis-je rejoindre, aux creux d'une montagne,
L'aigle blessé qui meurt auprès de sa compagne !
. . .
Accueillez dans votre ombre, altières Pyrénées,
Dans vos noires forêts par l'azur couronnées,
Un naïf qui croyait aux douceurs de l'amour,
Du printemps, de l'espoir...
Sources, ruisseaux, torrents, vous savez mes secrets !
O loups qui bondissez en quête d'une proie,
Je voudrais partager votre cruelle joie,
Puis me coucher enfin dans les bois endormis
Où vous vous reposez, haletants et meurtris !

III

Sans doute, quelque soir, un pâtre solitaire,
A l'heure où le soleil s'éloigne de la terre,
Entendra dans la brise un appel déchirant.
« Pitié, s'écriera-t-il, pour un homme expirant !
Seigneur, pardonnez-lui, même s'il est coupable !
Ne lui refusez pas votre main secourable. »
Tu te seras trompé, généreux inconnu !
Oui, j'agoniserai. Je mourrai triste et nu.
Les grappes de mes jours seront bien vendangées,
Mes chênes renversés, mes moissons ravagées.
Mais, sur ma bouche pâle et mon cœur apaisé,
Un lumineux archange aura déjà posé
Le sceau qui nous désigne aux rives éternelles
Où le vent du malheur ne brise pas nos ailes.

LA BEAUTÉ IDÉALE

Girodet-Trioson, le peintre montargois, ancien maître de dessin de Vigny, est mort le 9 décembre 1824. Le poète admirait beaucoup ses œuvres, particulièrement la *Scène du Déluge* (1806), dont il s'est inspiré pour un Mystère composé, partie à Oloron en août 1824, partie à Paris en mars 1825. *Le Mercure de France* qui publie cet hommage *Aux Mânes de Girodet*, en novembre 1825, précise qu'il s'agit là d'un extrait d'un poème sur le Déluge. *Le Déluge*, amputé de ce prologue synesthésique pré-baudelairien, sera inséré dans le recueil de 1826 à l'initiale de ce volume des *Poèmes antiques et modernes*.

Aux manes de Girodet

« Où donc est la beauté que rêve le poète ?
Aucun d'entre les arts n'est son digne interprète,
Et souvent il voudrait, par son rêve égaré,
Confondre ce que Dieu pour l'homme a séparé.
Il voudrait ajouter les sens à la peinture.
A son gré si la Muse imitait la Nature,
Les formes, la pensée et tous les bruits épars
Viendraient se rencontrer dans le prisme des arts,
Centre où de l'univers les beautés réunies
Apporteraient au cœur toutes les harmonies,
Les bruits et les couleurs de la terre et des cieux,
Le charme de l'oreille et le charme des yeux,
Le réveil des oiseaux, la chanson virginale,
La perle et les rayons de l'aube matinale,

La gémissante voix des soupirs de la nuit,
Le nuage égaré sur le torrent conduit,
L'éclair tombant du ciel et sillonnant l'espace
Comme un glaive de Dieu qui passe et qui repasse,
Les cris du voyageur dans la forêt perdu,
L'appel de la clochette en pleurant entendu,
Les mots d'amour mêlés au vent sifflant sur l'onde,
Et des chastes douleurs l'émotion profonde.
On entendrait ensemble, on verrait d'un coup d'œil
Dans les vapeurs du nord la faiblesse et l'orgueil,
L'orgueil farouche et noir des héros du nuage,
Et les blondes beautés qui pleurent dans l'orage;
Leurs chants s'élèveraient dans les plaines de l'air,
Le bouclier divin tinterait sous le fer,
La harpe et les soupirs des vagues élégies
Se mêleraient aux cris des sanglantes orgies,
Et les hymnes plaintifs des filles du vainqueur
Au rire du guerrier qui sent percer son cœur.
La tragédie en pleurs parlerait dans la nue,
L'homme entendrait les sons d'une langue inconnue,
Semblable aux chants divins des astres de Platon,
Belle plus que les voix d'Homère et de Milton.
Les Dieux s'entretiendraient des malheurs de la terre.
Dans la nuit des forêts le rayon solitaire,
Aux lèvres du chasseur en tremblant descendu,
Aurait un doux soupir sous la feuille entendu,
Des mots qui nous diraient tout bas avec mollesse
Ce qu'est l'amour de l'homme au cœur de la déesse.
Devant l'autel ému d'un miracle nouveau,
Sous le feu du génie échappé du ciseau
Le marbre palpitant nous dirait si la vie
Est un plus beau festin lorsqu'on nous y convie
A l'âge qui rougit des pudeurs de l'amour,
Qu'à l'âge qui gémit de ne pas voir le jour;
Et si pour aborder l'existence et sa flamme,
Il vaut mieux en naissant avoir toute son âme.
Mais quels vastes concerts, quels mots, quelles couleurs
D'un monde châtié traceront les douleurs
Et graveront pour nous sur le flot du déluge
La grandeur du coupable et celle de son juge ?
A ce dessin sublime et sur un mont jeté
Manquent le mouvement, les bruits, l'immensité;
Le concert où serait cette scène tracée
Regretterait encor la forme et la pensée,

Et si la poésie essayait ces tableaux
Pour suivre le ravage et la marche des eaux,
Seule et sans les couleurs, les voix mélodieuses,
Elle demanderait ses sœurs harmonieuses.
Descends donc, triple lyre, instrument inconnu,
O toi ! qui parmi nous n'es pas encore venu
Et qu'en se consumant invoque le génie ;
Sans toi point de beauté, sans toi point d'harmonie ;
Musique, poésie, art pur de Raphaël,
Vous deviendrez un Dieu..., mais sur un seul autel ! »
Ainsi je lui parlais...

1824.

LE PORT

En congé prolongé sans solde, Vigny fait, à partir du 30 juin 1825, un premier séjour à Dieppe, plage alors fréquentée par l'aristocratie britannique, où Lydia retrouvera de la parentée. Le poète rédige ces stances peu après cette date; le second séjour à Dieppe (été 1827) verra la création d'une œuvre plus consistante : *La Frégate La Sérieuse*, dont les vers suivants sont néanmoins à rapprocher.

Une ancre sur le sable, un cordage fragile
Te retiennent au port et pourtant, beau vaisseau,
Deux fois l'onde en fuyant te laisse sur l'argile,
Et deux fois ranimé, tu flottes plus agile
 Chaque jour au retour de l'eau!

Comme toi, l'homme en vain fuit, se cache ou s'exile :
La vie encor souvent le trouble au fond du port,
L'élève, puis l'abaisse, ou rebelle ou docile;
Car la force n'est rien, car il n'est point d'asile
 Contre l'onde et contre le sort.

LES TRISTES

Vigny reprend dans ces vers le thème nostalgique d'Ovide exilé au bord de la mer Noire *(Les Tristes*, t. I, I), souvent traité par les poètes, en particulier par du Bellay au XVIe siècle *(Les Regrets, À son livre)*, et qui annonce déjà chez Vigny la croyance de l'écrivain en la vertu de pérennisation de l'écriture; vertu pleinement réalisée ensuite dans *La Bouteille à la mer*, *Les Oracles*, et *L'Esprit pur*. Les *Mémoires* (éd. Sangnier, 1958, p. 435) présentent sous le même titre un projet en prose de poème philosophique consacré aux variations superficielles des formes religieuses au regard de la permanence de leur signification morale.

MÉLANCOLIE DES ANCIENS

15 octobre 1826, le soir.

Je n'en suis pas jaloux, va sans moi, va à Rome
O faible livre; hélas! pourtant il est un homme
(ton maître) qui voudrait... Si j'étais rappelé!
Pars, mais sans ornements, pars comme un exilé.
Prends l'habit malheureux de ces temps d'infortune,
Rejette l'hyacinthe et sa pourpre importune,
Le deuil n'adopte point sa brillante couleur,
Le cinabre éclatant voilerait ta pâleur.
De ces livres heureux qui sortent de la foule
Le souple papyrus sur le cèdre se roule.
De cet axe odorant à jamais prive-toi;
Souviens-toi de mon sort; sois triste autant que moi.

Je ne veux même pas que la ponce légère
Polisse un front sorti de la terre étrangère;
Les cheveux hérissés, sauvage, noir, parais!
Ne rougis pas, pour moi, des désordres secrets,
De ces mots dont l'absence altérera tes charmes,
Quiconque les verra reconnaîtra mes larmes.
Va, Livre, saluer le pays qui m'est cher,
Toi du moins, d'un pied sûr tu pourras y marcher.
Et s'il est par hasard dans ce peuple de Rome,
Dans ce peuple oublieux, s'il se rencontre un homme
Qui s'arrête en passant pour demander mon sort
Tu diras que je vis . . . .
Aux foyers paternels ne puis-je au moins mourir!
. . . .
Grâce, au nom des grands Dieux! père de la Patrie,
Grâce! point de rappel, mais un exil plus doux!
Mais sur le sol romain, place pour mes genoux!

UNE AME DEVANT DIEU

De 1826 à 1838, Vigny envisage d'écrire plusieurs *Elévations.* Il s'agit, dans ce poème du 7 novembre 1826, du premier essai dans ce genre où des idées philosophiques, qui se ressentent de la lecture de Joseph de Maistre *(Les Soirées de Saint-Pétersbourg,* II, 79*)*, sont converties en mouvements poétiques. On notera dans ce texte l'ardeur de l'inspiration, la quête exaltée d'une foi absolue que les préoccupations sociales entourant la Révolution de 1830 détourneront de leur but originel. Et dans *Paris*, le Père Enfantin se sera substitué à Pascal.

Dis-moi la main qui t'enlève,
O mon âme, et dans un rêve
Te montre la vérité!
D'où vient qu'un songe m'emporte
Jusques au seuil de la porte
Qu'entr'ouvre l'éternité ?
C'est ici que l'homme arrive;
Oui, je reconnais la rive
Jusqu'où le rocher dérive,
Roulé par le flot du temps;
J'entre dans le port de l'âme :
Je vais m'asseoir dans la flamme;
La place que j'y réclame
Est vide depuis longtemps.

Dieu, je te vois! Comment pénétrer dans ta gloire ?
Détourne mes regards, ne m'anéantis pas;
Je sens mon front brisé par ton char de victoire :
Dans cet air lumineux qui soutiendra mes pas ?

Je vois tout l'univers rajeuni par la tombe
Des êtres infinis que je ne puis compter
O mon Dieu, je succombe,
Laisse-moi m'arrêter.
Je m'arrête pour me plaindre
De ce monde d'où je sors;
Toujours espérer et craindre;
Et moi je pleurais les morts!
Ne savais-je pas encore
Quel esprit devait éclore
De cette éternelle aurore
Qui vit l'Eternel créant ?
Qu'avec toi l'âme ravie
Pour jamais est assouvie,
Que dans la Mort est la Vie,
Que la Vie est le Néant ?

Je le savais dès l'enfance,
Je le disais dans mes nuits;
Et l'espoir de ta présence
Calme seul tous mes ennuis.
Cependant j'aimais la vie
Comme un marin ses dangers,
Comme l'Esquimau n'envie
Nul des soleils étrangers;
Comme un Chartreux aime l'ombre.
Aime sa cellule sombre
Et, libre, y revient toujours;
Comme un lévrier fidèle
Caresse la main cruelle
Qui le frappe tous les jours.

Aujourd'hui, je sais tout, je te vois, et j'embrasse
L'avenir qui n'est pas, le passé qui n'est plus,
Les temps qui doivent naître et les temps révolus.

Je conçois l'espace,
L'univers s'efface
Et devant ta face
Tout s'unit en toi.
Je vois tout s'y peindre,
Je vois, sans les plaindre,
Les mondes s'éteindre
Et fuir devant moi.

Je puiserai ma force en ta force suprême,
J'ose marcher vers toi, j'ose lever les yeux.
Un seul de tes regards me révèle à moi-même :
Je m'étais échappé de ton sein radieux,

Perdu comme l'étincelle
Qui, dans les nuits de l'été,
Blanche et légère parcelle
D'une immortelle clarté,
Quitte le chœur des étoiles,
Des vapeurs perce les voiles,
Et tombe sur les roseaux
Et s'éteint au fond des eaux.

Laisse-moi pour un jour retourner sur la terre :
Là, sur mon marbre noir, sous ma croix solitaire,
J'irai m'asseoir en souriant;
Dire : « Je vis toujours » à ceux qui me regrettent,
Qui, posant leurs genoux sur les fleurs qu'ils y jettent,
Viennent me pleurer en priant.

BALLADE

Amorce d'un poème dans le genre de la ballade romantique, épique et lyrique à la manière des ballades anglaises et allemandes. D'après les structures strophiques, A. Jarry, qui a retrouvé le texte[1], date cet ensemble des années 1825-1827, quoique la source livresque, le *Romancero du Cid* (not. les Romances 36-38) où il est question de Martin Pelaez, ne connaisse un véritable regain d'actualité qu'après 1830.

Au banquet des braves d'Espagne
Pelaïs entre; il a rougi
Car dans la sanglante campagne
Chacun sait qu'il a mal agi.
Le Cid sans dédain, sans colère
Le prend, l'emmène à quelques pas
Près d'une table solitaire
Et lui tient ce discours tout bas

Mangeons, que je vous accompagne,
Ni vous ni moi n'avons acquis
Le repas des braves d'Espagne,
C'est leur glaive qui l'a conquis.
Allons prenez cette Escabelle,
Cette place est bonne pour nous,
Quoique ma fortune soit belle,
Je ne suis pas meilleur que vous.

Mais tous ceux dont Alvar s'entoure
Sont des Démons forts et sans peur,

1. *B.A.A.A.V.* 1976-1977, p. 57.

A cette table de bravoure
Nul ne s'assied sans son honneur.
Au fond d'une plaie ennemie
C'est là qu'il faut puiser le sang
Qui lavera notre infamie
Ou bien périr en l'effaçant.

L'HOMME DE GÉNIE

Une feuille d'album datée de mars 1828, retrouvée par A. Jarry [1], reprend les vers 646-662 d'*Eloa* que Vigny appréciait particulièrement, mais détourne in extremis la comparaison de l'*Aigle des Asturies* de Satan à l'homme de génie. La modification est révélatrice puisque la permanence du terme comparant « aigle blessé » autorise l'assimilation de l'homme de génie à Satan, et, dans une certaine mesure, préfigure l'idéologie du poète maudit dans le présent, mais promis à l'immortalité par l'écriture dans sa postérité.

[Sur la neige des monts, couronne des hameaux,
L'Espagnol a blessé l'aigle des Asturies.
.................................]
— Tel dans ses régions de gloire et d'harmonie
d'un coup venu d'en bas est frappé le génie,
tel il cherche à lutter contre la terre; et tel
il succombe abattu sous le chagrin mortel.

1. *Création*, VI, 1975, p. 13.

ROMANCE DU ROMAN DE LA ROSE

Ce texte, également retrouvé par A. Jarry [1], renoue avec la tradition d'un genre fort pratiqué dans le dernier tiers du XVIIIe siècle et au début du XIXe siècle napoléonien; on se rappellera à cet égard le *Panorama de Momus* (1807), l'*Almanach de Bacchus* (1809); ultérieurement, les *Chansons* de Béranger, tandis qu'en 1834 on réédite des étrennes chantantes de la fin du siècle précédent sous le titre de *L'Amour et Bacchus aux champs et* à *la ville*. On ne s'attendrait guère à trouver Vigny en telle compagnie, et pourtant ce fut à force de libations bacchiques de jurançon que Duplaa obtint pour le poète le consentement du père de Lydia; et pourtant le poète revendiquera hautement plus tard le titre de vigneron; et pourtant il fut un assidu lecteur de Rabelais... La virtuosité déployée dans un système de rimes équivoques et la localisation de l'autographe (exemplaire relié de *La Muse française*) inclinent l'inventeur à dater ce texte des environs de 1828. Enfin, il faut souligner la condamnation portée ultérieurement par le poète lui-même contre ce type de poésie dans les strophes de *La Maison du Berger* (II. 5-6). L'exclamation finale, cinq fois ponctuée, marque assez le caractère inhabituel et forcé de cette improvisation dans l'œuvre de Vigny.

ROMANCE DU ROMAN DE LA ROSE

Le vin dame le Pion
au plus vigoureux champion
il trébuche, il trébuche

1. *Création*, VI, 1975, p. 21.

sous sa cruche.
mais, toi, buche,
très-buche
dis-moi ce qui détruit l'us
l'us de la dive bouteille
bulle de frère Bacchus
et du Pape Philocus ?
Qui dame l'us de la treille ?
alors que bien malgré nous
nous nous mettons à genoux
et que notre oreille écoute
un — *Te deum laudamus ?*
j'aime mieux quoiqu'il m'en coute
t'aider, homme : l'eau dame us
ouf !!!!!

Alfred

A DAVID D'ANGERS

Cette dédicace d'un exemplaire de *Cinq-Mars* a vraisemblablement été rédigée au début de 1828. Elle a paru dans le *Vert-Vert* du 17 août 1837. Il s'agit d'un remerciement au sculpteur qui a gravé le profil du poète dans le bronze d'un médaillon comme le précise une lettre de Vigny au même destinataire, en date du 8 août 1828 : « C'est lorsque vous avez eu la pensée et le désir de conserver mes traits que j'ai commencé à croire à moi-même un peu. Je vaux bien plus à mes yeux depuis ce temps-là. »

A vous qui soufflez une âme
Sur les flots du bronze en flamme;
Vous, dont la puissante main
N'eut jamais d'étreintes vaines;
Vous, dont le marbre a des veines
Où coule le sang humain.

TRENTE-DEUXIÈME ANNÉE

Ces vers composés par Vigny à l'occasion de son anniversaire, le 27 mars 1829, sont à inclure dans les projets d'*Elévations* envisagés par le poète, mais, par rapport aux précédents, ils révèlent un changement profond d'orientation. La détestation générale et le pessimisme mâle qui s'emparent de Vigny à la suite des espérances déçues de maternité de Lydia, de sa mauvaise santé personnelle, de la dégradation définitive de ses relations avec Hugo, des erreurs politiques de Charles X, s'opposent radicalement à l'enthousiaste ferveur d'*Une âme devant Dieu*.

Tombe dans le néant, trente-deuxième année,
Temps maudit et fatal, si lentement compté;
Efface pour jamais ton heure empoisonnée
Du cadran de l'Eternité!

Que l'aiguille de Dieu jamais encor ne passe
Sur un chiffre aussi noir, car l'aiguille en passant
Pour longtemps traînerait le venin dans l'espace
Comme un pied blessé traîne du sang.

Et les ans qui suivraient seraient teints de ta rouille...

POÈME

Ces vers représentent l'esquisse probable d'une *Elévation* dans laquelle aurait été débattu le problème des raisons du cœur et de l'esprit, de l'engagement et de la parole donnée. A défaut d'indications précises sur la date de rédaction, on peut raisonnablement penser que ces vers ont été composés après le départ de Vigny de l'armée et le début des relations qu'il a nouées avec Tryphina Holmes, donc entre mai 1827 et 1829.

Hélas! qui n'a gémi de sentir dans son âme
Près du feu de l'amour brûler une autre flamme
Qui de la plus ardente éclipse la moitié
Ainsi qu'un charbon rouge au feu clair d'un trépié ?

Est d'avoir autre chose et d'aller autre part.

As-tu servi l'Etat comme soldat ?
As-tu vu dans la nuit les éclairs de l'épée ?

A MARIE DORVAL

Le More de Venise a été représenté à la Comédie-Française le 24 octobre 1829. Au début de l'année suivante, Vigny déjà attiré par le personnage de Marie Dorval lui dédicace un exemplaire d'*Othello* en composant ce dizain, qui sont les premiers vers écrits pour elle.

Quel fut jadis Shakespeare ? — On ne répondra pas.
Ce livre est à mes yeux l'ombre d'un de ses pas,
Rien de plus. — Je le fis en cherchant sur sa trace
Quel fantôme il suivait de ceux que l'homme embrasse,
Gloire, — fortune, — amour, — pouvoir ou volupté !
Rien ne trahit son cœur, hormis une beauté
Qui toujours passe en pleurs parmi d'autres figures
Comme un pâle rayon dans les forêts obscures,
Triste, simple et terrible, ainsi que vous passez,
Le dédain sur la bouche et vos grands yeux baissés.

A VOUS LES CHANTS D'AMOUR

Vigny, déjà épris, contre les conseils de sa mère, de Marie Dorval, offre à la comédienne, pour le 31 décembre, un album contenant la copie manuscrite de deux *Elévations*, à la suite desquelles il a rédigé cette dédicace où les octosyllabes portent des rimes masculines, et les alexandrins des féminines, dans une structure alternée.

A vous les chants d'amour, les récits d'aventure,
    Les tableaux aux vives couleurs,
Les livres enchantés, les parfums, les parures,
    Les bijoux d'enfant et les fleurs;
A vous tout ce qui rit aux yeux, qui plaît à l'âme,
    Et fait aimer l'instant présent;
Vous qui donnez à tous une vie, une flamme,
    Un nom tout jeune et séduisant;
Vous que l'illusion couronne, inspire, enivre
    De bonheur ou de désespoir;
Reine des passions, qui deux fois savez vivre,
    Pour vous le jour, pour tous le soir;
Pensive solitaire, ou tragique merveille,
    Cœur simple, esprit capricieux,
Riant chaque matin des larmes que la veille
    Vous fîtes tomber de nos yeux;
Des chants inspirateurs respirez l'ambroisie
    Loin du vulgaire âpre et fatal,
Vivez dans l'art divin et dans la poésie
    Comme un phénix sous un cristal.

CHANT D'OUVRIER

Vers 1830, Vigny est séduit par le saint-simonisme, dont la tendance dissidente de Buchez l'attire plus particulièrement à cette heure. Il pense alors à composer une *Elévation* qui, faisant succéder le chant au récitatif conformément au principe que s'est donné le poète, ne saurait être jouée sur « la petite flûte des tirelitantaines de Béranger » (V. L. Saulnier), mais doit plutôt être rapprochée des roulements et des sonneries de *Paris*. Il ne nous est parvenu que deux strophes de ce projet.

La vie est un vaste atelier
Où, chacun faisant son métier,
Tout le monde est utile.
On agit d'un commun effort,
Et du faible aidé par le fort
La tâche est plus facile.

Battons le fer, etc.

Dieu du travail, Dieu de la paix,
C'est à l'œuvre que tu parais :
Le feu, ta main l'allume.
L'ouvrier voit, dès son berceau,
Ta grande main sur le marteau,
Ton genou sous l'enclume!

DÉDICACE DE *LA MARÉCHALE D'ANCRE* A MARIE DORVAL

Le 25 juin 1831 a lieu, à l'Odéon, la création de *La Maréchale d'Ancre*. Grâce à de puissantes influences, Mlle George a évincé Marie Dorval dans le rôle principal qui avait été écrit pour cette dernière. Le texte du drame, publié en juillet 1831 est immédiatement envoyé à l'actrice, portant, sur la page de garde, un sonnet irrégulier daté du 26 juillet. Le manuscrit original de la pièce est adressé à Marie pour sa fête (le 15 août) assorti de la dédicace en prose suivante :

« *A Madame Dorval. Je n'ai que ce moyen de vous rendre ce drame qui fut écrit pour vous, Madame. Vous vouliez le jouer, mais vous n'êtes reine à votre théâtre que par le talent et ce n'est pas une royauté toute-puissante que celle-là au temps où nous sommes.*

« *Alfred de Vigny.* »

Si des siècles mon nom perce la nuit obscure,
Ce livre, écrit pour vous, sous votre nom vivra.
Ce que le temps présent tout bas déjà murmure,
Quelqu'un, dans l'avenir, tout haut le redira.

D'autres yeux ont versé vos pleurs. — Une autre bouche
Dit des mots que j'avais sur vos lèvres rangés,
Et qui vers l'avenir (cette perte vous touche)
Iront de voix en voix moins purs et tout changés.

Mais qu'importe! — Après nous ce sera pire chose;
La source en jaillissant est belle, et puis arrose
Un désert, de grands bois, un étang, des roseaux;

Ainsi jusqu'à la mer où va mourir sa course.
Ici, destin pareil. — Mais toujours à la source,
Votre nom bien gravé se lira sous les eaux.

26 juillet 1831.

LE BATEAU

La *Revue des Deux Mondes* publie le 1er août 1831, le premier et le troisième couplet de cette imitation d'une des *Mélodies irlandaises* de Thomas Moore (« Come o'er the sea, Maiden with me... ») traduites en 1823 par Louise Sw. Belloe. Ratisbonne publia le second couplet dans son édition du *Journal d'un Poète* (1867). La *Revue* précisait que cette *Barcarolle* de Vigny avait été mise en musique par Mme Menessier-Nodier, la fille du conservateur de la bibliothèque de l'Arsenal. On se rappellera que, dans le domaine musical, le folklorisme était déjà à la mode à la fin du XVIIIe et au début du XIXe siècle, Haydn et Beethoven, entre autres, ayant transcrit pour différentes formations instrumentales, avec ou sans voix, des mélodies irlandaises, écossaises ou même russes.

I

Viens sur la mer, jeune fille,
  Sois sans effroi.
Viens, sans trésor, sans famille,
  Seule avec moi.
Mon bateau sur les eaux brille;
  Vois ses mâts, voi
Son pavillon et sa quille.
Ce n'est rien qu'une coquille,
  Mais j'y suis roi.

II

Que l'eau s'élève et frissonne
   De toutes parts;
Que le vent tourne et bourdonne
   Dans ses brouillards;
Aux flots comme aux vents j'ordonne.
   Plus de regards,
Plus de mer qui t'environne!
Personne avec nous, personne
   Que les hasards!

III

Pour l'esclave on fit la terre,
   O ma beauté!
Mais pour l'homme libre, austère,
   L'immensité!
Chaque flot sait un mystère
   De volupté.
Leur soupir involontaire
Veut dire : Amour solitaire!
   Et Liberté!

LE LIVRE

Vigny a rédigé ce texte en septembre ou octobre 1831, alors qu'il se rend chez Marie Dorval, dans l'appartement du 15, boulevard Saint-Martin, au coin de la rue Meslay, à proximité immédiate des théâtres du boulevard et de la place de la République, où elle vit avec Toussaint-Merle, son époux vieillissant, et deux de ses filles. L'ange de l'adultère recherche souvent de tendres tête-à-tête, mais ces rencontres sont néanmoins périlleuses; la lecture d'un livre peut servir de prétexte à un isolement à deux, et l'union de cheveux, inscrite dans le texte, préfigure allusivement l'union des corps.

Il faut tenir un livre
Et de nos yeux le suivre
Ouvert sur nos genoux;
Il faut parler et rire
Ou qu'on m'entende lire;
Et quand ma voix expire
Vous frémissez pour nous.

Votre porte est peu close
Et de son rideau rose
Le voile est si léger
Qu'on entend toute chose,
Un fauteuil qui se pose,
Un soupir, une pause,
Et je suis l'étranger;

Et je suis *la visite*,
Et si ma voix hésite

Dans l'éternel babil,
Si par mon imprudence
Quelqu'un en défiance
Entendait mon silence,
Il dirait : « Que fait-il ? »

Puisqu'on nous environne,
Sur un ton monotone
Je vais toujours parler,
J'aurai l'air de poursuivre,
Mais d'eux je me délivre.
Et c'est un autre livre
Que je vais dérouler :

C'est mon cœur, c'est mon âme,
C'est l'amour d'une femme
Dans un homme allumé;
Désir, délire, transe,
Ennui, rage, espérance,
Enfin... une démence
Qui vaut d'être enfermé.

Lisons, lisons, bel ange,
C'est un brûlant mélange
De baume et de poison
Qui dans mon sang fermente;
Tu trembles, belle amante,
Et ta pâleur augmente,
Lisons toujours, lisons!

Sens-tu la terre émue ?
Ta chambre qui remue ?
Vois-tu pas l'ombre aux cieux ?
Le jour fuit la nature,
Où donc est ta ceinture ?
Va, poursuis ta lecture,
J'ai la nuit sur mes yeux.

Ah! tes cheveux frémissent
Et malgré toi s'unissent
Aux cheveux de mon front;
Ah! ta joue est brûlante
Sur ma lèvre tremblante;
Ah! de ma fièvre lente
Que l'incendie est prompt!

Ils sont là qui m'écoutent,
Qui soupçonnent, qui doutent,
Ils sont tous, ils sont là.
Mais vaine est la contrainte,
Ton cœur a mon empreinte,
Et malgré notre crainte
Je t'ai dit tout cela.

L'HEURE OU TU PLEURES

Ce texte est probablement contemporain du précédent. Il évoque les rencontres nocturnes de Vigny et de Marie Dorval dans ses loges de l'Odéon ou du théâtre de la Porte Saint-Martin. On remarquera que ces huitains isométriques sont ceux de la ballade classique, et l'on sera sensible à la distribution des rimes. Partout, la structure embrassée est de règle; mais, alors que dans les strophes extrêmes (I, IV) les rimes masculines embrassent les rimes féminines, dans les strophes médianes (II, III) la structure est inversée. Dans les trois premières strophes, le dernier vers du quatrain initial rime aussi avec le dernier vers du quatrain final, une rime triplée disjoignant cette reprise homophonique; dans la quatrième strophe, le dernier vers du quatrain initial rime avec l'avant-dernier du huitain, car, détaché et sans rime, il se veut non seulement clausule de la strophe mais aussi du poème. Dans ce cas, la rime triplée du second quatrain de la strophe redevient une rime ordinaire, mais, jusqu'au bout aura été déployée une virtuosité qui, accrue par l'émotion amoureuse, permet de construire une strophe entière sur deux ou trois rimes.

Une heure sonne dans la nuit,
La journée enfin s'est éteinte,
L'ombre calme efface l'empreinte
De ses clartés et de son bruit;
Tout ce théâtre, où l'on t'adore,
N'est plus qu'une salle sonore
Où ta voix retentit encore
Comme un faible écho qui s'enfuit.

La colonnade illuminée
Se perd dans l'ombre et nous paraît
Une sombre et noire forêt,
Sortant d'une terre minée.
Nos pas ébranlent en passant
Le sourd plancher retentissant
Qui résiste à ton pied glissant
Comme une ville ruinée.

Et toi, tu rêves solitaire,
Toi, l'âme de ce corps désert,
O toi, la voix de ce concert
Qui ce soir enchantait la terre,
Tu viens de remonter aux cieux
Ainsi qu'un oiseau gracieux
Se tait, et dans son nid soyeux
Cherche la paix et le mystère.

Mais dans son nid le doux oiseau
Dort mollement sur sa couvée;
Et sur sa couche inachevée
S'arrondit comme en un berceau;
Il met sa tête sous sa plume,
Baigné des vapeurs de la brume
Qui monte à l'astre du ruisseau.

Et toi, tu penses et tu pleures.

JE VOUDRAIS BIEN SAVOIR...

A la fin de l'année 1831, la liaison de Vigny et de Marie est effective. Les lectures nocturnes ne peuvent plus suffire aux deux amants qui doivent songer à s'établir temporairement en d'autres lieux qu'au foyer de l'actrice, d'où cette exclamation du poète que, très curieusement, Vigny songera à réutiliser en 1847 dans le projet de poème Lord Littleton (cf. *infra*, p. 381 sqq.).

Je voudrais bien savoir quel est celui de vous
Qui, donnant à sa belle un premier rendez-vous,
N'a pas maudit cent fois cette étrange torture
De l'attendre, la nuit, rôdant à l'aventure.
On a couru longtemps dans Paris pour trouver
Une chambre bien sombre où l'on viendra rêver
En sûreté, sans bruit, sans amis, sans famille,
Sans gros garçon qui pleure et sans petite fille
Qui tombe entre les pieds, sans visites des soirs,
Muettes, le sourire aux lèvres, sans bas noirs
Où les doigts sont gelés...

A MADAME PAULINE DU CHAMBGE

Le 29 juin 1829, Vigny adresse un exemplaire de la seconde édition de ses *Poèmes* à Pauline du Chambge (1778-1858). Cette femme compositeur, comme plus tard Augusta Holmès, élève de J. L. Dussek, amante de D. F. E. Auber, amie de Cherubini et de Rode, avait rencontré Marceline Desbordes-Valmore en 1815, et il est probable qu'avant de la connaître personnellement grâce à Marie Dorval (dont elle était familière), Vigny a apprécié son estimable talent de salon par l'intermédiaire de la poétesse douaisienne qu'il croisa à Bordeaux en 1823. Bien introduite dans les cercles littéraires, Pauline du Chambge a composé plus de quatre cents romances sur des textes de Delavigne, de Chateaubriand *(La Romance de l'Abencérage)*, Lamartine, Hugo, Brizeux, Barbier. Emile Deschamps, proche de Vigny, a arrangé pour elle les paroles de *Kitty Bell et Chatterton*, tandis que Vigny lui-même, lui fournissait le texte de *Le Bateau*, où elle entrait en concurrence avec la fille de Charles Nodier (cf. *supra*, p. 334), et d'un *Chant sacré* qu'elle composa vers 1835. L'envoi de l'octavo comporte la dédicace suivante :

Celle qui sait chanter doit dédaigner de lire!
Amour des purs Accords! Harmonieux penchants
Des Hymnes de sa voix rendez-nous le délire;
Emportez, effacez la trace de mes chants
Que n'accompagne pas la Lyre!

FOULE IMMENSE ET VAINE...

Vraisemblablement composés au tout début de 1832, ces six huitains sont la première expression manifeste de l'amant comblé, et adressent à la foule des spectateurs émus par Marie le cri d'orgueil de celui qui détient en plus le bonheur de la posséder. Un portrait de Marie, esquissé par Jules Janin, permet de mieux se représenter l'effet que pouvait avoir le personnage sur ses spectateurs : « Elle était frêle, éplorée, timide; elle pleurait à merveille, avec une désolation, avec des spasmes, un délire à tout renverser; elle excellait à contenir les passions de son cœur et à dire comme les héros de Corneille : « Tout beau mon cœur! » Elle avait été créée pour dire les douces joies de l'âme, intimes et bienveillantes; humble et résignée et toute courbée sous le poids d'une immense douleur qui se faisait jour de toutes parts. »

Foule immense et vaine
Qui remue à peine
Et tient son haleine
Au son de ta voix,
Séduite à tes charmes,
Craignant tes alarmes,
Pleurant de tes larmes,
Emue à la fois.

Tu n'as pas tant d'âmes
D'hommes ni de femmes,
Ni tant d'yeux en flammes

Entre les piliers,
Tes lèvres frivoles
Ont moins de paroles
Ardentes et folles
Sortant par milliers;

Tu n'as pas aux portes
Autant de cohortes
Avec des mains fortes
Et en noirs chapeaux;
Tu n'as pas aux grilles
Tant de jeunes filles
Froissant leurs mantilles
Auprès des manteaux,

Tant de galeries
Peintes et fleuries,
Tant d'allégories
De Mars et d'Amours,
Tant d'or qui flamboie
Ou qui se déploie
Sur la loge en soie
Aux bras de velours;

Foule spectatrice,
Foule adoratrice
De la belle actrice
Aux yeux grands et bleus,
Ton parterre sombre
Comme un lac dans l'ombre,
N'a pas si grand nombre
De fronts onduleux

Que ses lèvres pures
N'ont eu de morsures
Changeant en blessures
Mes baisers ardents,
Lorsqu'elle soupire
Et lorsque j'expire,
Baisant son sourire
Sur ses belles dents.

L'ENCENS DU THÉATRE

La fréquentation assidue des théâtres et de leurs coulisses suggère à Vigny ce septain d'alexandrins, fragment d'un poème inachevé. En ce début de 1832, Marie Dorval triomphe à l'Odéon dans la pièce de Rougemont *Madame*, mais il n'est pas sûr que ces vers soient directement en rapport avec Marie, esquissant plutôt une sorte de réflexion générale sur la dialectique de l'acteur et du spectateur, même si l'acteur est femme et, qui plus est, particulièrement désirée. En ce sens, ils peuvent également préfigurer, transposés dans le registre politique, les vers 176-182 de *La Maison du berger*.

Oh! l'encens du théâtre est un encens impur.
En haut l'acteur brillant, en bas le peuple obscur.
L'un parmi les flambeaux, l'autre dans la poussière
Entament dans la nuit une lutte grossière;
Une voix parle seule au-dessus des rumeurs;
Tantôt la voix l'emporte et tantôt les clameurs;
L'un parle avec effroi, l'autre avec rage écoute...

A MADAME DE VIGNY

Vigny est vivement troublé par la déchéance progressive de sa mère. A la fin de mars 1833, il consigne dans son *Journal :* « Le 6 de ce mois de mars, ma mère, ma bonne mère a eu une attaque de paralysie sur tout le côté droit, joue, bras et jambe; les saignées l'avaient rétablie. Aujourd'hui, elle a une seconde attaque d'apoplexie que deux saignées suspendent; mais on ne peut parvenir à dégager le cerveau, qui s'égare et reste perdu, peut-être pour toujours. » De fait, les services du docteur Magistel, quoique fréquents et dévoués, n'améliorent guère la situation. En septembre de cette même année, Vigny rédige cette déploration sur une morte-vivante.

Ah! depuis que la mort effleura ses beaux yeux,
Son âme incessamment va de la terre aux cieux.
Elle vient quelquefois, surveillant sa parole,
Se poser sur sa lèvre, et tout d'un coup s'envole;
Et moi, sur mes genoux, suppliant, abattu,
Je lui crie en pleurant : « Belle âme, où donc es-tu ?
Si tu n'es pas ici, pourquoi me parle-t-elle
Avec l'amour profond de sa voix maternelle ?
Pourquoi dit-elle encor ce qu'elle me disait,
Quand, toujours allumé, son cœur me conduisait ?
Ineffable lueur qui marche, veille et brûle,
Comme le feu sacré sur la tête d'Iule... »

L'ORGUE

Cette méditation désabusée sur les rapports de la religion et de la société, date vraisemblablement de 1834, comme le marquent à cette époque les préoccupations du *Journal* (éd. Baldensperger, Pléiade II, p. 1013). Ce texte peut également être mis en relation cataphorique avec le passage des *Mémoires* cité plus haut, où, en juin 1848, il est de nouveau fait allusion aux Tristes d'Ovide (éd. Sangnier, 1958, p. 435). Puisque « les Religions sont œuvres de poésie », l'art prend la relève de la religion dans une société où les progrès matériels asservissent les élans spirituels.

Les églises du Christ jour et nuit sont ouvertes;
Mais les piliers sont seuls, les stalles sont désertes,
Le marbre bleu des morts est humide, et chez nous
Personne ne sait plus l'essuyer des genoux.
L'étranger n'y vient voir que les lignes du cintre;
Les tableaux des martyrs n'ont devant eux qu'un peintre
Qui, debout, l'œil en flamme et la main sur le cœur,
Adore saintement la forme et la couleur;
Et l'Eglise sans foi, ce triste corps de pierre
Qui dans l'autre âge avait pour âme la prière,
L'Eglise est bien heureuse encore qu'aujourd'hui
Les lévites de l'art viennent prier pour lui...

ÉLÉVATION

Ce nouveau projet, réduit à un alexandrin, d'un poème dans le genre de l'*Elévation* est de 1835. La dédicace préalable à Antony Deschamps, traducteur en vers de Dante (1829) et auteur, cette même année 1835, de *Dernières Paroles*, oriente peut-être pour Vigny la réalisation de son projet qui, d'après le *Journal*, constituerait le pendant du spectacle de Paris, vu des tours de Notre-Dame :

« L'autre jour je montai à Montmartre.

Ce qui m'attrista le plus fut le silence de Paris quand on le contemple de haut. Cette grande ville, cette immense cité ne fait donc aucun bruit, et que de choses s'y disent! que de cris s'y poussent! que de plaintes au ciel! Et l'amas de pierres semble muet.

Un peu plus haut, que serait cette ville, que serait cette terre ? Que sommes-nous pour Dieu ? » (éd. Baldensperger, Pléiade II, p. 1027).

L'interrogation pascalienne finale, si propre au genre de l'*Elévation*, naît de la contemplation de la tombe du père de Vigny, enterré à Montmartre depuis le 27 juillet 1816.

A Antony Deschamps.

Montmartre

Tu gardes les tombeaux de ton père et du mien.

FATUITÉ

Le Corsaire du 18 juillet 1847 publie le quatrain suivant en le faisant précéder d'une lettre dont l'énigmatique expéditrice demeure encore inconnue à ce jour : L. de M. Le mot de « mystification » s'impose pour présenter les circonstances de composition de ce « portrait imaginaire ».

« Je le priais (Vigny), il y a déjà quelques années, de vouloir bien honorer mon Album d'une petite pensée sentimentale et gracieuse. Jeune-fille encore, j'espérais obtenir un compliment que son nom célèbre m'avait rendu précieux. Il me répondit par le quatrain suivant. » Un doute plane donc toujours sur l'authenticité de ce texte que l'on peut néanmoins inclure parmi les poèmes de circonstance de Vigny pour l'humour laborieux qui s'y manifeste (Vigny ne porta jamais de moustache) si l'on garde présentes à l'esprit les conditions de réalisation de ce quatrain qui dut bien décevoir la jeune demandeuse; humour assez proche de celui qui apparaît dans la bouche du Docteur Noir de *Stello*. Le texte date de 1835.

Fatuité

Parfois, mes doigts distraits, de ma longue moustache
Aiment à caresser le contour gracieux;
Et c'est avec plaisir que mon regard s'attache
Au miroir complaisant où se peignent mes yeux.

1835

VERS A VIENNET SUR *ARBOGASTE*

Dans le numéro du 25 février 1835 d'une collection fragmentaire du *Vert-Vert* curieusement déposée à l'Opéra de Paris, et annotée dans les marges de la main même de Vigny, A. Jarry[1] a découvert un texte satirique dont le caractère de brillant jeu formel peut faire penser qu'il est de Vigny lui-même, familier de ces prouesses en des circonstances où son moi poétique et philosophique n'a pas trop à s'engager. En 1820, Viennet avait écrit une tragédie : *Arbogaste* (chef gaulois traître à son allié Théodose), reçue l'an d'après au Théâtre Français, mais qui ne fut montée que le 20 novembre 1841, ce qui excitait les moqueries des gazettes littéraires. De plus, Viennet avait publié, en 1824, une *Epître aux Muses sur les Romantiques* qui le classait définitivement dans le camp de la réaction néo-classique, se plaignant, par exemple, que la poésie romantique fût « des bulles de savon » qu'on « jetait au nez » de ses contemporains, et revendiquant le droit pour ces auteurs, « nouveaux Lycophrons » de « tenir séance aux petites-maisons ». Dans les vers qu'il lui dédie, sous le pseudonyme de Max Droz de Caracas, et sous prétexte de défendre la pièce, Vigny accable son auteur sous un coruscant exercice de virtuosité cacophonique.

La caste iconoclaste est comme une tarasque;
Elle prend une haste et se masque d'un casque.

1. *B.A.A.A.V.* 1974-1975, p. 38.

Carnavalesque frasque! elle passe en Ajax;
Elle vexe Arbogaste [1], et l'insaisissable astre
Per fas et *per nefas*, vexé par le cadastre,
Se casse comme Astyanax.
La bourrasque s'amasse et dévaste Arbogaste;
Las! L'astre le plus chaste a son axe néfaste!
De l'Araxe venu, le saxon Pertinax,
Ce fils d'Arnault, que masque un faste de syntaxe,
Jugea ton Arbogaste à sa plus juste taxe.
O pax tecum, ô vir tenax!

1. La version imprimée du poème présente chaque fois la coquille *Argobaste*, que Vigny a corrigée en tête du numéro.

A MARIE DORVAL

F. Baldensperger fait remonter à 1836 ces deux projets de l'actuelle strophe III de *La Maison du Berger*. Quoique cette même année, lors d'un séjour à Londres, il fasse la connaissance de Camilla Maunoir, parente éloignée des Bunbury, Vigny a probablement trouvé la source de ces vers dans une situation quotidienne qu'il connaissait bien; le « mort ranimé » faisant référence à Toussaint-Merle, la « lèvre », le « poison des mensonges », le « profane insultant » et l'« impur inconnu », sont autant d'indices qui désignent Marie.

Si ton beau corps pâlit de se voir face à face
De ce mort ranimé que l'on dit ton époux,
Si ta main s'amaigrit dans cette main de glace
Qui n'a de mouvement qu'un mouvement jaloux;
Si ta lèvre se sèche au poison des mensonges
Et si ton beau front pur est rougi par des songes
Qui me vengent dans l'ombre en te parlant de nous,

Pars courageusement...

Si ton corps séparé de ce corps qui le presse
Et le berce la nuit comme un lit palpitant,
Est contraint de cacher ton âme de maîtresse
Et d'en montrer une autre au profane insultant,
Si ta lèvre se sèche au poison des mensonges,
Si ton beau front rougit de passer dans les songes
D'un impur inconnu qui te voit et t'entend;

L'ESPRIT PARISIEN

Ce sonnet fut composé le jour de la mi-carême 1836, alors que Fieschi venait d'être exécuté le 19 février. Dans les *Mémoires*, Vigny proteste contre cette mode de « l'assassinat politique » (éd. Sangnier, Paris, 1958, p. 127-129). Le texte fut immédiatement publié dans *L'Ariel* du 19 mars 1836. Le manuscrit déposé à la Bibliothèque nationale comporte, entre le titre et le corps du sonnet, une note ici reproduite.

SONNET

Pour le bal de l'Opéra au bénéfice des pauvres peu de temps après l'exécution de Fieschi et de ses complices. —

Esprit Parisien! Démon du Bas-Empire!
Vieux Sophiste épuisé qui bois, toutes les nuits,
Comme un vin dont l'ivresse engourdit tes ennuis,
Les gloires du matin, la meilleure et la pire;

Froid niveleur, moulant, aussitôt qu'il expire,
Le plâtre d'un grand homme ou bien d'un assassin,
Leur mesurant le crâne, et, dans leur vaste sein,
Poussant jusques au cœur ta lèvre de Vampire;

Tu ris! — Ce mois joyeux t'a jeté trois par trois
Les fronts guillotinés sur la place publique.
— Ce soir, fais le Chrétien, dis bien haut que tu crois.

A genoux! Roi du mal, comme les autres Rois!
Pour que la Charité, de son doigt Angélique,
Sur ton front de damné fasse un signe de Croix.

DANIEL

Le 14 mai 1837, longtemps après avoir composé *Le Bain*, Vigny revient au personnage central de l'enfant prophète, sur le modèle duquel il se représente, à cette heure, le grand politique qui pourrait assurer la conduite de la France entre les sollicitations du Tsar (« le chasseur d'ours ») et du Roi d'Angleterre (« le marchand »). Outre les indications complémentaires que nous reproduisons, le f° 10 du manuscrit 14683 de la Bibliothèque nationale porte le rappel autographe du nom de Suzanne.

Prédiction ou Pressentiment.

Comme les deux vieillards qui poursuivaient Suzanne,
Pierre le Chasseur d'ours et George le Marchand
Te font la cour, ô France ! et leur esprit méchant,
N'ayant pu te séduire, à grands cris te profane.

Ils veulent qu'à la mort le juge te condamne
Pour te fouler aux pieds du levant au couchant,
Pour effacer ton nom et partager ton champ,
Et se passer entre eux l'impure courtisane.

Mais que vienne un Esprit parlant au nom du Ciel,
Et, troublant les conseils de la voix qui t'accuse,
Il dira, pour changer l'absinthe amère en miel :

« Son esprit est troublé, mais il est pur de fiel
Et plus grand, devant Dieu, que votre esprit de ruse;
Moi, je la sauverai, car je suis Daniel. »

14 mai 1837. Séparé du volume des P. Philosophiques.

LA TRINITÉ HUMAINE

Ce sonnet désespéré a été rédigé le 9 mai 1838, dans un rare moment chez Vigny de découragement total. Le 21 décembre 1837, le poète a perdu sa mère; ses relations avec Lamartine, entre autres contemporains, se dégradent pour cause de trop grande franchise; la date du 9 mai 1838 coïncide avec l'évidence, amèrement constatée, du terme de la liaison avec Marie Dorval; la rupture devenant définitive en septembre. Cette date marque donc le début d'une période de pessimisme dont, la cause immédiate étant objectivée, les poèmes philosophiques de la campagne académique ne vont pas tarder à porter la trace dans le registre d'une « stoïque fierté ».

Il existe dans l'homme une trinité Sainte :
La Volonté, l'Amour et l'Esprit sont en nous.
Comme dans le triangle, éblouissante enceinte,
Père, fils, Esprit-saint forment le Dieu jaloux.

Mais de ces trois Pouvoirs dont nous sentons l'étreinte,
Le plus beau pour la terre était son jeune Epoux
Qui, descendu des Cieux, lui laissa son empreinte.
C'était l'Amour, le fils, si puissant et si doux.

Or, nous l'avons tué par notre Expérience,
Comme un Docteur éteint une ardente substance
Dans un air refroidi qu'il croit être épuré.

A présent, il ne reste en notre Conscience
Que deux flambeaux noircis par l'humaine Science :
— La Volonté méchante et l'Esprit égaré.

LE QUATRIÈME POUVOIR

Ces deux vers sans rime, datant du début juin 1838, préfigurent une *Elévation* qui aurait vraisemblablement poursuivi le débat engagé dans l'esquisse de poème des années 1827-1829 (cf. *supra*, p. 328) entre les raisons du cœur et celles de l'esprit, mais envisagées, cette fois-ci, au terme désabusé d'une liaison amoureuse. Le pouvoir amoureux est en effet, pour l'individu, au-delà de ses aptitudes à légiférer et à juger sa conduite, comme à exécuter des actes raisonnés; mais il s'agit là d'une illusion qui souvent, en dépit de ses orgueilleuses prétentions, laisse l'homme brisé.

LE QUATRIÈME POUVOIR

J'aurais pu m'éloigner de ces fourches caudines,
Mais j'y voulus passer pour les briser du front.

SÉMÉLÉ

Cet autre projet d'*Elévation* (II), en date du 15 juin 1838, quatre jours avant la rupture définitive de Vigny et de Marie symbolisée dans l'agenda de maroquin vert par deux épées croisées, est une réflexion angoissante sur l'amour. Le personnage de Sémélé qui obsède Vigny à cette époque, même lorsqu'il n'est pas explicitement nommé (cf. *Journal*, 1838, éd. Baldensperger, Pléiade II, p. 1110, Lettre CII : « Elle a pris toute mon âme pendant sept années. Elle a bu tout mon sang comme un vampire. ») se constitue progressivement en actant susceptible de réalisations diverses dans les textes, soit Dalila au regard de Samson, soit La Fornarina au regard de Raphaël, mais dans les deux cas, il s'agit d'un opposant qui vise sournoisement à la destruction de l'homme et entretient l'antique lutte des sexes.

Sémélé, Sémélé : l'insatiable amante,
Le désir est en toi, le désir te tourmente,
Sur ton lit aux pieds d'or tu tournes nuit et jour
Tes flancs voluptueux qui tremblent par amour,
Tes longs bras nus et blancs qui vont tordant ta couche
Tout mordus, tout meurtris du courroux de ta bouche,
Tes deux seins irrités d'où ton sang rouge et bleu
Est prêt à s'élancer par deux boutons en feu,
Tes épaules d'ivoire et ta large poitrine
Et tes pieds tourmentés d'une vigueur chagrine.
Sémélé qu'as-tu donc ?

DALILA

De même que dans la réalité quotidienne Vigny épanche sa peine réelle auprès de Julia Dupré, Eva d'Est (*Journal*, 10 juillet 1838, éd. Baldensperger, Pléiade II, p. 1105) succédant à Eva (d'Ouest, puisque Marie est née en Bretagne), on peut penser que l'*Elévation* précédente, ayant glissé progressivement de Sémélé à Dalila (esquisse de la future *Colère de Samson*), aurait eu une fin dans laquelle Vigny aurait opposé à la rouerie destructrice de Dalila-Marie la rassurante confiance de Julia-Eva.

Le Dieu vint et la consuma.

[Après le poème ce mouvement :]

Ce n'est pas toi fidèle entre toutes les femmes
belle, heureuse et charmante, etc., etc., etc.

LE MAINE-GIRAUD. INVOCATION

Si les épées croisées de la rupture, symbole mâle dans son éloquence guerrière, sont inscrites à la date du 19 juin dans l'Agenda de 1838, cette séparation est effective le 17 septembre, lorsque Marie part en tournée. Le 20, Vigny part avec Lydia pour Le Maine-Giraud où il compose ce sizain. Dans un état moral assez proche de la dépression, Vigny effectue là son premier séjour en Charente depuis le décès de sa tante, en novembre 1827; le poète retrouve une maison qui menace ruine, solitaire et silencieuse mais emplie du souvenir des morts.

Silence des rochers, des vieux bois et des plaines,
Calme majestueux des murs noirs et des tours
Vaste immobilité des ormes et des chênes,
Lente uniformité de la nuit et des jours!
Solennelle épaisseur des horizons sauvages,
Roulis aérien des nuages de mer!...

UN BILLET DE BYRON

A la mort de son beau-père, le 2 novembre 1838, Vigny doit se rendre en Angleterre pour régler la succession embrouillée qui découle de ce décès. Parmi les occupations mondaines, dont il est redevable au Comte d'Orsay (amitié de Lady Blessington, rencontre du virtuose Moschelès, etc.), Vigny trouve l'occasion de traduire ce billet de Byron (So, we'll go no more a roving...), en faisant intervenir à l'avant-dernier vers une « miss Annah » énigmatique qui ne figure pas dans l'original de Byron, et peut faire penser à un envoi codé dont la clé reste encore à découvrir.

Vigny a ajouté à son texte la suscription suivante :

« On croyait Byron malheureux et sombre, et voilà ce qu'il écrivait à un ami : ces vers sont traduits d'après un billet de lui. »

Nous n'irons plus courir ensemble dans la nuit,
Quoique dans notre cœur l'amour soit jeune encore
Et que le beau croissant dont le soir se décore
Reluise autant qu'hier sur la cité sans bruit;

Car le fourreau du glaive est usé par la lame,
Comme nos faibles yeux l'amour veut le sommeil
De peur que notre corps si frais et si vermeil
Ne pâlisse trop tôt, dévoré par son âme.

Ainsi, quoique les soirs soient créés pour l'amour,
Ami, nous n'irons plus la nuit courir ensemble,
Parlant, au clair de lune, à miss Annah, qui tremble
Que le brouillard du parc soit blanchi par le jour.

COMME DEUX CYGNES BLANCS...

Au début de 1839, entre deux péripéties judiciaires, Vigny effectue quelques voyages qui l'éloignent de Londres. Lors d'un séjour à Norwich, deux sœurs qui n'entendent pas le français, demandent néanmoins un autographe du poète sur leur album; coutumier de ces improvisations mondaines, Vigny s'exécute, sans mystification cette fois-ci, et dédie à Sophia et Jane ce septain délicat et quelque peu mélancolique.

Comme deux cygnes blancs, aussi purs que leurs ailes,
Vous passez doucement, sœurs modestes et belles,
Sur le paisible lac de vos jours bienheureux.
En langage français, quelques vers amoureux
En vain voudraient vous peindre avec des traits fidèles;
Vous lirez sans comprendre, et, sur votre miroir,
Comme les beaux oiseaux, passerez sans vous voir!

LA JUSTICE BOITEUSE...

Vigny s'épuise en vain dans les circonlocutions de la procédure britannique, et ne parvient pas à réaliser la succession de son beau-père qui, s'étant remarié, a déshérité Lydia au profit des enfants de son second lit; un compromis peu favorable aux Vigny mettra un terme à cette affaire en 1844. Le quatrain suivant, rédigé probablement en avril 1839, permet au poète d'exprimer ses désillusions.

« Pourquoi, demandez-vous, nous peindre la Justice
Boiteuse en cheminant, sans jamais se presser ?
— C'est (ainsi l'a voulu le Dieu, bon même au vice)
Pour que le repentir la puisse devancer. »

JE NE SUIS PAS LE FILS DE DIEU...

Vigny achète à Londres, en 1839, l'ouvrage de Strauss : *La Vie de Jésus*, peu après traduit en France par Littré; il relit également le *Tractatus Theologico-Politicus* de Spinoza. La nomination de Strauss à l'université de Zurich lui semble une preuve de faiblesse du christianisme (cf. *Journal*, 18 février 1839, éd. Baldensperger, Pléiade II, p. 1116, où une note manuscrite ultérieure enregistre avec satisfaction que « Strauss a été forcé de renoncer à occuper sa chaire à Zurich »). En lui commence à mûrir le projet d'un poème consacré à rétablir la véritable humanité du Christ. Cette esquisse servira, par la suite, à la conception et à la réalisation du *Mont des Oliviers*. L'aspect imprécatoire et les termes de « faible enfant » marquent encore l'importance latente du personnage de Daniel qui, depuis le poème de Suzanne, et dans des contextes variables, s'impose obstinément à Vigny.

Les deux textes suivants nous semblent devoir être rattachés à cette même inspiration de révolte et de négation de la valeur divine ainsi que de son apparat religieux. Ils en sont vraisemblablement étroitement contemporains.

Je ne suis pas le fils de Dieu. Trois fois maudit
Qui le dit à présent, et l'a jamais prédit!
Maudits soient à jamais les bergers et les mages
Qui des dieux sur ma crèche ont brisé les images;
Maudits leurs yeux troublés qui virent dans les airs
Une étoile suivant ma famille aux déserts,
Des fleurs tombants du ciel sur son front, et des anges
Baisants les deux pieds nus d'un enfant dans ses langes !

Hérode a massacré le Sauveur et le roi.
Je ne sais qui c'était, mais ce n'était pas moi.
Qui suis-je ? Un faible enfant conçu dans le mystère
D'un songe, et mis au jour comme un fruit adultère.
. . .
Car je suis fils de l'homme, et non le fils de Dieu.

Le Seigneur est un pédant abstrait
Dont le silence est l'art et l'ennui le secret
Et de qui la voix creuse en matière d'augure
Jette des mots plus secs que sa sèche figure,
Quand il lui faut parler avec de lents apprêts.
Comme un corbeau planté sur un maigre cyprès,
Il perche nuit et jour le nez dans sa poitrine
Sur un arbre sans fruits qu'il nomme sa doctrine
Dont la racine est morte et dont la pâle fleur
Engourdit les esprits par une fade odeur.
Dans ses pieds corrompus vit l'insecte en grand nombre,
Mais jamais être pur n'a vécu sous son ombre,
Hors un triste parleur, froid, pesant et disert
Qui prend un ton d'oracle en prêchant au désert.

Si vous lisiez la Bible, hommes toujours distraits,
Si vous cherchiez son mot au fond de ses secrets,
Si vous alliez souvent vous asseoir à l'église,
Voir ces rêves divins qu'un prêtre réalise,
Sur l'Ancien Testament chercher le vaste sens
Du tabernacle d'or, du livre et de l'encens,
Voir l'humble couronné sur la croix d'un supplice,
Le tombeau dans l'autel, la fleur dans le calice,
Vous sauriez que jadis sur le front des humains
Les vieillards pour dormir imposaient leurs deux mains.

AUX SOURDS-MUETS

Le 9 août 1839, Vigny visite l'Institution des Sourds et Muets, à l'initiative de son directeur. Adepte de la contemplation silencieuse et de la solitude, Vigny console ses jeunes hôtes en rédigeant devant eux, au tableau noir, ce dizain qui est une apologie du silence et de la communication para-verbale. On se rappellera la notation du *Journal :* « Le silence est la Poésie même pour moi » (1832, éd. Baldensperger, Pléiade II, p. 941).

Enfants, ne maudissez ni Dieu ni votre mère :
Vous êtes plus heureux que Milton et qu'Homère.
Vous voyez la nature et pouvez y rêver,
Sans craindre que jamais la parole vulgaire
Ose par votre oreille à votre âme arriver.
Le Silence éternel est votre tabernacle,
Et votre Esprit n'en sort que selon son désir;
Il ouvre quand il veut et ferme le Spectacle;
Dans le livre ou la vie il choisit son oracle,
Et de toute Beauté ne prend que l'Elixir.

QUELQUES MOTS A UN GRAND HOMME

Vigny revenu d'Angleterre fin avril, reprend le fil de sa vie parisienne. Un texte retrouvé par F. Baldensperger en 1917 a été récemment réétudié par A. Jarry[1]. En dépit de quelques faiblesses de versification, il semble que cette pièce adressée à V. Hugo soit bien de Vigny. On sera sensible, dans ces sixains, à la virulence des attaques portées contre la triple palinodie de Hugo à la date de 1837; attaques qui, même si elles sont parfois sur les franges de la vérité, ne peuvent venir que d'un familier de V. Hugo.

Quelques mots a un grand homme
(lors de la publication des *Voix intérieures*)

Paris, le 14 août 1839.

Poète, vous manquez trop souvent de mémoire...
Ne vous souvient-il plus de ces chants de victoire
Qu'aux *héros de juillet* vous avez consacrés...
De Charles dix éteint respectez donc les mânes,
        Laissez à des mains moins profanes
Le soin d'ensevelir des restes vénérés.

L'aurore vous voyait accepter ses largesses;
Et le soir... insultant de royales tristesses
Vous avez *renié* le monarque abattu...
Le lion, caressé, lèche la main du maître;
        Vous (qu'il caressa trop, peut-être)
Vous *vîtes tomber Charle*... et vous l'avez mordu.

1. *B.A.A.A.V.* 1976-1977 p. 54-55.

Et maintenant, venez dans vos palinodies
Chanter, sur un cercueil, de tristes parodies,
Offrir à ce Roi mort un encens avili...
Ah, plutôt, contre lui faites quelque satire :
    Ce qui manquait à son martyre,
C'est la *pitié* de ceux qui l'ont, hier, trahi.

Poète, poursuivez cette noble carrière,
Polluez, sans remords, l'arène littéraire,
Surpassez dans vos vers Dubartas et Ronsard,
Flétrissez les lauriers du vainqueur de Ravenne,
    Dans le ruisseau traînez nos Reines...
A ce prix vous serez le Roi du Boulevard!

Loin des nobles accents de *Phèdre* et d'*Athalie*
Allez sur notre scène à jamais avilie
Etaler à nos yeux d'infâmes *lupanars*...
Du bon sens et du goût dédaignant les maximes
    Y tenir *école de crimes*
Et forcer à rougir la France et les beaux-arts!

De ce siècle aveuglé devenez la merveille!...
Jetez un long mépris à Racine et Corneille,
Les suffrages de Thiers vous seront suffisants...
Et peut-être, au retour de royales ripailles,
    Les Colbert d'un nouveau Versailles
De l'hermine des Pairs doteront vos talents!

Aussi bien, Charles dix assez mal vous inspire...
Pour les *pavés vainqueurs* réservez votre lyre,
Chantez pieusement les révolutions,
Mais des rois exilés respectez les demeures
Et de vos *voix intérieures*
Aux fils de *Henri quatre* épargnez les affronts.

HEUREUX QUI VIENT AVEC MYSTÈRE...

Ces vers qui datent des années 1839-1840 sont adressés à une femme inconnue, peut-être l'énigmatique « miss Annah » intervenant dans le *Billet de Byron* (cf. *supra* p. 360), peut-être Camilla Maunoir (dont Vigny avait fait la connaissance en juillet 1836 lors d'un premier séjour à Londres); il ne s'agit certainement pas de Mme Holmes née Shearer.

Heureux qui vient avec mystère,
Belle Française d'Angleterre,
Vous rappeler par ses discours
        La terre
Qui a parfumé tous vos jours
        D'amour.

Heureux celui que l'heure amène
Aux genoux de sa jeune reine,
S'il caresse vos longs cheveux
        D'ébène,
S'il voit s'ouvrir dans vos yeux
        Les cieux!

POÈME

Il est possible de retrouver dans cette esquisse incomplète la thématique et les images de *La Maison du Berger* et des *Oracles;* que l'on datera, par conséquent, des années 1840-1842.

Ma pensée est un fleuve immense et solitaire
Qui s'écoule en tout temps et par toute la terre
Et ne reçoit les eaux d'aucun fleuve étranger.

Quand le livre (miroir qui vient de la surface)
Passe dans les villes, il est léger
Mais   profond
Mon cœur est lourd et chargé de peines
Je plonge alors et quand je touche le fond.

Le monde avec ses fleurs, ses bois et ses montagnes,
Ses fleuves égarés dans les vertes campagnes
Ses rochers soucieux, ses
                                        (vingt vers)
Le monde est le tapis.

LA POÉSIE DES NOMBRES

Vigny dédie les vers suivants à Henri Mondeux, mathématicien à quatorze ans, né près de Tours en 1826. Ils sont publiés par la *Revue des Deux Mondes* le 28 avril 1841, précédés d'une note de présentation :

« Après avoir écouté M. Henri Mondeux, ce prodigieux enfant qui a deviné les mathématiques transcendantes en gardant les troupeaux, M. Alfred de Vigny, frappé de cette sorte d'intuition qui fait que Henri Mondeux avait résolu déjà, étant seul et inconnu dans les champs, des problèmes par les équations, sans savoir poser les chiffres et les nommer correctement, vient d'écrire hier, sur lui, les vers suivants. »

On notera la transfiguration poétique du jeune mathématicien qui, dans une certaine mesure, retrouve des qualités naguère attribuées au personnage de Daniel.

Les *nombres*, jeune Enfant, dans le ciel t'apparaissent
Comme un mobile chœur d'Esprits harmonieux
Qui s'unissent dans l'air, se confondent, se pressent
En constellations faites pour tes grands yeux.
Nos chiffres sont pour toi de lents degrés informes
Qui gênent les pieds forts de tes *nombres* énormes,
Ralentissent leurs pas, embarrassent leurs jeux;
Quand ta main les écrit, quand pour nous tu les nommes,
C'est pour te conformer au langage des hommes;
Mais on te voit souffrir de peindre lentement
Ces Esprits lumineux en simulacres sombres,
Et, par de lourds anneaux, d'enchaîner ces beaux nombres

Qu'un seul de tes regards contemple en un moment
Va, c'est la Poésie encor qui, dans ton âme,
Peint l'Algèbre infaillible en symboles de flamme
Et t'emplit tout entier du divin élément :

Car le Poète voit sans règle
Le mot secret de tous les Sphinx;
Pour le ciel, il a l'œil de l'Aigle,
Et pour la terre l'œil du Lynx.

SIXAIN

Ce texte, longtemps considéré comme d'origine douteuse, nous semble devoir être attribué à Vigny qui, en 1841 et 1842 stigmatise particulièrement les travers d'une bourgeoisie d'affaire triomphante en son commerce, et cherchant vainement du côté de la noblesse une caution légitime au pouvoir de l'argent. La lourde insistance de la paronomasie humoristique du dernier vers va dans ce sens. Le texte fut publié dans *Le Voleur* du 7 novembre 1884, puis repris dans le numéro du 6 août 1885, enfin dans *Le Figaro* du 10 novembre 1890.

En ce siècle, qu'on dit siècle d'égalité,
Et que j'appelle, moi, siècle de vanité,
Chacun, pour y pouvoir trouver la particule,
Travaille sur son nom et le désarticule,
Et le vainqueur de Tyr, s'il existait encor,
Signerait, j'en suis sûr, Nabucho *de* Nozor.

A LA BOURGEOISIE QUI BLASONNE LES POÈTES...

Vigny rédige ce sonnet le 19 janvier 1842, sous le coup de la même exaspération qui avait suscité le sixain précédent; il le dédie ironiquement à cette bourgeoisie qui, hors le commerce n'a point de salut, et n'entend rien aux arts et à l'esprit. On notera le changement de ton soudain du dernier tercet qui se hausse jusqu'à la commination. On peut penser que la bourgeoisie blasonnante ici visée, et qui se permet de juger des poètes et de la poésie, est représentée par ce Fortunatus (pseudonyme de Fortunat Mesuré) qui publie justement au début de janvier 1842 *Le Rivarol de 1842, dictionnaire satirique des célébrités contemporaines*, dans lequel Vigny se voit épinglé, tel un « rare coléoptère... » (p. 189 sqq).

A LA BOURGEOISIE QUI BLASONNE LES POÈTES AVEC DES ARMOIRIES RIDICULES

Eh quoi, vous désertez votre sage comptoir
Pour bâtir des châteaux, prudente bourgeoisie!
Vous qui portiez jadis courte robe à fond noir,
Y voulez-vous broder le noble écu d'Asie ?

Dame Pernelle, assise en votre humble manoir,
Vous y formiez jadis société choisie,
Et lorsque les auteurs venaient lire et s'asseoir,
Ils ne voulaient qu'avoir fleuron de poésie.

Eh quoi, vous les fardez des couleurs d'un blason
Mal singé des Pennons qu'en nos belles années
Nous pendions teints de sang au seuil de la maison ?

Tremblez que, réveillé par votre ambition,
Le bourreau qui faucha nos têtes couronnées
Ne soit un jour trompé par la peau du lion!

IIIe, IVe, Ve LETTRES A ÉVA

Alors qu'entre 1840 et 1842, Vigny consigne l'essentiel des projets de ce qui sera sa production poétique des vingt dernières années, il nourrit encore l'ambition de réaliser un recueil poétique par lettres. L'esquisse de la IIIe lettre, retrouvée par André Jarry[1], préfigure *La Maison du Berger* (not. v. 43) et *L'Esprit pur;* celle de la IVe lettre fait entendre une même tonalité sombre et rappelle les expériences malheureuses du poète en privilégiant, non pas l'abandon, mais la lutte; à cet égard, au-delà de l'apostrophe médiane, l'esquisse reprend des éléments de *La Colère de Samson* et verbalise dans « des mots aigus comme des lames (...) dont le fer croisé déchire leur amour » le dessin symbolique des deux épées du 19 juin 1838; atténuée, l'invective se trouve orientée dans la perspective de *La Maison du Berger*. Enfin, le projet d'une V^e^ lettre, qui juxtapose l'expression versifiée et l'expression prosaïque, oscille entre des thèmes que l'on retrouvera tant dans *La Maison du Berger* que dans *La Sauvage*.

IIIe LETTRE

Ainsi la volonté de Dieu est que nous doutions. —
Indépendants chasseurs courants dans les abîmes
Comme à travers les monts les chasseurs de chamois. —
Errons, Errons sans cesse, en nous disant : ô frères

1. *Création*, VI, 1975, p. 15.

Savez-vous
Quand l'Eternité vide aura commencé — etc.
Cependant la force est en nous —
Comment n'y serait-elle pas quand elle est dans
Des êtres inférieurs à nous. —
Reviens à mes vieux monts reviens à mes bruyères
Sur ce [...] château ne sont plus les bannières
Que mes ayeux marins apportaient des vaisseaux. —

IVe LETTRE

Ah! Douleur qu'êtes-vous et comment l'homme vous
[doit-il combattre?
Certes, il est beau quand il souffre les coups et se tait,
Se tait sous le poignard, sous la balle ou l'épée,
Mais quand il se révolte contre les blessures que l'on
à son âme, il n'est pas moins sublime. [fait

Reviens à l'orient, reviens,
où les Bergers trouvaient le chemin des astres en
[rêvant,
Là notre douce maison n'étonnera personne.

Rien de grand ne se fait dans l'occident.
Quand nous reviendrons, rien ne s'y sera passé de
quelle que soit notre lenteur. [beau,

. . . . ambroisies
L'Orient, ce berceau de l'amour et des Dieux,
L'Orient a nourri de sombres jalousies
qui dévoraient des cœurs grands et silencieux.
L'Europe aux froids regards n'en a pas de pareilles
. . . . eilles
. . . . ieux

Vois!
Ah! de nos lents amours bien sombre est l'agonie.
Après s'être épuisés par des combats jaloux
et s'être lancé des coups de mots aiguisés comme des
[poignards,
tous deux abattus tombent de lassitude
sur le corps de l'amour qu'ils ont assassiné.

Après s'être échangé des regards de vautour,
s'être lancé des mots aigus comme des lames
et dont le fer croisé déchire leur amour
ce pauvre oiseau tremblant qui vole entre deux âmes
puis ils tombent un jour
sur le corps de l'enfant qu'ils ont assassiné.

L'Enfant! Ah! Grecs charmants qui saviez bien la vie!
vous aviez bien compris que c'était un vrai jeu
que ce n'est là qu'un jeu
que celui qui s'y livre est atteint de folie
et redevient enfant

Mais quels gémissements sortent de la poitrine
Quand on voit qu'un grand homme en est tout possédé
qu'il sent que c'en est fait et qu'il est dégradé.
Regarde à notre porte et vois ce qui s'y passe
vois...

Ve LETTRE

Ce sont les peines de l'âme que celles que donnent les [Dalila.
Mais pour les peines de la vie quelle consolation [donnerons-nous ?
Que fera notre cœur pour s'ouvrir aux infortunes qu'on appelle vulgaires et qui frappent pourtant des êtres si nobles ?
Toi qui es la bonté même errante à mes côtés que feras-tu?
Ai-je bien fait, dis-moi, de parler ainsi un jour, un jour que je te vais conter.

C'était à Paris, car dans les capitales viennent s'assembler tous ceux qui attendent quelque chose de ce grand corps qu'on nomme corps social. Ils retournent au cœur pour y boire à longs traits ce sang précieux qui donne la vie.

RÉPONSE D'ÉVA

Ce texte qui est toujours à rattacher à la même visée de l'écrivain est daté d'août 1843, et marque définitivement l'atténuation des imprécations douloureuses; un stoïcisme conduit par la raison lui succède et permet à l'homme de maîtriser sa douleur. Le projet de recueil poétique par lettres en restera là, comme si ces esquisses d'une écriture à venir avaient constitué une sorte de thérapie préparatoire aux œuvres proprement littéraires.

Le rideau s'est levé devant mes yeux débiles,
La lumière s'est faite, et j'ai vu ses splendeurs;
J'ai compris nos destins par ces ombres mobiles
Qui se peignaient en noir sur de vives couleurs.
Ces feux, de ta Pensée étaient les lueurs Pures,
Ces ombres, du Passé les magiques figures,
J'ai tressailli de joie en voyant nos grandeurs.
Il est donc vrai que l'Homme est monté par lui-même
Jusqu'aux sommets glacés de sa vaste Raison,
Qu'il y peut vivre en paix sans plainte et sans blasphème,
Et mesurer le monde et sonder l'horizon.
Il sait que l'Univers l'écrase et le dévore;
Plus grand que l'Univers qu'il juge et qui l'ignore,
Le Berger a lui-même éclairé sa Maison.

QUATRAIN

Cette invocation à la femme, composée en 1844, atteste de la permanence d'une sollicitude profonde du poète à l'égard de la femme et sous toutes les formes qu'elle a revêtues, bien au-delà des tempêtes douloureuses pour Vigny qu'elle a suscitées. L'angélisme d'Eloa ici retrouvé en témoigne.

Femme qui n'es pas née et ne mourra jamais :
Les ailes d'Eloa que la pitié fit battre,
Toute femme les a quand nous devons combattre .
Ou contre le malheur ou contre les dangers.

A JULES DE RESSÉGUIER

J. de Rességuier, né à Toulouse en 1789, a été comme Vigny soldat en sa jeunesse. Il fut co-fondateur avec *Soumet* et *Guiraud* de *La Muse française*, et composa plusieurs recueils parmi lesquels, *Tableaux poétiques*, *Prismes poétiques*, connurent au temps du Romantisme un succès d'estime non négligeable. Elu à la Chambre député des Basses-Pyrénées en 1849, il mourut en 1862. Vigny lui dédie ces quatre quatrains en 1845.

Quatre vers heureux tombés de votre aile
Quatre fois par jour disent leur chanson.
L'heure de l'oiseau que l'aurore appelle
Et l'heure où l'aiguière attend l'échanson,

L'heure où l'écolier quitte sa leçon,
L'heure où le poète entend Philomèle.
Ces quatre moments, sur un air très doux,
Ecoutent chanter quatre vers de vous.

Mais ni l'oiseau bleu, niché dans les arbres,
Ni l'humble échanson qui lave un cristal,
Ni l'écolier blond couché sur les marbres,
Ni le rêveur calme, au rêve inégal,

Ne verront passer, au son des quatre heures,
Sur nos escaliers et dans nos demeures,
Un ami joyeux d'un temps que j'aimais,
Un ami charmant qu'on ne voit jamais!

LORD LITTLETON

En 1847, Vigny songe à la composition d'un poème qu'il intitulerait *Lord Littleton* et qui pourrait s'intégrer, voire servir de texte initial, au recueil envisagé des *Destinées.* Cette histoire, dans laquelle Vigny projette beaucoup de sa propre personnalité, demeure inachevée. Mais le poète a résumé en prose l'épilogue auquel il songeait :

« Lord Littleton raconte ceci à Clarinda : « Un jour j'étais à Londres et je passais devant le Poet's Corner à Westminster. Un pauvre me regarda et me dit : « Il y a des gens marqués d'avance, vous mourrez tel jour à minuit. » Ce jour c'est aujourd'hui. » — Il dort la sieste et s'éveille. Elle lui dit : « Vois comme on s'est trompé. Minuit est passé. »

« Il rit.

« Clarinda avance les pendules.

« Il voit passer l'heure et il rit. Il fait un long discours sur la destinée (dans ce long discours doivent se trouver toutes les vanités de la rhétorique philosophique par laquelle les hommes se rassurent sur la rigueur du Destin, qu'ils craignent au fond du cœur), rentre dans sa chambre et tire sa montre, une montre oubliée. Il est minuit! »

« Il dit : « C'est singulier! » devint rouge et mourut. »

Si vous me demandiez ce qu'il fut, je dirais
Qu'il était pâle et grand, triste et blond, que ses traits
N'étaient pas de ceux-là qui font que l'on s'écrie :
Je ne croirai jamais qu'il danse ni qu'il rie.
Au contraire, il avait un front calme et des yeux
Très doux, très bienveillants, distraits mais gracieux.

Son esprit était grave et simple était sa vie,
Simples ses sentiments; aucune folle envie;
Il était de la cour sans y demander rien.
Dédaignant les honneurs, content de peu de bien
Et de beaucoup d'amour pour une jeune femme
Dont il avait gagné le cœur et perdu l'âme.
Il avait en horreur tout pouvoir excepté
Celui de la pensée et de la vérité,
Incontestable empire, immortelle influence,
Droit populaire et droit divin d'intelligence
Qu'exerce l'esprit fort sur l'esprit indécis,
Comme la Galigaï dit de la Médicis.
La mâle république était, dit-on, son rêve.
Non celle de Platon ou celle de Genève,
Car il craignait beaucoup le règne des Pédants,
Mais une qui passait dans ses songes ardents
Comme dans le chaos roule, passe et repasse
Un astre nouveau-né qui se perd dans l'espace
Et qui, cherchant sa route et son temps et son lieu,
Tourne encore lentement sous le souffle de Dieu.
Du reste il s'ennuyait beaucoup et, sur la terre,
Ce qu'il aimait le moins, c'était son Angleterre
A cause du brouillard et de la liberté
Qui dans ce pays-là rime à captivité.
Cependant il riait de bon cœur au théâtre,
Espérant s'amuser, sans prendre un air folâtre
Et sans dire non plus : *J'ai vécu trop longtemps*
Comme fait à Paris tout homme de quinze ans.

Celui-là résista ferme à la Destinée.
A chaque instant du jour, chaque jour de l'année
Il lutta fortement et ne lui permit pas
De gagner le terrain contre lui d'un seul pas,
Si ce n'est une fois; et certes la victoire
N'est pas franche et loyale. Or, voici son histoire.

Il voyageait. Comment n'eût-il pas voyagé,
Puisqu'il était Anglais ? Chacun s'est ménagé
Des logements divers sur le globe. En Afrique,
Des ruches pour de noirs frelons. En Amérique
Les Peaux-rouges ont tous des hamacs où le vent
A bercé La Fayette et René; l'un rêvant
La souveraineté du Peuple immense et l'autre
Le droit divin. (Que Dieu choisisse son apôtre.)

Moi je crois au pouvoir du plus intelligent,
Comme à la Bourse on croit au pouvoir de l'argent.
Les immobiles Turcs ont des tentes de soie
Qu'avec tout un harem sur des chameaux on ploie;
Et les Parisiens mobiles sont couchés
Dans des réduits les uns sur les autres juchés,
Comme dans les tiroirs d'une armoire de pierre
D'où l'on prend, quand on veut, une famille entière
Toute joyeuse et prête à se battre en chantant.
Mais le mot seul d'Anglais signifie : habitant
D'une maison de bois qui va sur quatre roues,
De l'onde des ruisseaux à l'épaisseur des boues.

Quel est-il donc l'instant qui nous jette en avant ?
Invisible et fougueux comme un souffle du vent,
Il saisit l'homme au fond des retraites qu'il aime,
Tout au fond du repos, au fond du bonheur même,
Dans l'asile choisi qu'il croyait pour toujours
Suffisant à sa joie, ainsi qu'à ses amours.

Il lui parle à l'oreille et lui dit : Marche. Il rêve
Aussitôt une chose inconnue et se lève.
Il se lève et s'en va, comme pour ne plus voir
Ce qu'il aimait le mieux et quitte, sans savoir
Pourquoi. Parce qu'il faut qu'incessamment il aille,
Comme un brave au canon lointain de la bataille,
Parce qu'il faut quitter sa pensée aussitôt
Qu'on jouit d'elle et fuir sans en savoir le mot.
Parce qu'il faut chercher, toujours triste et farouche,
Cet aliment divin qui manque à notre bouche,
Ce fruit d'arbre de vie et de bonheur humain
Qui remonte toujours quand s'élève la main.

Donc il voyageait. Où ? C'était en Italie.
Ainsi me l'a conté cette Anglaise jolie
De qui les sourcils noirs forment un double arceau
Dessiné sur le front comme avec un pinceau
Et qu'à son parler pur, qu'à ses yeux de Sultane
L'oreille croit française et le regard persane.
Clarinda, sa maîtresse, était seule avec lui
Dans un palais vivant jadis, mort aujourd'hui.
Mort ? Oui, tout monument bâti pour la famille
Est vivant seulement alors qu'elle y fourmille,
Que la présence humaine est là qui le défend
Et que chaque fenêtre a des regards d'enfants,

Chaque porte une voix qui parle, qui commande,
Qui chante, qui soupire, ou murmure ou demande,
Alors que les rideaux ont à voiler des feux
Comme fait la paupière en tombant sur les yeux,
Que les grilles de fer ouvrent leurs doubles ailes,
Vont et viennent sans fin comme deux sentinelles,
Quand le toit lentement fume et qu'en tournoyant
S'allume par degrés l'escalier flamboyant
Et que la nuit on voit la lumière agrandie
Eclater sur la vitre ainsi qu'un incendie.
La vie est là. Mais moi je vois avec douleur
Tout seuil désert. Toujours j'y lis inscrit : Malheur.
La fenêtre sans flamme avec son lambris frêle
Ressemble à l'œil éteint d'un cadavre au corps grêle,
Dentelé comme l'est une scie et mouvant
Sur ses côtes sans chair où vient siffler le vent.

O douce Clarinda! vous aimiez ces ruines
Et ces marbres chargés de pendantes racines;
Ces longs appartements pleins d'échos où vos pieds
Formaient trois pas lorsque d'un pas vous les frappiez;
Les sièges de Romains où s'assirent trois Doges
Dont le porphyre usa manteau ducal et toges;
La colonnade immense et triste où le Zéphyr
Passe timidement avec un doux soupir
Et vous a, maintes fois, dans la nuit rencontrée
Tenant, comme Psyché, la lampe timorée
Et seul vous entendit un soir que le soleil
Tremblait dans le flot bleu qu'il teignait de vermeil.
Vous aviez sur sa lèvre et sur sa tête blonde
Passé votre main blanche en jouant et, dans l'onde,
Vous regardiez ses traits et les vôtres, flottant
A vos pieds et par l'air troublés de temps en temps,
Car le large balcon se prolonge et domine
L'eau qui baigne les murs et par degrés les mine.
Vous éleviez la voix la plus tendre et parfois
Vous vous parliez ou bien vous taisiez à la fois.
Le jeune Lord cherchait dans vos yeux vos pensées,
Vous, les siennes; vos mains dans ses doigts enlacées
Dans ses doigts palpitaient et ces reflets accents
Des nerfs avaient pour vous un ineffable sens.
— « Je vous aime, ô Mylord, mon Seigneur et mon âme,
Parce que vous savez bien aimer une femme
Et tout abandonner, parce que la fierté
Vous revêt à mes yeux de force et de beauté. »

PALEUR

Vigny et Delphine Gay qui se rencontraient dans le premier salon de Virginie Ancelot, faillirent se marier. La mère du poète s'opposa rigoureusement à cette union, et Delphine épousa Emile de Girardin. L'amitié de Vigny et de Delphine cependant subsista, même si leurs relation s'espacèrent. Or, en 1846, Delphine de Girardin prit la défense de Vigny contre l'inconvenance du comte Molé dans son discours de réception à l'Académie-française. Vigny l'apprit. Marceline Desbordes-Valmore jugeait, pour sa part, que Delphine n'était que « presque heureuse ». Vigny l'apprit également. Les quatrains ambigus qu'il lui dédie marquent-ils un regret mélancolique, ou la satisfaction perverse de celui qui reprochait à la jolie jeune fille ses rires et son étourderie ?

Lorsque sur ton beau front riait l'Adolescence,
Lorsqu'elle rougissait sur tes lèvres de feu,
Lorsque ta joue en fleur célébrait ta croissance,
Quand la vie et l'amour ne te semblaient qu'un jeu;

Lorsqu'on voyait encor grandir ta svelte taille
Et la Muse germer dans tes regards d'azur;
Quand tes deux beaux bras nus pressaient la blonde écaille
Dans la blonde forêt de tes cheveux d'or pur;

Quand tes rires d'enfant vibraient dans ta poitrine
Et soulevaient ton sein sans agiter ton cœur...
... Tu n'étais pas si belle en ce temps-là, Delphine,
Que depuis ton air triste et depuis ta pâleur.

SEPTAIN

P. Flottes (*Pensée politique*, p. 286, n. 4) révèle un texte inédit, esquisse du poème *Les Destinées*, qui date par conséquent du milieu de l'année 1849, et qui marque l'évolution des projets de Vigny, puisque cette ébauche n'est pas encore coulée dans le moule dantesque de la terza-rima; le septain constituant à cette époque la norme strophique du poète.

Avant les temps du Christ, chaque homme sur sa tête
Sentait peser deux pieds invisibles et lourds,
C'était la Destinée invisible et muette
Qui marquait tous ses pas et comptait tous ses jours.
La fatalité froide ici faisait descendre
Ces Déesses de marbre. En leur urne de cendre
L'Homme était tout entier et les lieux étaient sourds.

STANCES

Ces stances, dont on connaît pour la première trois rédactions différentes, ont été composées le 16 décembre 1850, mais constituent, en ce qui concerne leur destinataire, une énigme encore irrésolue. Si la date de leur envoi est exacte, ces vers ont été composés au Maine-Giraud où Vigny est revenu depuis le mois de juillet. Faut-il alors invoquer à nouveau l'« amie », « miss Annah », Camilla Maunoir, doux souvenirs rapportés d'Angleterre et qui aident à supporter l'isolement charentais ou même Tryphina Holmes ? ou faut-il déjà évoquer Louise Colet que Vigny a rencontrée pour la première fois, dans l'atelier du sculpteur Pradier, au printemps 1846 alors qu'elle avait trente-six ans ? Le poète et la poétesse ayant ressenti alors une vive attirance mutuelle, cette éventualité n'est pas à exclure d'autant que « orgueilleuse beauté » rappelle fort opportunément l'incomparable beauté, et même la grâce au dire de ses contemporains, de Louise Colet. Reste évidemment que la liaison n'est manifeste qu'à partir de 1854... mais Vigny ne vouait-il pas une sorte de culte aux amours secrètes ?

---

a) I

Tu demandes pour qui, sous leurs plumes nouvelles,
Ces vers, oiseaux naissants, volaient, chantaient en [chœur ?
Ce n'est que sur ton sein qu'ils ont ployé leurs ailes,
Jamais ils n'ont souffert un œil profanateur.
Ingrate, pour toi seule ils veulent apparaître.
Ils sont nés d'un soupir, de tes baisers peut-être,
Et, comme ton image, ils dormaient dans mon cœur!

II

Si tu le veux, pour toi, solitaire et dans l'ombre,
Ils chanteront tout bas, et ton sein agité
Couvrira comme un nid leur essaim doux et sombre.
Mais n'aimes-tu pas mieux, orgueilleuse Beauté,
Leur donner l'essor libre et le ciel, leur empire,
Suivre de tes grands yeux leur passage, et te dire :
« Mon nom avec l'amour sous leur aile est caché ? »

---

b) Autre version des sept premiers vers.

30 novembre 1850 à minuit.

Tu demandes pour qui vole au-delà des fleuves (dans les [ombres).
Cet essaim d'oiseaux qui cherchent le bonheur ?
Ingrate ! Ils mourront tous, si, sur leurs ailes neuves
D'un baiser de ta lèvre ils n'ont pas la chaleur.
Pour toi *seule*, en tes nuits, ils voulaient apparaître,
Ils sont nés d'un soupir, d'une larme peut-être,
Et, près de ton image, ils dormaient dans mon cœur.

---

c) Un manuscrit conservé à la Bibliothèque nationale (n.a.fr. 25088) donne encore la rédaction suivante :

Tu demandes vers qui s'envolent dans les ombres
Ces vers, oiseaux naissants qui cherchent le bonheur ?
Ingrate ! Ils mourront tous si, sur leurs ailes sombres
D'un baiser de ta lèvre ils n'ont pas la chaleur.
Pour toi seule, en tes nuits, ils voulaient apparaître.
Ils sont nés d'un soupir, d'une larme peut-être,
Et, comme ton image, ils dormaient dans mon cœur.

SONNET A EVARISTE BOULAY-PATY

E. Boulay-Paty est né en 1804 et mort en 1865. La majeure partie de ses manuscrits, ainsi que des autographes de Vigny, Hugo, Arvers, etc., sont conservés à la bibliothèque municipale de Nantes. Romantique de second plan, comme Rességuier, il eut aussi son heure de célébrité avec *Elie Mariaker*, confession intimiste dans le genre inauguré par *Joseph Delorme*, où vers et prose se mêlaient.

Vigny a rajouté des indications de classement que nous reproduisons. Le sonnet est daté de 1852.

SONNET

Fantaisie — Pour un volume de Mélanges.

Il est une contrée où la France est Bacchante,
Où la liqueur de feu mûrit au grand soleil,
Où des volcans éteints frémit la cendre ardente,
Où l'esprit des vins purs aux laves est pareil.

Là près d'un chêne, assis sous la vigne pendante,
Des livres préférés j'assemble le conseil;
Là l'*Octave* du Tasse et le Tercet du *Dante*
Me chantent l'*Angelus* à l'heure du réveil.

De ces deux chants naquit le Sonnet séculaire.
J'y pensais, comparant nos Français au Toscan.
Vos sonnets sont venus parler au solitaire.

Je les aime et les roule, ainsi qu'un talisman
Qu'on tourne dans ses doigts, comme le doux rosaire,
Le chapelet sans fin du Santon Musulman.

A MADAME RISTORI

Le 2 septembre 1855, Vigny adresse quelques vers à Mme Ristori. Née en 1821, morte en 1906, cette illustre tragédienne italienne était particulièrement applaudie dans le rôle de la Myrrha d'Alfieri, or, en 1852, Vigny avait conçu un projet de poème sur le personnage d'Alfieri (cf. *Mémoires*, éd. Sangnier, 1958, p. 408); on peut donc penser avec quel intérêt Vigny assista à ces représentations. Dans ce septain, le poète pousse l'élégance jusqu'à reprendre dans son dernier vers un passage de l'*Enfer* de Dante (XXXIII, 80).

Myrrha nous a tous pris dans sa large ceinture
Sanglante et dénouée. — Elle apparut ici
Comme la Passion brûlant dans la Sculpture
— Le livre de la Bible eût dit de vous ainsi.

La France s'est levée, elle vous a louée
Comme la femme forte, heureuse et dévouée,
Fille du beau pays où résonne le *si!*

LA DIVINE COMÉDIE

A cette époque, d'ailleurs, d'autres tentatives sont effectuées par Vigny pour rendre hommage à l'*altissimo poeta*, à moins qu'Antony Deschamps, et Louis Ratisbonne déjà traducteurs pour leur part de Dante, n'aient suscité en lui une sorte de valeureuse émulation; mais il ne s'agit là que de bribes :

O vous qui m'entendez, ô sages! que vos yeux
Sous le voile des vers obscurs, mystérieux,
Découvrent de mes chants la sagesse profonde.

Enfer, IX, 61.

Tu seras avec moi pour toujours citoyen
De cette Rome où Christ est citoyen romain.

Purgatoire, XXXII, 102.

LÉLITH

La permanence du thème de l'Ange féminine est encore attestée en 1859 par ce projet d'un poème consacré à Lélith, l'ange noire ; ce qui, en un certain sens, assurerait, ainsi que le marque l'esquisse initiale en prose, une sorte de circularité absolue de la production poétique de Vigny. Ce projet est à mettre en relation avec les essais antérieurs d'adaptation de Dante, et manifeste le désir de rivaliser avec son modèle en réalisant enfin son propre *Enfer*, comme il le souhaitait déjà en 1823-1824 (cf. *supra* p. 317).

« Eloa, Moïse, le Déluge.

Lélith, tradition d'Israël, sera la source du pendant d'Eloa.

Lélith était *une* ange à la chevelure sombre à qui Dieu avait permis de servir de compagne, de maîtresse à Adam.

Eloa entrant en enfer se trouva seule en face d'un Esprit qui se tenait debout devant elle. C'était un noir chérubin, mais chérubin femme.

Lélith la fait asseoir et lui raconte son histoire, sa vie aux côtés de Lucifer, ange à demi-tombé errant *parmi les astres*. »

En ces temps-là, je vis des régions nouvelles
Où marchait Eloa dans le bruit de ses ailes
Qui frissonnaient un peu comme tremblent souvent
Les plumes de l'oiseau marchant contre le vent.
On eût dit une femme exilée hors du monde.
J'aurais cru voir passer une sainte
Sous les longs arceaux noirs d'une église profonde.

Lucifer tout-puissant me créa d'une flamme
Et qui jaillit un jour allumée en son âme.

Comment Lélith pleura son corps et son amour.

A JULES JANIN

Vigny envoie ces vers de circonstance en réponse à quelques vers perdus du célèbre critique stéphanois. Janin, né en 1804, mort en 1874, n'a pas toujours été très favorable au poète, mais ce dernier a certainement oublié, en 1860, l'éreintement sévère du critique, dans le *Journal des Débats*, lors des reprises, en 1840, de *Chatterton* et de *La Maréchale d'Ancre*.

Merci, mon cher poète, à ton fifre charmant;
Harmonieux et tendre, il captivait mon âme,
Les flots n'ont pas noyé tes sons, et l'Océan
Ne les a pas couverts d'une oublieuse lame.
Comme un parfum de fleurs, comme un aimable encens,
Ils sont montés, pieux, vers la céleste voûte.
D'illustres morts suivaient tes rêves et tes chants.
Béranger te sourit, Chateaubriand t'écoute.

Et moi je viens, l'un des derniers
Près de ces noms prendre ma place.
Je te couronne de lauriers
Que pour toi m'a remis Horace.

CHER ANGE...

Ces vers ont été composés en 1862. Il est probable que cette représentation des propres funérailles du poète, marquée d'un sombre humour, était destinée en dernier amour de Vigny, Augusta Bouvard.

CHER ANGE

...Cher Ange.
Que le cri de ma plume a souvent éveillé.
C'est une nuit bien sombre à Paris, une rue
Déserte où l'eau ruisselle, où, par la pluie accrue
La gouttière jaillit du toit jusqu'au pavé.
. . . . vingt fois en un moment
Je songe au corbillard de mon enterrement
Et je pense qu'alors mes amis, tête nue,
S'il pleut ainsi, diront : « Sa mort est mal venue. »

PRIÈRE

De la même époque date une Prière que Vigny rédige dans les douleurs de ce cancer de l'estomac qui le mine depuis bientôt trois ans, et l'empêche progressivement de rien ingérer. On y a ajouté une distique énigmatique qui, toujours en 1862, est peut-être à rattacher au poème *Les Oracles*.

Faites, ô Seigneur invisible,
Que, puisant la lumière en la pure clarté,
J'agisse dans le calme et la sérénité.

Ah! le respect s'en va! disent en gémissant
Ces intrigants repus d'or, de boue et de sang.

VERS JETÉS AU HASARD EN AVANT

Les derniers vers manuscrits de Vigny que l'on a pu retrouver et conserver, témoignent des lectures de la dernière heure et de l'attitude de calme stoïcisme délibérément choisie par le poète en face des remuements de l'entourage et du Père Gratry. L'expression « en avant » marque toujours, in extremis, le souci de Vigny de viser l'avenir, d'éveiller une postérité.

Mai 1863.

O sagesse quel doigt a touché ta racine ?
. . . .
Quel œil a pénétré tes divins artifices ? *(Ecclésiaste.)*

ARCHIVES DE L'ŒUVRE

I

LES OUVRAGES THÉORIQUES CONTEMPORAINS DE VIGNY CHOIX DE CITATIONS [1]

I. *Code des Rhétoriciens* ou Choix des meilleurs préceptes d'Eloquence et de Style, par J. SIMONNIN, Paris, 1819.

« J'appelle *Beau* dans un ouvrage d'esprit (...) ce qui a droit de plaire à la raison et à la réflexion par son excellence propre, par sa lumière ou par sa justesse (...) par son agrément intrinsèque. » *Le Père André* (p. 81).

II. *Œuvres complètes de Marmontel*, Paris, 1819, 19 volumes. *Les Leçons d'un Père à son Fils sur la Langue française.*

« Ce sera donc dans les bons livres, et dans la continuité et la pluralité constante des exemples du temps où l'on parlait le mieux, que vous recueillerez les voix en fait de goût et de langage. » (Vol. XVI, p. 3.)

III. *La Muse française*, 7e livraison, janvier 1824. Alexandre Guiraud : *Nos Doctrines.*

« La Postérité n'est pas un vain nom pour le poète; c'est elle surtout qu'il doit regarder; et si ceux qui l'entourent semblent condamner les sacrifices qu'il fait, son oreille prophétique doit entendre d'avance tous les murmures contemporains se perdre au milieu de ses acclamations. » (Ed. Marsan, t. II, p. 17.)

IV. J. P. G. VIENNET, *Epître aux Muses sur les Romantiques*, Paris, 1824.

« Si, grâce à nos patrons, la cassette du roi
Nous paie en bons louis nos vers de faux aloi,

1. Voir l'Introduction, p. 21, N.B.

Irai-je démentir et la cour et la ville ?
Traiter tout un public de dupe et d'imbecille ?
J'aime mieux me moquer de la postérité,
Escompter en lingots mon immortalité.
L'argent et les honneurs valent mieux que la gloire :
Il faut soigner sa vie et non pas sa mémoire!
Que m'importe après tout que mon pays ait tort ?
Qu'ai-je à faire d'un nom cent ans après ma mort ?
Que me sert d'enrichir l'éditeur de mes œuvres
Si j'ai toute ma vie avalé des couleuvres ?
Redresse qui voudra les erreurs des mortels!
Je cède au vent qui souffle; et comme tels et tels
J'aime mieux être enfin un seigneur en nature,
Un Chapelain vivant, qu'un Homère en peinture! »

(P. 15, v. 1-16.)

V. *Code des Rhétoriciens.*

« Pour bien écrire, il faut donc posséder pleinement son sujet, il faut y réfléchir assez pour voir clairement l'ordre des pensées, et en former une suite, une chaîne continue, dont chaque point représente une idée; et, lorsqu'on aura pris la plume, il faudra la conduire successivement sur ce premier trait, sans lui permettre de s'en écarter, sans l'appuyer trop inégalement, sans lui donner d'autres mouvements que celui qui sera déterminé par l'espace qu'elle doit parcourir. » *Buffon* (p. 125).

VI. L. J. M. Carpentier, *Gradus Français* ou Dictionnaire de la langue poétique, Paris, 1822.

« Le mot *Poésie* a différentes acceptions; il signifie l'art de faire des ouvrages en vers; le feu, la verve poétique; quelquefois seulement, l'art de faire des vers, la simple versification; et enfin, relativement au style. manière d'écrire pleine de figures et de fictions; c'est en ce sens que l'on dit du *Télémaque* qu'il est plein de poésie. » (P. 938, b.)

VII. M. Boutard, *Dictionnaire des Arts du Dessin,* la peinture, la sculpture, la gravure et l'architecture. Paris, 1838.

« La poésie est, dans les arts du dessin, la partie de la composition qui a pour objet de parler à l'imagination du spectateur, et qui procède plus particulièrement de celle de l'artiste. Dans la peinture, elle se manifeste surtout par le caractère des figures et l'invention des épisodes et des accessoires; par l'invention du sujet, s'il s'agit d'une fiction; par la création de l'être idéal, s'il s'agit de sujets allégoriques. » (P. 527.)

VIII. J. ARAGO, *Epître aux Jeunes Poètes de l'Epoque*, Paris, 1824.

« Pour gravir l'Hélicon, tu prends la route oblique,
Ton vers mystérieux n'arrive point au cœur :
Crois-en le goût, Alfred, ce langage mystique,
Loin de l'intéresser, refroidit ton lecteur.
Lorsque d'un trait rapide, au séjour du tonnerre
Tu vas chercher l'oiseau du souverain des dieux,
Son domaine est à toi, tu lui laisses la terre,
Et tandis qu'il descend, tu montes vers les cieux. »
(P. 20, v. 9-15.)

IX. Voir en particulier :
a) MATHIEU, *Dictionnaire des Rimes et de Prononciation*, Paris, 1800, p. 15.
b) DU BROCA, *Principes raisonnés sur l'Art de lire à haute voix*, Paris, 1803, p. 32.
c) MOREL, *Essai sur la voix de la langue française*, Paris, 1805, p. 27.

X. FABRE D'OLIVET, *Les Vers Dorés de Pythagore*, expliqués et traduits pour la première fois en vers eumolpiques français, précédés d'un *Discours sur l'essence et la forme de la Poésie* chez les principaux peuples de la terre, Paris, Strasbourg, 1813.

« Partout où la rime existera dans la forme poétique, elle la rendra inflexible, elle attirera sur elle seule tout l'effort du talent, et rendra vain celui de l'inspiration intellectuelle. » (P. 65.)

En ce qui concerne les statistiques alléguées, consulter : P. GUIRAUD, *Langage et Versification d'après l'œuvre de Paul Valéry*, Paris, 1953, p. 116-117.

XI. *Annales littéraires* ou choix chronologique des principaux articles de littérature insérés par M. DUSSAULT dans *Le Journal des Débats*, depuis 1800 jusqu'à 1817 inclusivement, Paris, 1828.

« La versification est tellement essentielle à la poésie, qu'on ne peut raisonnablement regarder comme poètes ceux qui en ont secoué le joug : un véritable poète sait le porter avec grâce; c'est la réunion du génie poétique et de la versification qui fait le poète; on peut avoir l'un sans l'autre, je le sais; mais les vrais favoris de la nature les réunissent. » (T. II, p. 140.)

XII. E. DESCHAMPS, *Etudes françaises et étrangères*, Paris, 1828.

« Il est bon de rappeler que les poètes ont en général été de bons écrivains en prose, quand ils l'ont bien voulu, tandis qu'il n'y a peut-être pas d'exemple de grands écrivains qui soient montés de la prose à la poésie. » (P. XXIII.)

XIII. *Ibid.*

« Pour juger la poésie, il faut le sentiment des arts et l'imagination, et ce sont deux qualités aussi rares dans les lecteurs que dans les auteurs français. » (P. XIX.)

XIV. Les *Correspondances* datent de 1857, et formulent définitivement des idées précédemment évoquées par :

a) SWEDENBORG, *Arcana Coelestia*, 1745-1756;
b) BERNARDIN DE SAINT-PIERRE, *Etudes de la Nature*, 1784;
c) DE PIIS, *L'Harmonie imitative de la Langue française*, 1785;
d) FOURIER, *Théorie des quatre mouvements*, 1808;
et bien d'autres encore, tels Goethe, Hofmann, Gautier.

XV. *Code des Rhétoriciens.*

« Peindre, c'est non seulement décrire les choses, mais en représenter les circonstances d'une manière si vive et si sensible, que l'auditeur s'imagine presque les voir. (...) Le poète disparaît, on ne voit plus que ce qu'il fait voir, on n'entend plus que ceux qu'il fait parler. Voilà la force de l'imitation et de la peinture. De là vient qu'un peintre et un poète ont tant de rapport; l'un peint pour les yeux, l'autre pour les oreilles; l'un et l'autre doivent porter les objets dans l'imagination des hommes. » Fénelon (p. 28-29).

II

Les conceptions théoriques de l'écrivain [1]

1. *Journal*, 2 mai 1863 :
« Plan d'un grand livre à écrire. *Le Génie des Poètes de la France*. Fausseté des biographes et de l'interprétation du genre de talent par l'organisation du corps ou les accidents de la vie de chacun. Quatre éléments du génie : 1er La conception du sujet, 2e La création des personnages, 3e La composition, 4e Le style. »

2. *Journal*, 1845 :
« *Sur moi-même*. Dans un article biographique sur moi, un jeune homme vient d'écrire ceci : « Pour vivre en paix avec lui-même, il fallait qu'il eût à répandre des idées et des sentiments applicables dans leur noblesse, il fallait qu'il travaillât à amener les hommes au bien pratique par la route du Beau poétique. »
Il a bien défini mes intentions secrètes, et je m'en suis senti honoré et fortifié. »

3. *Journal*, 1835 :
« Je veux écrire pour les hommes de mon temps, avec le langage et l'esprit de mon temps, et, s'il se peut, au profit de mon temps (...) préférant de beaucoup mes propres idées sur toute chose à celles des autres. »

4. *Journal*, juin 1842 :
« Rien n'est plus rare qu'un poète écrivant en vers le fond de sa pensée la plus intime sur quelque chose. Quand on y arrive et que l'on sort de ce que la poésie a de trop fardé, composé, et compassé, on éprouve une secrète et douce satisfaction à la rencontre du vrai dans le beau. »

1. Voir l'Introduction, p. 21, N.B.

5. *Journal*, 1831 :
« Ce que je suis partout (je crois), c'est moraliste et dramatique de forme... »

6. *Mémoires*, p. 364 (vers 1839) :
« *Les hautes questions*. Résumer en poèmes tout ce qui remue la société actuelle. Les personnages doivent être d'époques diverses prises indifféremment dans l'antique et le moderne, selon la plus grande connexité entre l'idée et la forme, et le rapport le plus exact entre la pensée et la destinée du personnage. »

7. *Lettre à Emile Péhant*, 16 septembre 1835 :
« Vous ferez bien de semer des idées saines et des doctrines nouvelles de l'art à chaque solennelle occasion. »

8. *Journal*, 23 août 1837 :
« La perpétuelle lutte du poète est celle qu'il livre à son idée. Si l'idée triomphe du poète et le passionne trop, il est sa dupe et tombe dans la mise en action de cette idée et s'y perd. Si le Poète est plus fort que l'idée, il la pétrit, la forme, et la met en œuvre. Elle devient ce qu'il a voulu, un monument. »

9. *Mémoires*, p. 383 (vers 1844) :
« Le Poète est celui qui plaît le plus; mais, trop amoureux de la forme, il *déguise* tant la pensée-mère qu'elle lui est presque indifférente et qu'il se moque de la foule qui, peut-être, se méprendra sur son intention. Il se dit : « Que m'importe! J'aurai réussi, j'aurai été admiré. C'est ici que tu es coupable, ô Poète! Eh! que t'importe l'admiration à toi qui dois être plus haut que la terre ? Ne sens-tu pas ton plaidoyer emporter ta cause bien au-dessus des nues ? Ne vois-tu pas les générations futures courbées à la lueur des lampes sur la lecture de ton œuvre, et fais-tu si peu de cas d'elles et de toi qu'il te soit indifférent de penser qu'elles pourront se méprendre sur le jugement que tu prononces ? »

10. *Journal*, juillet 1839 :
« Il y a plus de force, de dignité et de grandeur dans les poètes *objectifs*, épiques et dramatiques, tels qu'Homère, Shakespeare, Dante, Molière, Corneille, que dans les poètes *subjectifs* ou élégiaques, se peignant eux-mêmes

et déplorant leurs peines secrètes, comme Pétrarque et autres. »

11. *Journal*, 1829 :
« Un public ignorant vaut un homme de génie. — Pourquoi ? Parce que l'homme de génie devine le secret de la conscience publique. »

12. *Journal*, 1830; 1837 :
« Le peuple, il faut l'avouer, n'aime en France ni la musique, ni la poésie. Ce n'est pas que la classe moyenne soit plus harmonieuse; elle chante aussi faux et ne sent pas la poésie; mais elle reçoit, surtout à Paris, une sorte d'éducation de vaudeville qui suffit à la dose de mélodie et d'esprit qu'elle est en état de comprendre. Elle aime passionnément l'injure, mais l'injure sournoise, dérobée sous le Calembour. »

« Il faut se confier à ces quatre mille personnes qui, au compte de Lord Byron, sont les seules sur le globe qui sachent lire et sentir la poésie. Je désire beaucoup que sur ce nombre, il s'en trouve la moitié en France. »

13. *Journal*, 1831 :
« Plus je vais, plus je méprise la popularité et ceux qui la recherchent. Une seule est digne d'être ambitionnée, c'est la popularité parmi l'aristocratie de l'intelligence, je la nommerais volontiers l'*Electivité*. »

14. *Journal*, 1832 :
« Quand j'ai dit « *La Solitude est Sainte* », je n'ai pas entendu par *solitude* une séparation et un oubli entier des hommes et de la société, mais une retraite où l'âme se puisse recueillir en elle-même, puisse jouir de ses propres facultés, et rassembler ses forces pour produire quelque chose de grand. — Cette production ne peut jamais être qu'un reflet des impressions reçues de la société, mais il sera d'autant plus brillant que le miroir sera plus clarifié par la retraite, et plus épuré par la flamme d'un amour extatique de la pensée et l'ardeur d'un travail opiniâtre. »

15. *Journal*, 14 janvier 1851 :
« L'*Atticisme* est l'amour de toute beauté. La beauté de la pensée a pour fin la poésie la plus parfaite qui est le plus grand effort de la pensée conservé par les langues.

La beauté des actions a pour fin les marques de grandeur, de dignité et d'honneur qui rendent la vie d'un homme digne de mémoire. »

16. *Journal*, février 1854 :
« Il faut que l'homme de pensée s'élève d'un degré au-dessus de la *pitié* qu'il a de lui-même en abrégeant sa vie comme Gilbert ou Chatterton. Il est bon qu'il pense non seulement à ce qu'il laissera après lui, mais qu'il pense qu'il doit s'intéresser uniquement à ce qu'il laisse et non à ce qu'il fut. »

17. *Journal*, juillet 1841 :
« L'âme d'un Poète est une mère (...) et doit aimer son œuvre pour sa beauté, pour la volupté de la conception et le souvenir de cette volupté, et, pensant à son avenir, s'écrier : " Je l'ai fait pour toi, Postérité! " »

18. *Journal*, janvier, mai 1837 :
« Je m'impose cette loi que pas un mot ne sorte de ma plume qui n'aboutisse à un rayon de cette Roue dont le centre est la question posée. »
« Je crois qu'après moi, on dira que les deux qualités dominantes en moi, furent la conception et la composition. »

19. Lettre au marquis de La Grange, 8 octobre 1827 :
« Cet ouvrage (...) est déjà presque exécuté en moi-même sans que dix pages soient écrites encore. Mais, le concevoir tout entier, tenir son œuvre dans sa main, comme un globe, c'est là tout. L'écrire n'est plus rien ensuite. »

20. *Journal*, 1836 :
« Je ne fais pas un livre, il se fait. Il mûrit et croît dans ma tête comme un fruit. »

21. *Journal*, mai 1837 :
« Il est très bon, à mon sens, de laisser ainsi mûrir une conception nouvelle, comme un beau fruit qu'il ne faut pas se hâter de cueillir trop tôt. »

22. *Journal*, février 1832 :
« Eh quoi! ma pensée n'est-elle pas assez belle pour se passer du secours des mots et de l'harmonie des sons ? Le silence est la Poésie même pour moi. »

23. Lettre à Boitel, 9 avril 1842 :
« J'ignore entièrement l'art d'intriguer, mais celui d'écrire me tient fort à cœur, et j'y passe une partie de mes nuits. »

24. *Mémoires*, p. 163 (vers 1832) :
« Si je savais peindre, j'en ferais certainement *(d'un souvenir de jeunesse)* quelque bon tableau, ce que ne peut faire un peu d'encre noire sur une page de papier blanc qu'il faut tourner, et cela, presque toujours mal à propos. »

25. *Souvenirs de Servitude Militaire*, éd. Germain, Classiques Garnier; *La Veillée de Vincennes*, chap. IV, p. 84-85 :
« (...) je foulerais aux pieds des mots et des phrases, qui ne sont bons, tout au plus, que pour une centaine de départements, tandis que j'aurais le bonheur de dire mes idées fort clairement à tout l'univers avec mes sept notes. »

26. *Journal*, 20 mai 1829 :
« (A propos d'*Eloa*)... Le dictionnaire poétique de l'ouvrage est puisé, non dans des chroniques, non dans le langage d'une nation, mais dans des termes nouveaux, caractères neufs que j'ai fondus exprès pour cette imprimerie. »

27. *Journal*, 1835 :
« Je ne sais pourquoi j'écris. — La gloire après la mort ne se sent probablement pas; dans la vie, elle se sent bien peu. L'argent ? Les livres faits avec recueillement n'en donnent pas. — Mais je sens en moi le besoin de dire à la *société* les idées que j'ai en moi et qui veulent sortir. »

28. *Journal*, 1860 :
« *De ma manière de composer*. L'idée une fois reçue m'émeut jusqu'au cœur et je la prends en adoration. Cent fois par jour, elle revient à ma pensée dans le cercle toujours mouvant des pensées. Je la salue et la perfectionne à chacune de ses évolutions. Puis je travaille pour elle, je lui choisis une époque pour sa demeure, pour son vêtement une nation. Là, je fouille les temps et les débris de la société de ces âges qui conviennent le mieux

à sa manifestation. Ces précieux restes une fois assemblés, je trouve le point par lequel l'idée s'unit à eux dans la vérité de l'art et par lequel la réalité des mœurs s'élève jusqu'à l'idéal de la pensée-mère; sur ce point flotte une fable, qu'il faut inventer assez passionnée, assez émouvante, pour servir de démonstration à l'idée, et de démonstration incontestable, s'il se peut. Travail difficile s'il en est, et qui ne peut produire que des œuvres rares. On ne comprend pas la cause de mon silence; si je l'expliquais aux faibles têtes des parleurs de salon qui me demandent toujours cette cause, ils ne comprendraient pas et leur faible vue ne pourrait soutenir et regarder cette clarté du foyer intérieur de l'art et du travail philosophique dans l'imagination. »

29. *Mémoires*, p. 55 :
« (...) Ce coup de crayon fut le premier vers de ma vie. Je n'avais pas encore dix ans; je retombai dans ce péché de poésie, mais en secret, et n'en parlai que longtemps après. »

30. Lettre à Victor Hugo, 11 mai 1829 :
« Voici mes vieux péchés, et les nouveaux avec eux, cher ami... »

31. *Journal*, novembre 1837 :
« Dès qu'elle est imprimée, la Poésie perd la moitié de son charme. Cela vient de ce qu'on ne sait pas la lire : l'homme du monde, s'il la lit tout bas, le fait avec distraction (...). S'il lit la Poésie à haute voix (comme on lit tout, à peu près, du ton d'une gazette), c'est encore pis. Comment sentirait-il l'émotion poétique qui a besoin (et c'est la gloire des acteurs) d'être transmise par l'organe d'une voix humaine émue elle-même ? Il jette le Poème et reprend la Prose qui, avec son analyse et ses longs développements est faite pour les yeux du lecteur réfléchi, pour la solitude et le silence du cabinet. Il faudrait donc pour faire sentir la Poésie que partout le Poète vînt avec elle comme le rapsode de l'Antiquité ou le trouvèrent du Moyen-Age, et ce serait là un métier de Baladin. »

32. *Journal*, 6 décembre 1835 :
« Le jugement, la mémoire et l'imagination vont leur train dans notre tête. Mais, à côté d'eux, il y a, je crois,

une quatrième faculté qui peut aller sans eux : c'est celle qui fabrique la rime et le mètre. On pourrait l'appeler le moulin ou la vielle. Cela roule sans qu'on y songe et produit un son assoupissant et régulier. C'est la faculté mécanique de la poésie, celle qui fait le rimeur, mais non le Poète ; ce n'est rien, mais cela trompe souvent. »

33. *Journal*, 1841 :
« Que la Poésie a manqué de dignité et en est punie par le dédain qui la fait considérer comme une chose médiocre et qui ne peut être prise au sérieux. »

34. *Journal*, mai 1840 :
« Oui, la Poésie est une volupté, mais une volupté couvrant la pensée et la rendant lumineuse par l'éclat de son cristal conservateur qui lui permettra de vivre éternellement et d'éclairer sans fin. »

35. *Journal*, septembre 1842 :
« La Poésie n'est que dans les vers, et non ailleurs. De grands écrivains ont eu des velléités poétiques, mais ils n'étaient pas Poètes. »

36. *Journal*, octobre 1843 :
« La Poésie en vers, la seule vraie dans la forme du rythme et de la rime, est un élixir des idées ; mais le choix de ces idées est difficile, le vrai Poète, seul, a le goût assez exquis pour les frayer et séparer l'ivraie du bon grain. »

37. *Journal*, 1844 :
« La Poésie doit être la synthèse de tout. La prose l'analyse de tout. L'une, le sommaire, l'autre le détail de la pensée. »

38. *Journal*, 1835 :
« (...) Sainte-Beuve m'aime et m'estime, mais me connaît à peine et s'est trompé en voulant entrer dans les secrets de ma manière de produire. Je conçois tout à coup un plan, je perfectionne longuement le moule de la statue, je l'oublie, et quand je me mets à l'œuvre après de longs repos, je ne laisse pas refroidir la lave un instant. (...) »

39. *Journal*, 1852 :
« Nourri, enveloppé dans les langes de la *beauté*, vue à travers les chefs-d'œuvre, et de la convenance vue à

travers les récits et les mœurs des plus nobles familles, je n'ai jamais pu voir les réalités grossières sans un mépris profond, sans une horreur secrète de sa laideur. La beauté de la Création et de la Nature, je la rêvais à travers les chefs-d'œuvre de la peinture. »

40. *Journal*, 13 mai 1832 :
« On ne fait guère dans l'art, à présent, que ce que les peintres appellent des *charges*. La peinture et le dessin exagèrent tellement un trait du portrait, les proportions du tableau, que l'on hésite toujours un instant à première vue et l'on se demande si on ne voit pas là une caricature de l'objet représenté. Les drames et surtout ceux d'Hugo et de Dumas exagèrent si monstrueusement les défauts du caractère, de mœurs et de langage du temps et du pays, que l'on rit où ils veulent qu'on soit sérieux, et que le public croit suivre leurs intentions en riant. Les romans chargent la vie d'une telle manière que l'homme moderne actuel devient parfaitement ridicule dans ces vagues représentations. »

41. *Journal*, 1852 :
« Après avoir contemplé les mers dans le *Déluge* de Poussin, je trouvai la première tempête que je vis sur la mer d'une petitesse ridicule. On ne voyait pas autour de moi assez d'étendue d'eau, assez de soulèvement des vagues contre les rochers. »

42. *Journal*, octobre 1835 :
« Eh bien! que chacun peigne à sa manière, l'un sombre, l'autre clair, un troisième rude et âpre, un quatrième pâle et doux, celui-ci rubéfiant comme Rubens, celui-là pur et angélique comme Raphaël. »

43. *Ibid.*
« Que chacun donc peigne comme il voit, et aussi parle comme il pense, crie comme il sent; c'est la permission que je prends sans la demander, convaincu que l'humanité ne peut perdre à savoir ce qu'un homme a éprouvé et dit dans la sincérité de son cœur. »

44. *Journal*, mars 1841 :
« Depuis que la pensée a trouvé son expression dans la parole, et la parole sa durée dans les écrits; depuis surtout que l'imprimerie a commencé de l'étendre et per-

pétuer, il s'est formé, de générations en générations, un Peuple au milieu des Peuples, une Nation élue par le génie au milieu des Nations, et qui, semblable à la sainte famille des Lévites conserve à chacun des âges le trésor séculaire de ses idées; arche précieuse à laquelle il serait désirable que l'on ne pût toucher sans mourir. »

45. *Journal*, septembre 1844 :
« L'improvisation ne doit pas prétendre à la durée de la gloire. Elle ne peint pas, elle brosse; elle ne dessine pas, elle ébauche. La méditation seule bâtit pierre sur pierre et sur un plan médité. »

46. *Journal*, 1845 :
« S'il faut sonder le passé, c'est pour y chercher l'avenir. »

III

Jugements

Nous réunissons dans cette section quelques textes qui témoignent des réactions suscitées par l'œuvre poétique de Vigny. Ces extraits sont classés chronologiquement; ils permettent de dégager le profil évolutif des lectures qui furent faites de notre auteur, de son vivant à nos jours.

A. Réactions immédiates des contemporains aux recueils de 1822, 1826 et 1829.

a) Le voile de l'anonymat recouvrant initialement le nom de l'auteur des *Poèmes* ayant rapidement été levé, un critique oublié du *Moniteur* en date du 29 octobre 1822 justifie son interprétation en donnant au poète des sources reconnues :

« C'est dans Théocrite et dans Virgile qu'il faut chercher le modèle d'une poésie aussi suave et aussi fraîche, dont nous n'avons d'exemples *en français* que dans quelques idylles d'André Chénier; mais nous chercherions en vain dans toute notre littérature le type de compositions telles qu'*Héléna*, *Le Somnambule*, *La Prison* surtout. Ce sont les grands effets du drame jetés au milieu d'une poésie descriptive toute nouvelle, dont les tableaux sont là comme de belles décorations immobiles autour des personnages agissants. Cependant la plupart des poèmes de M. de Vigny ont à peine trois cents vers; c'est qu'il aura senti, comme lord Byron, que la poésie moderne doit être *courte* pour produire un enchantement sans fatigue. »

b) Tout en signalant l'influence de Chénier, dont Vigny prétendait se défendre en antidatant à cette époque ses premières poésies, Ancelot souligne l'individualisation caractéristique du poète, et formule, à l'occasion, quelques critiques relatives à la forme, dans les *Annales de la Littérature et des Arts*, 1822, 81e livraison, t. VII, p. 73 :

« Ce qui nous a le plus frappé dans le talent de M. le comte Alfred de Vigny (que nous nommons sans scrupule, puisque déjà quelques journaux ont arraché le voile modeste dont il s'était couvert), c'est cette originalité si précieuse dans tous les temps et si rare dans le nôtre; partout il est lui-même, et partout il est poète; ses beautés sont à lui, ses fautes lui appartiennent, et ne sont jamais les fautes d'un homme médiocre. Ainsi que l'ont remarqué plusieurs critiques, on trouve des rapports frappants entre le talent d'André Chénier et celui de M. de Vigny, et cependant on ne peut dire que l'un ait servi de modèle à l'autre; c'est une de ces ressemblances de famille qui sont moins dans l'exacte similitude des traits que dans l'ensemble de la physionomie. Doué d'une âme riche et d'une imagination féconde, comme l'était André Chénier, M. de Vigny est plus varié dans ses compositions; sa muse voyageuse parcourt tous les pays comme tous les siècles... Quelle que soit l'époque, quels que soient les lieux où nous transportent les aspirations de M. de Vigny, il est impossible de peindre avec plus de vérité les personnages qu'il amène sous nos yeux... Mais nulle part peut-être il ne brille avec plus d'éclat que dans un fragment qui a pour titre *Le Bain*.

« Que ne devons-nous pas attendre d'un jeune poète qui entre ainsi dans la carrière, et dont la muse prend des tons différents avec tant de facilité ? les plus brillantes destinées lui sont promises, et s'il veut joindre aux qualités précieuses qu'il tient de la nature celles que donne un travail sévère, il sera bientôt sans rival.

« Nous ne saurions l'engager trop fortement, dans l'intérêt de sa gloire, à se défier de certains penchants au néologisme qui se montre quelquefois dans son recueil, à renoncer à des tournures de phrases plus bizarres qu'originales qui déparent des morceaux d'ailleurs pleins de charme et d'élégance, ainsi qu'à des enjambements vicieux, dont l'effet est de donner aux vers une funeste ressemblance avec la prose. »

c) Pour sa part, avant un retournement d'opinion aussi spectaculaire que tardif, Victor Hugo loue, dans la

11e livraison de *La Muse française*, non sans quelque condescendance, le sens de la conception et le style de l'auteur d'*Eloa* :

« Il nous semble incontestable que le talent de M. de Vigny a singulièrement grandi depuis l'apparition d'*Héléna*. De graves négligences dans l'ordonnance de ce poème, l'incohérence des détails, l'obscurité de l'ensemble, les singularités d'un système de versification qui a bien sa grâce et sa douceur, mais qui a aussi ses défauts particuliers, toutes ces taches que des critiques, à la vérité bien sévères, avaient remarquées dans la première publication de M. de Vigny, ne peuvent être reprochées à la seconde. La belle imagination de l'auteur s'est fortifiée en se purifiant; son style, sans rien perdre de sa flexibilité, de sa fraîcheur et de son éclat, a perdu les défauts qui le déparaient. Peut-être cependant y découvrirait-on encore quelques taches en y regardant de très près; mais il faudrait avoir la vue bien basse. »

d) En mai 1825, le *Mercure du XIXe siècle* (t. IX, p. 347) publie un article de H. de L. (Henri de Latouche) qui s'achève sur des réserves formelles :

« Mais, ainsi que tous les jeunes poètes de l'école nouvelle j'entends accuser M. de Vigny d'obscurité. Je ne veux point nier que ce caractère distinctif ne soit empreint chez lui comme chez les autres; j'ajouterai même que cette obscurité est un grave défaut. Il s'agira de savoir maintenant où ce défaut réside... A quels écrivains ne pardonnera-t-on pas un peu de profondeur et même d'indéfini dans la pensée, si ce n'est aux poètes chargés de rendre l'expression de cette société malade du dix-neuvième siècle, où les droits et les besoins sont en lutte, où le scepticisme combat les idées véritablement religieuses, tandis que le fanatisme vaincu se relève contre la philosophie, et où la civilisation s'étonne à la fois de ses perfections et de ses infirmités ? »

e) *Le Globe* du 21 octobre 1829, fait paraître sous la plume de Charles Magnin un article qui entérine, à cette date, une évolution sensible du goût du public :

« Rien ne prouve mieux combien à cet égard, le goût public s'est amélioré promptement, que le succès qu'obtient cette année la réimpression des poésies de M. de Vigny, comparé au déchaînement mêlé de dédain et de colère, qui les avait accueillies à leur naissance.

« A entendre les premiers lecteurs, M. Alfred de Vigny était un écrivain d'une incorrection révoltante; prétentieux, obscur, à idées laborieusement inintelligibles. Le dirons-nous ? C'est avec cette prévention hostile que nous avons nous-même ouvert son livre. Quelle a été notre surprise! Nous avons trouvé dans ce soi-disant barbare, l'écrivain le plus suave, le plus mélodieux, le plus soigneux de la forme; son recueil nous a offert une langue poétique nouvelle, d'une fraîcheur, d'un éclat, d'une richesse incomparables; des procédés d'art et de prosodie nouveaux ou heureusement renouvelés; un génie d'une élévation, d'une chasteté, d'une grâce infinies, Pourquoi nous en cacher ? Nous l'avons lu et relu avec délices. De pareilles poésies décorées d'un nom d'auteur anglais ou allemand auraient indubitablement obtenu une vogue immense : mais M. de Vigny est Français, et personne n'a voulu se compromettre en le louant comme on aurait fait d'un étranger. Et, cependant, auprès d'*Eloa*, *Les Amours des Anges* de Thomas Moore, ne sont qu'une mesquine et coquette conception, un feu follet sans consistance et sans portée... *Eloa*, que la critique de notre époque n'a pas comprise, est une grande et touchante conception, un mythe qui rappelle ceux d'Hésiode et de Milton; une fable aussi fraîche, aussi gracieuse, aussi transparente que celle de *Pandore ;* une allégorie aussi belle, aussi délicate et plus prolongée que celle des *Prières...* »

On notera qu'à la même époque, Nisard, insistant sur les corrections apportées par Vigny à ses propres œuvres, se saisit un peu facilement de l'esprit du temps pour attirer l'attention de ses contemporains sur des textes passés presque inaperçus en 1822 et 1826.

B. Réactions d'ensemble différées qui tiennent compte des modifications ultérieures du recueil, du contexte socio-culturel de l'époque, et de l'évolution des relations individuelles de Vigny avec ses pairs en littérature.

a) Dans un article de la *Revue des Deux Mondes* du 15 octobre 1835, Sainte-Beuve croit définir la manière de composer de Vigny, qui ne se reconnaît pas dans ces lignes; cet événement contribue à la détérioration des relations des deux personnages (cf. *Journal*, 1835, éd. Baldensperger, Pléiade II, p. 1028, 1033) :

« Son talent réfléchi et très intérieur n'est pas de ceux qui épanchent directement par la poésie, leurs larmes, leurs impressions, leurs pensées. Il n'est pas de ceux non plus chez qui des formes nombreuses, faciles, vivantes, sortent à tout instant et créent un monde au sein duquel eux-mêmes disparaissent. Mais il part de sa sensation profonde et, lentement, douloureusement, à force d'incubation nocturne sous la lampe bleuâtre, et durant le calme adoré des heures noires, il arrive à la revêtir d'une forme dramatique, transparente pourtant, intime encore. (...)

« En maint endroit, la poésie de M. de Vigny a quelque chose de grand, de large, de calme, de lent; le vers est comme une onde immense, au bord d'une nappe, et avançant sur toute sa longueur sans se briser. Le mouvement est souvent celui d'une eau, non pas d'une eau qui coule et descend, mais d'une eau qui s'élève et s'amoncelle avec murmure. »

b) En 1840, Louis de Loménie fait l'éloge de la pureté poétique de Vigny dans sa *Galerie des Contemporains illustres :*

« Entre tous ceux qui ont reçu le don de poésie, nul n'a voué à sa muse un culte plus fervent et plus pur. Lui aussi ne l'a point traînée dans la rue, cette muse, pour l'attacher hurlante au char des factions; il ne l'a point mutilée pour la jeter en pâture à tous les appétits du jour; il ne l'a point pressée de se produire; il ne lui a point arraché par la violence de froids transports et des caresses inféconds. Il ne l'a point non plus détournée des choses du présent pour l'enfermer dans une puérile et égoïste contemplation. Il lui a montré la vie, mais de haut, et sans lui permettre d'y souiller sa blanche robe. Il lui a dit de prêter l'oreille aux mille bruits du monde et de les reproduire en un chant mélodieux; et alors, comme la voix de la muse s'éveillait suave et triste au cœur du poète, il s'est trouvé que le chant du poète a été triste aussi, mais d'une tristesse adoucie, contenue, amortie, comme un son lointain qui se prolonge et s'épure en passant par un double écho. »

c) En mai 1843, sous le coup de l'impression que vient de lui causer *La Flûte*, poème philosophique, le comte Gaspard de Pons compose *L'Impossible ;* il dédie cette poésie « Au comte Alfred de Vigny. Non au chantre d'*Eloa*, mais à l'auteur des *Poèmes philosophiques* », et justifie dans une note l'intention cachée dans cette opposition :

« Dans les ouvrages de mon ami Alfred, c'est *Eloa* que j'ai choisie de préférence pour exemple et que j'ai opposée à ses *poèmes philosophiques :* quand je parle d'opposition il est bien entendu que c'est sans la moindre intention de critique ou de blâme; tout au contraire, je n'ai voulu que relever un contraste qui sert à faire valoir magnifiquement le talent de l'auteur. Ce n'est pas en effet au chantre de cette *Eloa* qui brille surtout par la richesse et la variété des couleurs, ni à celui de tout autre composition saisissante où l'élément dramatique prédomine que j'aurais pu donner la qualification de poète calme et fort, mais cette qualification va bien au poète qui s'est fait philosophe ou philosophique et surtout à celui auquel nous devons *La Flûte*, qui est et qui restera, je pense, la meilleure création de ce genre dont le ciel ait déposé le germe dans son cerveau... Une idée aussi belle et aussi neuve que l'idée même de cette *Flûte* est, sous le rapport poétique, du moins (et aussi sous le rapport chrétien en ce qu'elle tend à rabattre complètement l'orgueil du génie), une de ces rares bonnes fortunes qui peuvent très bien ne pas se représenter deux fois, fût-ce à l'esprit le plus supérieur... »

d) Dans la *Galerie des Poètes vivans (sic)*, Auguste Desplaces loue en 1847 la lucidité et le sens de l'organisation poétique de Vigny, tout en émettant de légères réserves sur l'envergure définitive des réalisations :

« Maître absolu de sa pensée, il (Vigny) en surveille les évolutions d'un œil attentif et la tient enclose dans les lignes harmonieuses qu'il a, de longue main, tracées autour d'elle. Jamais les mille inquiétudes de la vie n'atteignent cette intelligence dans les régions sereines de son activité. Bien différent de ceux à qui la méditation profonde d'un sujet cause une sorte de vertige que l'art ne saurait plus contenir, lui, de quelque étreinte qu'il embrasse le thème qu'il s'est choisi, jamais ses facultés poétiques, comme ces astres égarés dans l'espace, ne s'en iront au hasard, brisant les symétries de son œuvre, et l'éclairant de lueurs désordonnées. Je sais qu'on peut taxer de froideur, en certains cas, cette présence d'esprit inaltérable au sein même de l'inspiration, que rien ne pourrait distraire ni du cadre adopté, ni du contrôle des idées, ni de la distribution des ornements; mais, comme M. de Vigny a presque toujours traité des sujets impersonnels, cette réserve et ce sang-froid, gardés dans le plus grand feu de la production, étaient là des qualités opportunes.

« M. de Vigny apporte beaucoup de soin à cette partie de l'art d'écrire trop négligée de plusieurs : la composition. (...) Il prépare à loisir et prudemment la forme de ses poèmes. Cette gestation de longue durée est une garantie de plus que l'œuvre naîtra viable. (...)

M. de Vigny est très bon ménager de son talent; c'est un économiste poétique des plus habiles. Tandis que d'autres, dans leur élan effréné, dépassent fréquemment le but (ce qui est une manière de le manquer), lui, plus prudent, se contente de l'atteindre. Examinez de près chacune de ses strophes; toujours l'émotion et la pensée s'y produisent dans une mesure suffisante, mais non surabondante. On dirait même parfois que le vers plie et vacille, faute d'une haleine plus vigoureuse qui le porte, et cette faiblesse a encore sa distinction et ses grâces. »

e) En 1853, dans la 3e édition de ses *Portraits littéraires*, Gustave Planche critique ouvertement la phraséologie souvent utilisée par Vigny; ce qui n'étonne pas de la part de ce critique tellement haï en son temps :

« Entre tous les mérites qui distinguent les poèmes, celui qui m'a d'abord frappé, c'est la vérité naïve et spontanée des sujets et des manières, l'opposition involontaire et franche, et, si l'on veut, l'inconséquence des intentions et des formes poétiques, l'allure libre et dégagée des pensées et des mètres qui les traduisent, l'inspiration nomade et aventureuse, qui, au lieu de circonscrire systématiquement l'emploi de ses forces dans une époque de l'histoire, dans une face de l'humanité, va, selon son caprice et sa rêverie, de la Judée à la Grèce, de la Bible à Homère, de Symétha à Charlemagne, de Moïse à Madame de Soubise. (...) Cependant, j'ai souvent regretté l'emploi trop fréquent de la périphrase poétique. Je voudrais plus de naïveté, plus de franchise dans l'expression. Je pardonne l'élégance laborieuse dans le développement d'un sentiment personnel, dans une action étendue où le poète peut intervenir pour son compte; mais quand on resserre toute une tragédie en deux cents vers, on ne saurait aller trop vite au but, et alors, il convient d'employer le mot propre et d'appeler les choses par leur nom. » (Critique qui porte plus spécialement sur *Dolorida.*)

f) Le sérieux de ces admirations ou de ces griefs ne doit pas faire oublier qu'à l'époque, existait également un mode d'aperception satirique de la littérature officielle dont *Les Binettes contemporaines*, de Joseph Citrouillard, revues par Commerson et publiées en 1857 par G. Havard assorties de portraits caricaturaux par Nadar, donnent une bonne idée :

« M. Alfred de Vigny est né comte, et historien aux pâles couleurs.

Mais, dans sa jeunesse, il avala tant d'antithèses, but tant d'hyperboles et mangea tant de métaphores concassées, selon l'ordonnance — du lycée Charlemagne, que son sang devint généreux et pur, son style florissant, et sa littérature saine et abondante — comme du cresson de fontaine. »

g) En 1862, alors que Vigny fait l'expérience de l'amicale reconnaissance que lui vouent de jeunes poètes, Barbey d'Aurevilly, pour sa part, dans la 3e partie de son ouvrage *Les Œuvres et les Hommes* (Les Poètes), explicite toute l'importance du rôle tenu par Vigny dans la révolution littéraire romantique en dressant un parallèle audacieux entre celui-ci et Racine :

« C'est l'aîné de nous tous, en effet, que M. Alfred de Vigny. Chronologiquement, il est le premier de ces novateurs, ou plutôt de ces rénovateurs littéraires, dont nous sommes plus ou moins les fils. Avant lui, on ne trouve dans la littérature du siècle que Chateaubriand, c'est-à-dire un grand poète en prose (...); mais en vers, on ne trouve personne. Millevoie mourait de pulmonie, Millevoie cette faible transition du faux au vrai, qui devait redevenir le faux si vite!

(...)

« La littérature du XVIIe siècle, la littérature de l'unité et de l'ordre, et même de l'ordre un peu dur, a commencé par l'indépendant génie de Corneille, impérieux et altier dans son indépendance; et la littérature du XIXe siècle, la littérature de l'indépendance et de la variété et même du dérèglement dans sa variété, a commencé par le doux génie de Racine, si suave dans sa correction, et c'est M. Alfred de Vigny, le précurseur du romantisme, qui a été ce Racine-là.

(...)

« Avant l'avènement des nouvelles idées et des formes nouvelles d'alors, il avait, lui, — et depuis dix ans! — toute la perfection et toute la rondeur d'un génie qui se soutint dans l'outre-mer de son ciel, mais dont l'orbe pur s'échancra... Nulle part en Europe, ni en Angleterre, où ils avaient Coleridge, ni en Allemagne, où ils avaient Klopstock, le peintre aussi de la Pitié chrétienne, il n'y avait un poète de ce *rayon de lune sur le gazon bleuâtre*, un poète de la tristesse et de la chaste langueur du poète d'*Eloa*. M. de Vigny avait résolu le problème éternel manqué par tous les poètes, d'être pur et de ne pas être froid. On avait chaud sous sa toison d'hermine. Les larmes aussi sont blanches et elles brûlent, et quand elles coulent sur des joues fraîches elles s'irisent de leur fraîcheur. Voilà la poésie de M. de Vigny. A elle seule, elle fut tout le printemps du Romantisme, la tombée de fleurs d'amandiers qu'il emporta. »

C. Réactions du XIXe siècle postérieures à la mort du poète.

a) Nous rappelons pour mémoire le jugement sévère et plein de rancune mesquine que Sainte-Beuve fit paraître sur *Les Destinées* dans le portrait de Vigny publié par la *Revue des Deux Mondes* du 15 avril 1864.

« *Les Destinées*, recueil posthume de M. de Vigny, et dont les pièces, pour la plupart, avaient paru déjà dans cette *Revue*, ont été généralement bien jugées par la critique : elles sont un déclin, mais un déclin très bien soutenu; rien n'y surpasse, ni même (si l'on excepte un poème ou deux) n'égale ses inspirations premières, rien n'y déroge non plus, ni ne les dément. Le recueil est digne du poète. »

b) Toujours en 1864, Georges Vattier fait paraître une *Galerie des Académiciens*, suite de portraits littéraires et artistiques, dans lesquels les qualités de Vigny sont exprimées sous l'image encore beuvienne de la fluidité aquatique :

(Vigny possède une « forme exquise »). « C'est du moins l'impression générale, celle qui reste dans l'esprit alors que les imperfections du détail sont oubliées. Le ruisseau aux ondes transparentes, au cours facile, n'est pas arrêté par le caillou plus grossier égaré sur son lit de sable fin;

une ride ou deux apparaissent à la surface, elle se trouble légèrement, mais l'œil à peine a entrevu cette altération passagère que le flot a retrouvé sa limpidité première, et repris sa libre course. Il ne faudrait pas s'en tenir à l'idée de fraîcheur murmurante, de souplesse, de pureté que fait naître une telle comparaison pour apprécier le style de M. de Vigny; il a des qualités plus variées, plus rares, et en première ligne, celle qui fait surtout le poète : la richesse des images. »

c) Les défauts de l'homme public nuancent parfois les jugements que d'aucuns portent sur l'écrivain. Ainsi en est-il, en 1869, d'Arthur de Boissieu dans ses *Lettres d'un Passant :*

« Je me souviens d'avoir dîné chez des parents communs en compagnie de ce d'Arlincourt réussi, et je le vois encore, étudiant ses poses, composant ses phrases et lançant au lustre du plafond le fier regard de l'aigle au soleil. Il chassait au galop le naturel effrayé et se remplissait de lui à déborder sur les autres, mais il avait tant de sérénité dans l'auréole et de béatitude dans la gloire, que son orgueil était une religion dont les athées n'osaient médire. Avec et malgré tout cela, écrivain de rang élevé et poète de haute volée. »

d) Dans ses *Souvenirs personnels et Silhouettes contemporaines* (posth., 1883) Auguste Barbier discerne, nettement, l'influence sur Vigny d'une certaine poésie anglaise :

« M. de Vigny, littérateur honnête et sans charlatanisme, avait un sincère amour de l'art. Il n'en a jamais fait un instrument de fortune et de popularité. (...) Il a cherché la force dans le calme, quelquefois il a paru l'atteindre dans ses *Poèmes philosophiques*, mais sa véritable qualité était la délicatesse élégante. C'était un talent aristocratique, une sorte de Tennyson français.

« On prendrait volontiers M. de Vigny, sur l'étiquette du sac, pour un élégiaque, un poète idillyque *(sic)* et même épique par moments, il faut voir surtout en lui un dramatique; il l'est toujours et partout; ses moindres pièces sont composées dramatiquement; ses romans, ses contes et ses poèmes sont des drames, drames d'analyse, si l'on veut, mais des drames. »

e) En 1888, Emmanuel des Essarts reprend à son compte et développe de nouveau l'analogie des arts de

Vigny et de Racine, dans son ouvrage *Portraits de Maîtres :*

« A part quelques périphrases qui tiennent de l'école impériale, le style offre dans la plus heureuse proportion l'élégance soutenue, la force ménagée, la correction et la hardiesse, l'éclat dans la netteté. De Vigny déploie des qualités qu'aucun poète moderne n'a possédées au même degré : ce sont des qualités raciniennes. Vigny, qui n'aimait pas Racine, est pourtant celui de nos contemporains qui le rappelle le plus par le tour du style. Ce sont les mêmes audaces calculées et voilées, c'est le même art qui se fait sentir en se dérobant et se révèle sans jamais s'étaler. (...)

« Vigny décidément a doté notre poésie d'un charme douloureux; c'est l'originalité d'une mélancolie grave sans ces molles affections, sans ces lâches abandons de sensibilité banale qui troublent l'harmonie des idées et du style. Ici la Beauté pure est déesse, mais déesse dans un temple de marbre noir. »

f) Des quinze dernières années du XIXe siècle date la ratification définitive de cette pureté absolue de l'œuvre poétique de Vigny. Ainsi en témoigne encore en 1888 Elme Caro, dans *Poètes et Romanciers :*

« Dans toutes ses œuvres, il (Vigny) est un pur poursuivant de l'Idéal. Comme la gloire des armes était son rêve dans la vie active, l'art le plus pur, le plus élevé, voilà son rêve dans sa carrière d'écrivain. (...) Le caractère principal qui s'y marque, c'est le souci de l'idée et de la forme qui l'exprime, c'est le respect de la pensée humaine; il a donné à ses contemporains un bel exemple d'élégante simplicité, de sobriété, de tempérance, d'harmonie et de mesure, bien digne d'être médité dans un temps d'improvisation prodigue, d'abandon immodéré, d'indiscrétion fanfaronne, de sans-façon aussi irrespectueux pour l'art que pour le public. Chez lui, le talent se relève et se décore de tout ce que les mœurs littéraires peuvent donner avec talent de plus délicat et de plus distingué. Aimable et rare esprit que celui qui se respecte ainsi dans le choix des sujets, dans la conscience avec laquelle il les médite, et enfin dans cette poursuite de la perfection du détail où se révèle le vrai artiste! Cet enthousiasme pour l'idée, cette curiosité du bien dire, cet instinct, ce goût des belles élégances de la pensée et du style, tout cela n'est-ce pas le culte même de l'Idéal ?

n'est-ce pas le sentiment de l'Honneur appliqué aux Lettres ? et n'est-ce pas là comme l'unité retrouvée de cette noble vie littéraire ?

« Cette tendance à l'Idéal, présente à toutes les parties de son œuvre, y imprime un double caractère : l'art y est impersonnel; de plus, il est partout subordonné à une idée. »

g) En 1894, Ferdinand Brunetière tente de formuler un jugement d'ensemble sur l'œuvre poétique de Vigny dans *Evolution de la Poésie lyrique en France*. On y retrouve l'assentiment ordinaire de la part d'un critique connu pour son pessimisme philosophique, en ce qui concerne les idées du poète, ainsi que les critiques habituelles quant à la forme littéraire dont il les a revêtues :

« (ainsi se marque) l'influence discrète ou presque cachée, mais réelle, et chaque jour grandissante, d'A. de Vigny sur quelques directions de la poésie contemporaine. Il ne fut pas non plus le moindre des *romantiques*, ni surtout le moins original, quand ce ne serait que pour avoir été le plus « intelligent », je veux dire : le seul qui ait eu ce que nous appelons des idées générales, et surtout une conception de la vie, raisonnée, personnelle, philosophique. (...) C'est par l'exécution qu'il pèche; et son inspiration, souvent très haute, ou presque toujours, manque presque toujours aussi d'haleine, de largeur, de continuité surtout : nul n'est plus vite essoufflé que Vigny. (...) Si donc Vigny a peu produit, et s'il a laissé dans ses papiers tant de projets de poèmes qu'il n'a pas eu le courage ou la force de réaliser, c'est que le problème de la poésie — qu'on me pardonne pour une fois ce rapprochement de mots ! — n'était pas le même pour lui que pour ses rivaux de gloire et de popularité. (...) lui, a essayé, s'est proposé de traduire en images colorées et mouvantes, vraiment « poétiques », des idées « philosophiques » rigoureusement définies, et dignes de ce nom. Ou plutôt, le philosophe, et, comme on dit de nos jours, le « penseur » attendait en lui que l'inspiration eût apporté au « poète » les symboles qui seraient seuls capables de donner à sa pensée la clarté, ou, pour ainsi parler, la visibilité que celle-ci leur rendrait en profondeur de signification et en étendue de portée. »

h) Mais, c'est en 1895, Eugène Asse qui formule définitivement le jugement du XIXe siècle finissant sur l'œuvre poétique de Vigny, dans l'ouvrage qu'il consacre aux éditions originales de ses poésies ; le bilan est nettement positif :

« Depuis 1863 sa gloire n'a fait que grandir et aujourd'hui il apparaît comme un véritable initiateur de beaucoup de choses. Le poème philosophique, qui sera un des meilleurs titres littéraires de notre temps, lui doit d'être, et il lui a donné les plus parfaits modèles. On pourrait en dire autant du poème en général. Des œuvres de nos grands morts, c'est la sienne qui a subi la moindre atteinte du temps, qui a même grandi avec lui. Il le doit sans doute à son beau et hardi génie, mais aussi au soin qu'il a eu de ne léguer au public que ce qu'il estimait le plus accompli dans son œuvre. Courage rare parmi les romantiques ! Il a lui-même, de son vivant, supprimé des pièces déjà publiées et que tout autre que lui aurait éternisées dans une édition définitive *ne varietur*. Lorsque tant d'écrivains n'ont cherché qu'à accroître leur bagage littéraire, il n'a cherché qu'à alléger le sien. »

D. Réactions du xxe siècle à l'œuvre de Vigny.

Le premier tiers de ce siècle a vu l'édification de diverses théories explicatives de l'art et de la pensée de Vigny, prenant le plus souvent appui sur des éditions scientifiques de son œuvre. La critique universitaire a pris le relais de la critique strictement littéraire. Il devient plus facile, avec le recul du temps, de discerner les tenants et les aboutissants de la technique et de l'inspiration de Vigny : l'érudition se substitue à l'appréciation esthétique intuitive et subjective.

a) C'est ainsi qu'en 1923, Edmond Estève, dans *Alfred de Vigny, sa Pensée et son Art* (Garnier Frères), rappelle que Vigny a ouvert la voie tant aux Parnassiens qu'aux Symbolistes, même s'il reprend directement cette dernière filiation à Brunetière :

« Art impersonnel, art symbolique, tels sont les deux grands caractères avec lesquels nous apparaît, dans le recul du passé, la poésie d'Alfred de Vigny. Si le premier fait de lui le précurseur de toute notre épopée moderne (Victor Hugo, Leconte de Lisle et leurs imitateurs), le second apparente son œuvre à une littérature plus voisine encore de nous (le mouvement dit symboliste). (...)

« Si la fonction essentielle d'un poète qui mérite la qualification de symboliste est de créer des mythes, de donner aux vérités les plus profondément vraies une enveloppe fabuleuse, de nous conter de merveilleuses histoires qui ne ressemblent à rien de ce que nous voyons dans la réalité, mais par le moyen desquelles il nous découvre son âme et parfois aussi nous révèle la nôtre, ce qu'il y a dans la poésie française avant 1890 qui réponde le mieux à cette définition, c'est le *Satyre* et le *Titan* de Victor Hugo, mais bien avant le *Satyre* et le *Titan*, *Eloa*, *Moïse*, le *Déluge*, tout ce livre mystique des *Poèmes antiques et modernes*, qui est peut-être la plus pure et la plus parfaite expression du génie poétique d'A. de Vigny. »

b) Dans *Alfred de Vigny*. (Collection *Essais critiques*, Nouvelle Revue Critique), Ferdinand Baldensperger renoue avec la tradition de l'idée pure en 1929 :

« On s'empresse de conclure, du *Silence* de Vigny à une hautaine stérilité, de certaines désapprobations à un pessimisme total, et principalement de sa réserve et de sa dignité à une raideur impersonnelle et glacée. Par bonheur, le sens véridique de sa vie et de son œuvre continue à animer secrètement des lecteurs épars. (...)

« L'œuvre et la personne de Vigny deviennent comme le mot de ralliement d'une communauté indiscernable, souvent méprisée des triomphateurs du jour, ignorée des turbulentes consécrations de la publicité : celle qui maintient les réincarnations de « l'esprit pur », l'intelligence, le dévouement, l'abnégation, la dignité, la foi jurée, à l'abri des atteintes et des abandons. »

c) Mais le temps n'est pas encore tout à fait venu de montrer en Vigny le génial précurseur de quelques idées modernes, et, en 1936, dans son *Histoire de la littérature française de 1789 à nos jours* (Stock), Albert Thibaudet retrouve un point de vue plus spécifiquement esthétique pour souligner la constance de l'affection d'un certain public pour cette œuvre délicate :

« Depuis la publication des *Destinées*, qui rappelèrent l'attention sur lui après sa mort, la gloire de Vigny n'a pas connu les hauts et les bas de celle de Lamartine et de Victor Hugo. Elle est restée égale et pure. De ses grands poèmes les grammairiens ont pu discuter la langue, mais de leur poésie rien n'a vieilli. Ce poète stoïcien, ce constructeur de mythes autour des idées, en même temps qu'il a été le romantique le mieux délégué à la poésie pure, a tenu la place, rendu les services, conservé le bienfait d'un moraliste. Sa sensibilité orgueilleuse, douloureuse n'a nui en rien à une raison active qui fait de lui le père La Pensée de la poésie romantique. Elle a donné au contraire à cette pensée plus de vibration humaine, à cette paternité plus d'efficace. »

d) C'est à P.-G. Castex qu'il revient de discerner en 1952, dans son ouvrage *Alfred de Vigny, l'homme et l'œuvre* (Hatier-Boivin), l'actualité toujours vivante de Vigny dans l'existentialisme contemporain :

« Certes, d'un siècle à l'autre, beaucoup de situations particulières se sont modifiées. Aujourd'hui comme hier, cependant, l'officier de carrière, l'écrivain de vocation, doivent protéger, dans le cadre même de leur activité, la dignité de la personne et la liberté de l'esprit : au Poète, au Soldat, Vigny apporte encore des exemples et des leçons.

« Surtout, il a défini avec une lucidité exceptionnelle cette angoisse qui, depuis plus de cent ans, semble la loi d'un univers enlisé dans de cruelles contradictions. Il a peint la créature abandonnée du ciel, incomprise et désespérée. Comme les existentialistes athées d'aujourd'hui, il nie en général la réalité d'une Providence et souligne les aspects tragiques de la condition terrestre; il cherche, en marge des religions et des systèmes, les valeurs authentiques qui peuvent donner un prix à l'action quotidienne et un sens à la vie; il part d'analyses décourageantes pour parvenir à un optimisme durement conquis. Son attitude, à la fois désenchantée et résolue, est celle d'un philosophe qui, sans fermer les yeux au spectacle douloureux des réalités, compte sur l'homme, et sur l'homme seul, pour assurer un avenir meilleur aux destinées humaines. »

e) En 1961, dans la conclusion de sa thèse consacrée à *L'Imagination d'A. de Vigny* (Corti), François Germain assure la synthèse définitive des différentes composantes de cet art :

« Vigny n'est pas et ne veut pas être un virtuose de l'image; le pittoresque ici n'est pas un but, mais un moyen d'incarner des réalités intérieures auxquelles il se subordonne. Symbolique par principe, il n'est jamais une distraction, mais toujours l'apparence sensible d'une Idée et des drames qu'elle résume. L'univers des choses est donc réorganisé par les sentiments humains qu'il exprime, et Vigny lui demande un langage plutôt qu'un matériel à décrire. (...) A chaque niveau de sa création, Vigny dégage un archétype, de la substance qui répugne et de celle qui séduit, du décor qui inquiète et de celui qui rassure, du malheur et du bonheur, de la folie et de la raison; et toutes ces vérités idéales, de la sensualité, du cœur et de l'intelligence, se condensent, à titre matériel ou figuré, dans l'image du diamant qui résiste à la nuit. Image parfaitement simple dans sa substance qui est limpide et pure, dans sa forme qui tend vers le cercle et même vers son centre, dans sa signification enfin, puisqu'elle rejette hors de l'homme toutes ses contraintes et condense en lui tous ses bonheurs; si bien qu'elle exprime ce drame essentiel à quoi se réduisent toutes les difficultés de l'existence : une confrontation des rêves qui exaltent et du réel qui meurtrit. Imaginer, pour Vigny, ce n'est donc pas rivaliser avec le réel par l'abondance des descriptions, la variété des intrigues et le nombre des personnages, c'est dégager un schéma qui dise les rapports de l'homme et du monde. »

f) Dans le volume consacré au *Romantisme* (1820-1843) par Max Milner, intégré à la *Littérature française* publiée en 1973 chez Arthaud, se trouve reprise cette thèse d'un syncrétisme supérieur de Vigny :

« Trésor, cristal conservateur, perle, diamant, la poésie permet de lutter contre les fausses incarnations en préservant la mobilité de la pensée, en respectant les irisations de la vie, et en donnant à une liberté nourrie d'expérience humaine le pouvoir de rayonner sur l'avenir. De là ce mélange de rigueur et de tendresse, de cruauté et de pitié, de froideur et de flamme, de désespoir et de confiance, de religiosité et d'athéisme, qui fait de l'œuvre de Vigny, à la fois une manifestation les plus complètes de l'esprit romantique et la mise en garde la plus lucide contre ce que cet esprit comportait de facilité et d'illusion. »

g) En 1976, enfin, dans le tome VIII de l'*Histoire Littéraire de la France* publiée aux Editions Sociales,

Maurice Tournier met en lumière le plaidoyer en faveur de l'homme contre le siècle machiniste qui l'écrase, que renferme, à son sens, l'œuvre de Vigny :

« L'œuvre de Vigny correspond bien à une double finalité, interne (et *L'Esprit Pur* nous redit sa foi obstinée en lui-même), mais externe aussi (et *La Bouteille à la Mer* porte son message à déchiffrer). Car, ne l'oublions pas, dans ce XIXe siècle livré aux intérêts de l'« industrialisme », où de tels chants tiennent si peu de place, la protestation du Poète, par les moyens de la littérature et de ses impasses mêmes (qui forcent à lire plus loin que l'explicite), ne cesse de témoigner pour l'homme contre la société, au-delà des suffisances médiocratiques de ceux qui achètent les écrivains et font tirer les soldats. »

Au-delà de toutcs ces tentatives d'explication, au-delà de tous ces commentaires qui n'épuiseront jamais la richesse de l'œuvre de Vigny, il reste encore de la place pour des interprétations psycho-critiques, voire strictement psychanalytiques, pour des lectures sémiotiques et stylistiques, qui sont encore à venir et dont les virtualités assurent l'ouverture indéfinie de ces textes du Poète sur la Postérité à qui il se confiait.

TABLE DES MATIÈRES

Repères biographiques 1
Introduction 21
Bibliographie sommaire 49
Note sur la présente édition 51

VIGNY
ŒUVRES POÉTIQUES

Anciennes préfaces 53

Poèmes antiques et modernes
Préface 59
Livre mystique
Moïse 63
Eloa, Chant I 67
Chant II 75
Chant III 80
Le Déluge 88
Livre antique
Antiquité biblique
La Fille de Jephté 101
La Femme adultère 104
Le Bain 109
Antiquité homérique
Le Somnambule 111
La Dryade 113
Symétha 117
Le Bain d'une dame romaine 119
Livre Moderne
Dolorida 123
Le Malheur 128

La Prison 131
Madame de Soubise 140
La Neige 146
Le Cor 149
Le Bal 152
Documens *(sic)* sur les trapistes *(sic)* d'Espagne 155
Le Trappiste 159
La Frégate La Sérieuse 166
Les Amans *(sic)* de Montmorency . . . 176
Paris 180

Poèmes philosophiques *(œuvres posthumes)*

Les Destinées 189
La Maison du Berger 196
Les Oracles 205
La Sauvage 211
La Colère de Samson 217
La Mort du loup 222
La Flûte 225
Le Mont des Oliviers 229
La Bouteille à la Mer 234
Wanda 241
L'Esprit pur 249

Manuscrits d'autrefois et Fantaisies oubliées

Avertissement 254
Héléna, Chant I 255
Chant II 261
Chant III 274
Note sur Héléna 284
A Monsieur le Comte de Moncorps 286
Fragment de Poème biblique 288
La Femme adultère 290
Suzanne 292
La Prison 302
Le Berceau 304
Le Rêve 306
Autour d'Eloa 308
Satan 309
Eloa 314
Projet d'un Jugement Dernier 317
Sand 319
A Byron 321
Nuit dans les Pyrénées 323

A Lydia Bunbury 324
La Beauté idéale. 326
Le Port. 329
Les Tristes 330
Une âme devant Dieu 332
Ballade 335
L'Homme de génie. 337
Romance du Roman de la rose. 338
A David d'Angers 340
Trente-deuxième année. 341
Poème 342
A Marie Dorval 343
A vous les Chants d'amour 344
Chant d'ouvrier 345
Dédicace de *La Maréchale d'Ancre* à Marie Dorval 346
Le Bateau. 348
Le Livre 350
L'Heure où tu pleures 353
Je voudrais bien savoir 355
A Madame Pauline du Chambge 356
Foule immense et vaine. 357
L'Encens du Théâtre. 359
A Madame de Vigny 360
L'Orgue 361
Elévation 362
Fatuité 363
Vers à Viennet sur *Arbogaste*. 364
A Marie Dorval 366
L'Esprit parisien. 367
Daniel 368
La Trinité humaine. 369
Le Quatrième Pouvoir 370
Sémélé 371
Dalila. 372
Le Maine-Giraud, Invocation 373
Un Billet de Byron. 374
Comme deux Cygnes blancs 375
La Justice boiteuse. 376
Je ne suis pas le Fils de Dieu 377
Aux Sourds-Muets. 379
Quelques Mots à un grand Homme. 380
Heureux qui vient avec mystère 382
Poème 383
La Poésie des Nombres. 384

Sixain 386
A la Bourgeoisie qui blasonne les Poètes . . . 387
IIIe, IVe, Ve Lettres à Eva 389
Réponse d'Eva 392
Quatrain 393
A Jules de Rességuier 394
Lord Littleton 395
Pâleur 399
Septain 400
Stances 401
Sonnet à Evariste Boulay-Paty 403
A Madame Ristori 404
La Divine Comédie 405
Lélith 406
A Jules Janin 408
Cher Ange 409
Prière 410
Vers jetés au Hasard en avant 411

ARCHIVES DE L'ŒUVRE

I. *Les ouvrages théoriques contemporains de Vigny. Choix de citations* 413
II. *Les conceptions théoriques de l'écrivain* . . . 417
III. *Jugements* 426

GF Flammarion

Achevé d'imprimer en France par Dupli-Print (95)
en février 2019
N° d'impression : 2019020339

N° d'édition : L.01EHPNFG0306.A006
Dépôt légal : juin 2011